一章　ジャップ

アリゾナ砂漠は、太陽と砂だけが生きていた。

不気味なほど濃いブルーの空の下に、延々と続く砂漠は渇ききり、地面にしがみつくように生えているセイジ・ブラシやアイアン・ツリーの灌木《かんぼく》も、緑の色を失って枯れかけている。

灼熱《しゃくねつ》の太陽に灼《や》かれた砂が、灌木の間を音もなく風の方向に移動し、風紋を描いていく。風は僅《わず》かにしか吹いていないが、セイジ・ブラシ一本生えていない、一マイルほど先の赤い砂漠では、濛々《もうもう》たる砂煙がたっている。すべてが死に絶えたような荒寥《こうりょう》たるアリゾナ砂漠——、鳥さえ生きられそうにない苛烈《かれつ》なその砂漠の一点に異様な光景があった。

有刺《ゆうし》鉄線をめぐらせ、監視塔《ウォッチタワー》で見張った鉄条網の中に、一糸まとわぬ裸の人間の列がならび、武装した米兵たちが銃口を向けている。アリゾナ州からニューメキシコ州の州境に続く砂漠の中の軍キャンプであった。一九四一年十二月七日の真珠湾攻撃の日から、敵国人として逮捕され、収容された日系民間人たちの裸体の列であった。

「ヘイ　ジャップ！　動くな」

兵隊たちは、三、四十人ずつ、五列にならんだ裸の列に銃を向けて、怒鳴った。華氏百十度（摂氏四十三度）の炎天下の砂漠に、素っ裸のまま、たたされている日本人たちは、汗も涸《か》れ、背中は火ぶくれになりかけていた。

それは、たった一本のスプーンから起った出来ごとであった。

キャンプ内ではナイフ、鋏《はさみ》、剃刀《かみそり》はもちろん、釘《くぎ》一本も所持することを厳禁していたが、十日前、手先の器用な者数名が食料品箱の鋼《はがね》の締《し》め金《がね》でナイフを作っているのが発見され、全員ハード・レーバー（重労働）を課せられた。以後、食事のナイフ、フォークはもちろんのこと、スプーンまで、研《と》げば凶器になるとして点検が厳重になり、昼食が終った直後、炊事係の兵隊が、スプーン一本紛失していることに気付いて、騒ぎ出したのだった。

直ちに銃を持った数十名の兵隊が四棟のバラックに押入り、全員を一列にならばせ、ベッドのマットレスから、床板まで剝《は》がして捜索し、さらに背中にPW（戦時捕虜）と白ペンキで記した作業衣を脱がせ、ポケットをはたいたり、縫目を破って所持品検査をした。それでも見つからないため、なお徹底的に調べ直そうと、全員を素っ裸にして、百度を超える戸外に整列させたのだった。

じりじりと灼かれた砂漠の上で、一滴の水も与えられず、

既に三十分も炎天に曝《さら》されている日本人たちは、干乾《ひから》びた案山子《かかし》のように見えた。

　百七十名の収容者たちの中で、最年少である二十九歳の天羽賢治《あもうけんじ》は、一メートル八十センチの筋肉質のひき締った体に、先刻まで玉のような汗を滴らせていたが、今は発汗が止まり、体力を失いつつあった。それでも彼は六十歳以上の高齢者たちの身を按《あん》じ、濃い眉《まゆ》に迫った翳《かげり》のある眼ざしで気遣《きづか》うように高齢者を見守っていた。

　みすぼらしい裸姿《はだか》であったが、皆それぞれロサンゼルス、サンフランシスコの日本人会、各県人会の会長、副会長をはじめ、南加在郷軍友会、武徳会の役員、仏教開教師、日本語学校校長など、カリフォルニアの日本人社会の世話役であり、指導的立場にある人たちが殆《ほと》んどであった。日本の真珠湾攻撃のその日から、敵国人として続々と逮捕され、FBI監獄経由でこの軍キャンプへ送り込まれたのである。

　百七十名の中には、神経痛や高血圧で臥《ふせ》っているところを連行された者もあり、特にロサンゼルス日本人会会長の清水一平は、最年長者の七十三歳であった。

「清水さん、大丈夫ですか」

「なに、若い時、荒地で鍛えた体じゃ、他《ほか》の者の方が弱っとるじゃろ」

　天羽賢治は長身の体を伸ばして、列を見渡した。意識が朦朧《もうろう》として来たのか、ところどころ列が乱れ、ゆらゆらと体を揺がせている者もある。

　さっきまでのあるかなきかの砂漠を渡る風が、俄《にわ》かにべっとり湿気を含んだ風に変り、肺の中まで蒸せ上るようだった。これ以上、たっておれば、日射病で死亡する者も出かねないと懸念した時、

「もう駄目だ、目眩《めまい》が……」

　賢治の前列の老人が、前へよろめいたかと思うと、その場にうっ伏した。賢治はすぐ抱き起し、列の外へ出ようとした。

「ホールト（止まれ）！　ヘイ！　ジャップ、どこへ行く！」

　兵隊が、銃を構えて制止した。

「日射病だ！　すぐ手当てをしてくれ」

「先にスプーンを隠した場所を云え、そうしたらすぐ担架で運んでやる」

「そんなものは誰も隠し持っていない、全員を早くバラックへ入れろ！　死んでしまうぞ！」

　もはや体力の限界に来ていた日本人たちは、その間にも五、六人がばたばたと倒れた。

　賢治は、監視塔を見上げた。有刺鉄線に沿って設けられている監視塔からは機関銃が向けられ、裸の列がばたばたと倒れて行っても、中止の命令も出さない。賢治の眼に、怒りが沸《たぎ》った。

　一体、この軍キャンプに敵国人として収容されている日本人たちが、何をしたというのだろうか、移民としてアメ

リカへ来て以来、荒れ果てた不毛の地を営々と四十年、五十年耕《たがや》して、沃地《よくち》に変え、働き詰めに働いて来た善良な市民ばかりではないか。たまたま、日本人の親睦団体や県人会の世話役や長老であったというだけで、敵性外国人として逮捕されているのだ。賢治自身に至っては、アメリカに生れ、アメリカ合衆国の国籍を持つ日系二世であるにもかかわらず、邦字新聞の記者だということで逮捕され、軍キャンプにまで収容されたのである。だが、同じ敵性外国人の立場にあるドイツ系、イタリア系移民は、戦時捕虜として捕えられることを免れている。これがアメリカの正義と民主主義であり、人道というものなのか——。

　天羽賢治の胸に、不条理を許さぬ怒りがつき上げ、この残忍な行為をやめさせなければならぬという念《おも》いがこみあげてきた。だが、銃を向けた兵隊にもし反抗すれば——。自分の釈放《パロール》を待ちわびている、はじめての子供を妊《みごも》っている妻と、齢《とし》老いた両親、まだハイスクールの学生の弟妹を思うと、決断しかねた。

　ロサンゼルス日本人会会長の清水一平の膝《ひざ》が、がくりと砂地に崩れた。賢治を躊躇《ためら》わせていたものが、砕け散った。この百七十名の中で、唯一人、アメリカ国籍を持つ自分がなさねばならぬことだった。天羽は、隊列から離れた。

「ホールト（止まれ）、ホールト！」

　兵隊たちが銃で制したが、賢治は、前方中央にたって睨《にら》みをきかしている軍曹に向った。

　バーン！

　銃口が火を噴いた。昂奮した兵隊が威嚇発砲した。賢治は危うく、つんのめりそうになった。恐怖で体が硬《こわ》ばり、胸が早鐘のように打ち、怯《ひる》みそうになる足を一歩、一歩、軍曹に近付けた。

　賢治が最前列まで進んだ時、軍曹はガムをペッと吐き出し、金色の毛が密生している太い腕に銃を構えた。

「天羽、危い、止まれ！」

　後方で、幾人かの声が叫んだが、もはや賢治の足は止まらなかった。その眼には、自分に照準が合わされ、いつ火を噴くか知れない銃口が、熱い大気の中で、ゆらゆらと上下に揺れて見えるだけだった。

　軍曹の手前《てまえ》、五メートルほどで、賢治は足を止めた。冷酷な青い眼と視線が合った。

「射つな！　アイム　アメリカン」

　賢治が叫んだ途端、軍曹の青い眼が瞬《またた》き、銃がおろされた。

「その黄色い面《つら》をして、今、何と云った？」

「私はアメリカ国籍を持つ日系アメリカ人だ！」

「お前のどこが、俺たちと同じアメリカ人だ、聞かせて貰おう」

　皮膚の黄色い体をせせら笑うように、云った。

「両親は日本人だが、私はアメリカで生れ、アメリカの国籍を持っている日系二世だ」

「なるほど、ニセイか、だが漂白剤でも使って、白くならない限り、ジャップはジャップだぜ」

軍曹が吐き捨てるように云うと、左右にたっていた兵隊たちも、歯をみせて、嘲笑した。賢治の顔は屈辱に歪《ゆが》んだが、

「云うことはそれだけか、倒れた者を一刻も早くバラックへ入れろ、もし死亡者が出れば、私はアメリカ市民として軍曹を告発する！」

怒りをもって、云い放った。

「なに、告発？　お前が何を告発するというのだ」

「ジュネーヴ協定では、いかなる戦時捕虜も虐待してはならないと、規定されているはずだ、明らかに国際法違反だ！」

「黙れ！　国際法違反はジャップの方だ、パールハーバー・アタックこそ、裏切りの騙《だま》し討ちだ、この猿どもが！」

真珠湾攻撃で二人の肉親を失ったという軍曹は、憎悪と復讐《ふくしゅう》心を燃え上らせていた。

「それは国家間の軍事行動ではないか。非戦闘員の捕虜に対して、たった一本のスプーンの紛失で、百度を超える炎天下に素っ裸で立たせるのは、ジュネーヴ協定に違反する虐待だ」

「所持禁止の規則を破ったお前たちが悪いのだ、お前は米軍に反抗するのか」

軍曹は、銃の引金に手をかけた。賢治の体に冷たいものが奔《はし》った。今度こそ、射殺されるかもしれないという恐怖で全身が竦《すく》んだ。

「軍曹、雷《サンダー》が来ます！」

兵隊の一人が、上空を指した。空の一点に黒い雲のかたまりが忽然と現われたかと思うと、またたく間に青空を掩《おお》い、雷鳴が轟《とどろ》いた。

砂漠の様相は一転した。突風で砂塵が舞い、地面にしがみつくように生えていたセイジ・ブラシが根こそぎ吹き上げられ、宙をくるくると、飛ばされて行く。

「雷だ！　全員退避！」

軍曹が笛を鳴らし、退避を命じた。兵隊たちは一目散に兵営目ざして走り去り、一方、賢治たち裸の百七十名もバラックへ避難した。

砂漠の雷は凄《すさま》じい。大粒の雨とともに、幾筋もの稲妻が黒い空にスパークするように奔《ほとばし》り、地上のあらゆるものをうち砕くような大音響を発した。

間近《まぢか》に近づいた雷が、砂漠に火柱をたてて落下した。耳を聾《ろう》するばかりの雷鳴が終る間もなく、すぐまた六、七本の火柱が、そこここに一時にたつ。生きた心地《ここち》のしない光と音響の狂乱であった。

賢治は、今にもバラックの屋根を突き破りそうな豪雨と、凄じい雷の音を聞きながら、曾《かつ》て体験した雷雨の日の惨《みじ》めな事件を思い返した。

それはカリフォルニアの暑い夏の日のことであった。ロサンゼルス市立大学を卒業した天羽賢治は、就職口を探していたが、日系二世には、農場で働くか、フルーツスタンドでオレンジを売るぐらいの仕事しかなかった。その日、サンディエゴに行けば倉庫会社のブックキーパーの仕事口があると聞き、バスに乗って出かけた。バスを降りて歩き出した時、急に大雨が降り出した。

近くに小さなレストランの看板が見え、賢治は急いで飛び込んだが、雨はますます激しさを増し、雷が鳴り出した。ちょうどランチタイムだったから、雨宿りしながら、昼食をすませることにしたが、一向に注文を取りに来ない。あとから入って来た白人客の注文を先に取るので、催促すると、忙しいと答えるのみだった。賢治は、カウンターの中にいるマスターに近寄り、クレームをつけた。ボクサーのような大男のマスターは、いきなり賢治の肩をぐいと摑《つか》み、カウンターの横の貼紙の前に立たせた。

〝犬とジャップは立入り禁止〟と書いた下に、尻尾《しっぽ》を垂れた犬と、つり目で出っ歯の日本人の顔が向い合っている。

賢治は、耐えていたものが噴き出、男の胸ぐらを摑んだ。男は負けずに賢治の衿《えり》がみを摑み、ずるずると出入口の方へひきずって、どしゃ降りの外へ放り出した。賢治は、泥まみれになりながら、男の背中にむしゃぶりついたが、「イエロー・ジャップ奴《め》！」と云うなり、思いきり向う脛《ずね》を蹴《け》られた。ぬかるみの中へぶっ倒れたまま、強烈な痛みでたち上れず、這《は》いつくばってしまった賢治の頭上に、雷が鳴り、稲妻が走った。ずぶ濡れになりながら、やっとの思いでたち上りかけた時、「キャーン！」という犬の鳴き声がした。眼を上げると、レストランの軒下に白人たちがならんで、雨と泥にまみれた賢治を見物している。その中から再び「キャーン！　キャン、キャン！」と負犬《まけいぬ》のみじめったらしい鳴声がした。若い母親の傘の下で、そばかすの子供が犬の鳴き真似《まね》をしているのだった。齢端《としは》のいかない子供であることが、賢治の心を切り裂いた。摑みかかって行くことも出来ず、足をひきずって、その場からたち去りかけると、図に乗った子供は、さらに残忍に負犬の鳴声を真似し続けた。若い母親は子供の腕をひっぱり、制止しながらも薄笑いし、周囲の大人たちも、哄笑を浴びせた。

その笑いは、同じ皮膚の色のアメリカ人には、どんなことがあっても向けない性質の笑いであった。賢治の胸に、教育など二世にとって何の役にたつのか、自らの屈辱と苦悩を深めるだけではないかという思いが残った。

通り過ぎて行った雷の音がまだ遠くで響《ひび》いていたが、雨も止《や》み、空はからりと晴れ上った。太陽は前にもまして強烈に、雨を吸い込んだ砂漠を照らしはじめたが、風は涼しかった。

再び点呼の笛が鳴り、百七十名が外に出ると、兵隊が、

「スプーンは、キッチンの砂糖壺の中に埋っていた、以後、食事の前後のナイフ、フォーク、スプーンの数ははっきり解るように返却しろ！」

砂糖のついたスプーンを、ヤンキーらしく、あっけらかんと示した。

天羽賢治の眼に涙が滲《にじ》んだ。誰かの不注意で砂糖壺の中に埋った一本のスプーンが、移民して以来、働き詰めに働いて来た人々を、裸の整列にまで追い込んだのだった。それは彼らが口にする敵性外国人であるというだけでは説明のつかない人種差別であった。

「天羽君——」

背後から呼ぶ声がした。振り返ると、炎天下の整列で最後に倒れた清水一平であった。

「ああ、清水さん、おかげんはいかがです」

「思わぬ雷のおかげで、息を吹き返したよ、インペリアル・バレーやフレスノの畑で監督《ルーナ》に鞭《むち》打たれて働いておった頃に比べると、商売に転じてから、めっきり体がなまったようだ」

今ではロサンゼルスの日本人街、リトル・トーキョーで、手広く雑貨商を営んでいる清水は、七十三歳とは思えぬ気力で笑いとばし、

「それよりさっきは、よくやってくれた、丸裸にされて、米兵どもの云うがままになっていたら、奴らのジャップ扱いはこの先、どこまでエスカレートするか知れん、あれでわれわれ日本人の面目は大いに保たれた、礼を云うよ」

「とんでもありませんよ、どうせ抗議するなら、もっと早く切り出すべきでした」

「いや、銃を向けられていながら、勇敢によくやってくれた、君の今日の行動は、加州新報の論説欄に、〃日本人よ、誇りを持て〃と、本国の日本人にも書けないような文章で、カリフォルニアの同胞に訴え続けて来た記者スピリットの具現《ぐげん》だよ」

淡々とした口調で云うと、PWの背文字のあるダブダブの作業衣姿で行きすぎて行った。

そのうしろ姿には、明治生れの一世らしい忍耐と気骨が貼りついていた。賢治は今さらのように自分たち二世は、こうした一世の苦闘の礎《いしずえ》の上にたっていることを実感した。

バラックに戻りかけ、賢治はふと、メイン・ゲートのポールをふり仰いだ。雨に洗われた星条旗が、まっ青な空に翩翻《へんぽん》とはためいている。それは、賢治がアメリカ合衆国に生れたその日から、自由と平等と正義を約束したシンボルであり、小学校へ入ってからは、毎朝、右手を左胸に当て、国家への忠誠を誓って来た国旗であった。

その星条旗の下で、先刻、あったことを考えると、賢治の胸の底に、複雑に揺れ動くものがあった。

そして、賢治自身が逮捕されるに至った日のことが思い返された。ロサンゼルスの日本人に向けて発刊されている邦字紙、加州新報の記者であった天羽賢治が逮捕されたの

は、パールハーバー攻撃直後、一世の日本女性がＦＢＩに連行され、監獄で自殺した記事を書いたためであった。

＊

その日、天羽賢治は、廻りはじめた輪転機の前で、刷り上ったばかりの新聞を抜き取り、指にインクがつかないように紙面を開いた。

大野なみ夫人　獄内で縊死《いし》

加州楼主大野保氏夫人なみさん(四五)は去る水曜日、連邦検察局に検挙され、リンコルン・ハイト警察署に留置中のところ、今朝五階の洗面室において、ストッキングで縊死しているのを発見された。英字紙では、日本の戦時公債を三千ドル着物に縫い込んでいたと報じているが、日本の戦時公債なるものが米国においてあろうはずがなく、大野さんが〝海軍おばさん〟と親しまれ、日本海軍がロサンゼルス港に入港する度に、日本食、茶菓の接待などしていたところから、当局に何らかのスパイ容疑をかけられ、縊首に至ったものではないかと思われる。

賢治自身が、書いた記事であった。

賢治の濃い眉と、すぐ下に迫った静かな眼に、かなしげな翳《かげり》が浮んだ。日米開戦を境に、暗く思い沈むことの多い賢治であった。

僅か十六行ほどの簡単な記事であったが、開戦のその夜、社長の松井が逮捕されている加州新報の社内では、大野なみの縊死を記事にすることを危惧《きぐ》し、反対する者が多かった。しかし、賢治はこの記事が意味するものの大きさを測《はか》っていた。女性さえも逮捕し、縊死者も出るほど、ＦＢＩの尋問は厳しいということを知らせて、やがて逮捕を免れないであろう人々の覚悟を促したかったのだった。

「ケーン、やはり書いてしまったのね」

鉛筆を手にした井本梛子《なぎこ》が、ブラウスの袖をたくし上げ、声をかけた。華奢《きゃしゃ》な体だが、広い額と瞳《ひとみ》が個性的であった。外国通信を日本文に翻訳するアルバイトとして一年前に採用され、今では投稿欄と冠婚葬祭の欄を任されていたが、いつも天羽賢治の書く記事に関心を寄せていた。

「これぐらいの記事にしないことには、この戦時下、苦労して邦字新聞を出している意味がないよ」

「解《わか》ってる、でも勇気がありすぎるって、時と場合には考えものだわ、活版のチーフの林さんもまだその記事のこと、心配してるわよ」

梛子は云うと、輪転機の傍を離れた。隣りが活版場で、インクの匂いと色がしみついた二百平方メートル程の広さに、活字がところ狭しと並び、ネクタイをきちんと締めた文選工や、ジーンズ姿の植字工、組版《くみはん》工が十数名、働いて

いる。

背を屈《かが》め、組版を作っていたチーフの林が、胡麻塩《ごましお》の頭を上げた。賢治と眼が合うと、ちらっと視線を動かしたが、職人気質《かたぎ》のむっつりとした顔で、組版台に向った。賢治は林の傍《そば》に寄り、

「大野さんの記事は、心配しなくても、僕が責任を持ちますよ、それより松井社長は、日系人商業会議所会頭、各宗教団体会長諸氏らと一緒にＦＢＩ監獄に留置され、釈放の見込みは当分、なさそうです」

小声で云った。林の一徹そうな顔が動き、爪の中まで真っ黒になった指をインクで汚れた作業衣にこすりつけた。

「そいなら、新聞はこん先、いけんなっとな?」

林は、賢治の父と同郷の鹿児島出身だった。

「解りませんね、しかし、松井社長は、ＦＢＩに連行される時、どんなことがあっても廃刊にならぬよう頑張ってくれと云って行かれた、僕も頑張りますが、工場の方は、何といっても林さんです、よろしく頼みます」

日本軍のパールハーバー攻撃の日を境に、一夜にして敵性外国人となったロサンゼルスの日本人にとって、邦字新聞は唯一の心の拠《よ》りどころであった。十二月八日、四名の記者と二十五名の印刷工、営業マンという小所帯《こじょたい》ながら、全員顔を揃《そろ》えて働いているところへ、ＦＢＩに踏み込まれ、その日から休刊を命じられるとともに、松井社長が連行された。その時、松井が、ＦＢＩに腕を取られながら、云った言葉は、「新聞を頼む」という一言だった。幸い、軍当局の新聞休刊命令は、十二月八、九日の二日間だけで解除されたが、その後、検閲を受けながら発刊部数一万五千部の加州新報の刊行を続けて行くことは、容易ではなかった。

むっつりと版を組んでいた林は、顔を上げ、

「松井社長がお居《い》やらんごっなった今、編集長はもう齢《とし》じゃし、皆が頼りにすっとは天羽さん、おはんだけごわんど、よか記事を書いて頼《たも》んせ、そしたやあたい達も、気張《きば》いもんで」

と云い、政府側から報道を命じられている『敵性外国人への注意』を16ポイントの大きな活字で組みはじめた。


戦時敵国人取締に関する大統領命令によって、日本人は短波ラジオ、送信器セット、銃器、兇器類を所持することは禁止すること、自動車のドライヴには特に注意すること、夜間の外出は万止《ばんや》むを得ない場合を除き中止すること……


天羽賢治は、林の肩を叩《たた》き、社屋を出た。

賢治の足は、まっすぐリトル・トーキョーに向った。父の天羽乙七《おとしち》の営む、ランドリー店まで徒歩で二十分ほどの距離である。

リトル・トーキョーは、西海岸で最も大きな日本人街で、和食はもちろん、日本の雑貨、衣類、蒲団《ふとん》店まであり、フレスノやインペリアル・バレーなど、奥地の農業地帯にいる日本人たちは、正月と盆にリトル・トーキョーへ出かけることを一年の楽しみにしている。例年なら正月を前にして、日本商品がショウ・ウィンドウに溢《あふ》れ、日本人たちで賑《にぎわ》っているところだが、開戦と同時に、火の消えたような静けさで、人影も少なかった。気の早い店は『閉店につき、大安売り』の貼紙を出し、浮き足だっている。

そんな中で、父のAMOH《アモウ》 LAUNDRY《ランドリー》は、平常通り、店を開けている。表通りに面した店のアイロン台に向って、まる首シャツ一枚の父親がせっせとアイロンを動かし、その横で、母がアイロンかけの終った洗濯ものを手早く畳み込んでいる。五人いたメキシコ人の使用人たちは、開戦の翌日、日本人の銀行預金が封鎖されるや、給料が払われなくなるとみて、それまで働いた給料を請求して、やめてしまったのだった。

賢治が扉を押して入っても、父親は振り返りもしなかった。

「父さん、ひとりで大へんだな、ここへ来る途中、古着屋のまる井、荒物屋の金正《かねしょう》が、クローズの貼紙を出していてびっくりしたよ」

声をかけると、九ポンドの大きなアイロンを動かし、顔に汗をうかべ、

「辛抱のたらん奴らじゃ、戦争はこいからちゅうとい」

鹿児島弁で、日本の勝利を信じるように云った。曾《かつ》て賢治と五、六センチしか背丈の違わなかった父であったのに、今では体がつぼみ、猫背になっている。色白できれいであった母の顔も皺《しわ》が深くなり、女ものの絹のドレスのフリルを丁寧に畳み、不安そうに云った。

「そげなこっ云やってん、何《ない》も悪かこちゃしておらん人が、次々い捕まっとごわんで、どげんないもんどかい」

賢治は黙って刷り上ったばかりの新聞をポケットから出し、アイロンの手をやすめた父の前においた。

「海軍おばさんの大野さんが――」

記事を指すと、父は息を呑《の》むようにそれを読み、

「お前《ま》や、大丈夫か」

息子の身辺を気遣った。

「父さんは、妙なこっ云やんな、賢治は、私《あたい》たっと違《ち》ごうて、二世じゃっで」

母が打ち消すように云った時、電話のベルが鳴った。乙七は受話器を取り、

「ハロー、オー、スミス様、はい、出来上っておりますから、明朝、配達致します、はい、お勘定は、スーツ二揃え二ドル、ワイシャツ半ダース九十セント、靴下六ペア三十セント、ハンカチ一ダース三十六セント……はい、合計三ドル五十六セント」

白人の客からの洗濯ものの催促であった。

「戦争いなったで、日本人の店はいけんなっか解らんもんで、やいやい云うてくっどん、じゃっどんもう、ちゃんと仕上てあっど」

「スミスさんなら、ボイル・アベニューだろう、あとで僕が届けておくよ」

賢治はそう云い、ハンガーにかかっている仕上りのスーツを見上げた時、

「あら、ケーンなの、お帰んなさい」

妻の恵美子《エミー》の声がした。

「おや、来ていたのかい」

賢治夫婦は、リトル・トーキョーから近いボイル・アベニューに住んでいた。

「ちょうど、リトル・トーキョーで買物があったし、お願いしていた洗濯ものがあったから、ちょっと寄ったの」

妊《みごも》っているのに、相変らず、派手なワンピース姿であった。

「いけんな、お前《まい》たちも久っかぶいに晩めしを一緒いして帰らんか」

父が云うと、母のテルも、

「食事はさっき、私《あたい》が作っちょったで、あとは温《ぬつ》めればよかが」

とすすめた。

「久しぶりで、お父さんたちと食事して、帰りは一軒、配達を手伝って帰ろう、エミーも食卓を手伝って……」

賢治が促すと、

「ケーン、私たちは、家へ帰ってから食事しましょう」

恵美子《エミー》は、はっきりと云った。アメリカで生れ、ずっとアメリカで育った純二世の恵美子《エミー》は、すべてものごとを夫婦単位で考える。加州新報の記者である賢治と結婚したのだから、父親の洗濯業の手伝いなどする必要はないというのが、恵美子《エミー》の考えであり、虚栄心の強い性格でもあった。

「いや、せっかく作って下さってるんだから」

賢治は強く窘《たしな》めた。

キッチンの食卓には、みそ汁、チキンフライと鳥の照焼、サラダとおひたしという和洋折衷の献立が並んでいた。

久しぶりに囲む一家団欒《だんらん》の食卓には、末弟の勇《いさむ》と妹の春子も加った。

「忠兄《ただし》さんは、アメリカへ帰って来れるかしら?」

ハイスクール一年生の春子は、日本にいる兄のことを心配した。鹿児島の叔母のもとへ預けられ、大学の最終学年を迎えているのだった。末弟の勇は、

「ジャップが、パールハーバーをやるから、いけないのだ」

と非難した。

「ジャップとは何ちゅこっかあ！　二度と口いすんな！」

父の乙七は、青筋をたてた。賢治も顔色を変えた。

「なぜだい？　ラジオでも学校でも、皆云ってるよ、ルールを破った卑怯《ひきよう》者は日本人じゃないか」

ハイスクール三年生で、フットボールの選手をしている勇は、ルールにこだわった。弟や妹たちには、両親や兄たちがジャップという蔑称《べっしょう》によって、いかに屈辱を舐《な》めたか、まだ充分、解っていないのだ。賢治は、小学生の時、白人の友達からプールに誘われる度に、まず家へ帰ってそのプールへ電話し、日本人も入れるかどうかを確めた上で、はじめて泳ぎに行くことが出来た幼少時代を経験しているのだった。

「皆、テーブルマナーがよくなってよ、食事の時に戦争の話などしなくても、ほかにいくらでも話題があるでしょう、サムとハルは、クリスマスカードはもう書いたの」

恵美子《エミー》は、勇と春子をアメリカン・ネーム風に呼んだ。同じ二世でありながら、日本に何の郷愁も持たない妻に、賢治は心の交《かよ》わないものを覚えていた。

いつまでも独身でいる賢治のために、父の同県人たちが世話をやき、簡易ホテル業で成功している和歌山県出身の畑中万作の娘の恵美子をすすめたのだった。家風の違いがあり、あまり乗り気ではなかったが、賢治を見込んだ畑中万作が何が何でもと押しきって結婚に至ったのだった。そして結婚一年目に妊った嫁をみて、両親は、初孫《ういまご》が見られると、大喜びしたが、賢治は、妻に対する微妙な異和感が拭《ぬぐ》えなかった。

「やっと孫ん顔も見らるっこといなり、こいからちった楽いなっどと思っちょった矢先い、こいじゃ、なんのためん四十年じゃったか――」

父の乙七は肩を落し、両手を膝《ひざ》の上においた。その手は節くれだち、右手の親指が外にそり返り、指腹《ゆびはら》に固いアイロンだこが出来ていた。そこに天羽乙七の血の滲《にじ》む苦難の生涯が籠められていた。

天羽乙七は、鹿児島県加治木の生れであった。加治木村の錦江《きんこう》湾からは、桜島が間近に見え、その頂上から噴き上る煙は、雄大な美しさで空を彩《いろど》ったが、加治木そのものは貧しい村であった。

乙七は、〝郷士《ごうし》〟と称する、一朝《いっちょう》戦乱の時は槍《やり》刀を持って戦うが、平時《へいじ》は百姓をして生活する貧しい下級士族の七男二女の七男に生れ、望みのない冷飯《ひやめし》生活で終わるよりはと、十九歳の時、単身、アメリカ行きの移民に応じ、カリフォルニアのインペリアル・バレーの農業労働に入ったのだった。

インペリアル・バレーは、日本人が入植し、開拓したため、ルーズベルト大統領によって、日本帝国平原《インペリアル・バレー》と名付けられたところであった。だが、インペリアル・バレーに行く時は、棺桶《かんおけ》を持って行けという言葉があるぐらい、四月から十一月までは華氏百二十度台の高温多湿が続き、窒息しそうな暑熱だと怖《おそ》れられていた。畑の中から太陽が出、畑の中へ夕陽が落ちて行く荒野で、乙七は十年働いた。蓄えた金を資本《もとで》にして、ロサンゼルスへ出、同県人のクリー

ニング店に勤め、日本へ引き揚げることになった主人のあとを譲り受け、五年目からはメキシコ人の使用人を使い、さらに店を拡げて来たのだった。

働き詰めの両親の大きな生甲斐《いきがい》は、子供たちに、父祖《ふそ》の国である日本で大学教育を受けさせることであった。賢治の兄の賢一は、インペリアル・バレーの農場で生後半年の短い一生を終え、賢治は小学校三年から日本へ送られ、鹿児島の叔母の家で、中学校を終えるまで『健児の舎』の特異な教育を受けた。

健児の舎は、少年から青年期にかけての鹿児島独特の鍛錬の道場で、俗に〝郷中教育《ごうちゅう》〟と呼ばれ、六歳から十三歳までを稚子《ちご》、十四歳から二十三歳までを二歳《にせ》として組織し、学校の外で、漢文の素読から漢詩、剣道、弓道など文武両道を修めさせる場であった。

そうした特異な教育を受けて、賢治の体の中に眠っていた薩摩《さつま》隼人《はやと》の血は湧きたった。大学も日本精神を昂揚する大東大学に進学した。それにもかかわらず、学業半ばにしてアメリカへ帰ったのは、日支事変が拡大し、日米関係が悪化するにつれ、日本にいる賢治たち二世に対する特高の眼が厳しくなったからであったが、今一つ、大きな理由《わけ》があった。初恋の女性との別離である。賢治はそのことを誰にも話さなかったが、大東大学予科二年の秋のことであった。

大学祭で偶然、友人の妹を紹介され、その清楚《せいそ》な美しさと、日本的な嗜《たしな》みの深さに惹《ひ》かれ、忽《たちま》ち恋に陥ってしまった。

一緒に展覧会や音楽会へ行くのがせいぜいで、手を握ったことも、唇に触れたこともない仲であったが、ある日、賢治はその女性《ひと》の父親に呼ばれ、大事な娘に手を出さないでほしいと咎《とが》めだてられ、「将来をふくめたつき合いをさせて下さい」と一途《いちず》な思いを述べると、「移民の倅《せがれ》の分際で何を云うか、恥を知り給え、恥を！」と面罵《めんば》された。移民の子、恥——、これが父なる国として敬《うやま》い、愛して来た日本の人の偽らざる言葉かと思うと、賢治は、心に血を流し、呻《うめ》いた。アメリカでは子供の時から、ジャップと蔑《さげす》まれ、惨めな思いをしたが、そこは父祖の国ではなく、移民として渡った国だと思えば、まだしも割りきれた。そう考えると、賢治はやはりアメリカへ帰り、日系アメリカ人として生きようと決意したのだった。

十年ぶりに帰国した賢治を、ロサンゼルスのサンペドロ港まで迎えに来たのは、父であった。十年前には、白人の間に混ってもあまりひけをとらなかった父の体が二廻りほど小さくなり、老いていた。賢治は胸を衝《つ》かれた。為替レートの差で、日本でなら子供を大学まで出せるとはいえ、父の生涯は、食べるものも食べず、子供に教育をつけさせることのみに費されているのだった。それがこのアメリカへ移民して来、辛酸《しんさん》の限りを舐めた多くの一世の生涯を賭けた実りなのかと思うと、波止場にたった父の姿が侘《わび》しく、

哀しかった。

　その時の思いは、その後も長く、賢治の心に残っている。

「賢治、いけんした？　明日ん大野さんの葬式は、お前も行《い》っとか」

　乙七は、食後の日本茶を飲みながら云った。

「ええ、賑やかなことが好きだった人ですから、多勢で送ってあげたい」

　と応えると、妻の恵美子《エミー》は、

「あなた、行かないで！　この間から結婚式やお葬式など、日本人が沢山集ると、誰かがＦＢＩにひっぱられて行くわ、昨日の都ホテルでの結婚式場からも、花嫁のお父さんがモーニング姿でひっぱられたそうじゃないの、行かないで！」

「僕は、大野さんの自殺の記事を書いた記者なんだ」

　賢治は一言、そう云った。

＊

　イルミネーションが消えたリトル・トーキョーは、夜になると、ぱたりと人通りが絶える。暗い舗道を動くのは野良犬とパトカーで、うらさびれた静けさの中に、戦時下の緊張が繁華街を覆っている。

　そんな中で、ファースト・ストリートとサンペドロ・アベニューの交叉点近くの一点だけに、ぽつりと灯りがつき、人の気配がしていた。ロサンゼルス西本願寺で、煉瓦《れんが》建の洋館であるが、入口の庇《ひさし》だけ、寺院の屋根を型取っている。七時から、大野なみの葬儀が行われるのだった。

　寺院の前まで来た会葬者は、誰しも申し合わせたように神経質に前後左右を見廻し、そそくさと扉を押した。中は教会式に正面に祭壇が設けられ、長い木の椅子が並べられている。

　会葬者は、先に来ている者の姿を見ると、ほっと安堵《あんど》したようにコートを脱ぎ、男は黒のスーツ、女は黒のワンピースに黒ネットの帽子を冠《かぶ》り、受付に白封筒をさし出した。故人との付き合いに応じて、一ドル乃至《ないし》五ドル程度を入れている。

　天羽乙七と賢治も、受付で白封筒をさし出し、中程の椅子に坐った。二列前に、妻の両親の畑中夫妻の姿も見えたが、リトル・トーキョー随一の中華料理店『加州楼』にしては、意外に会葬者が少なかった。それは加州楼の常連だった一世の商店主たちがＦＢＩに連行されてしまっているためでもあったが、女の身でありながらＦＢＩ監獄で縊首《いしゅ》した故人とかかわりたくないという気持も、動いていた。

　賢治は、最前列の遺族席に坐っている喪主の大野保の様子を、窺《うかが》った。日頃、やり手で評判の大野は、ＦＢＩから妻の遺体が送り届けられた日、取材に行った賢治の前で、

「私が海軍協会に入っていなかったら、こんなことには

……、協会から何度も勧《すす》められるもので、それではママでもお付き合いにと、入れたことが、こんなことに」と男泣きに泣いたが、今は終始《しゅうし》、顔をうつ向け、両の拳《こぶし》を握りしめ、慟哭《どうこく》をおし殺しているようだった。四人の息子と娘たちもむせび泣いている。

「お気の毒なこっじゃ」

乙七は、式次第を記したパンフレットを膝において、呟いた。いつもならパンフレットに記されている主《おも》だった開教師や、有力者の名前が一人も見当らないのは、逮捕され、投獄されているからだった。賢治は邦字と英語の両方で印刷されている式次第の氏名欄を、複雑な思いで見入った。

やがて、黒っぽいスーツの上に仏式の衣を着、金襴《きんらん》の袈《け》裟《さ》をかけた開教師が姿を現わした。仏教、神道の開教師は、日本軍国主義を布教する者として、既に殆《ほと》んどが逮捕されていたから、若い留守居の僧であった。

祭壇の真下に安置された棺の前で、読経がはじまった。当局の眼を憚《はばか》るように祭壇の飾りつけが簡素であることが、葬儀を一層ものがなしくし、女たちは眼頭をおさえた。

棺前読経、法名授与、焼香と式次第が進み、讃仏歌《さんぶつか》の唱和に移った。

「皆さん、起立して慰藉《なだめ》の唄をご唱和下さい」

オルガンの前奏が、素朴な哀愁を帯びて流れた。平素は仏教会婦人部の会員が交替で弾《ひ》いていたが、今夜は、加州新報の井本椰子が弾いていた。

浮世の縁《えにし》限り来て
　別れて逝《ゆ》きし法《のり》の友
仏の御前《みまえ》に幸あらん
　涙の中に慰藉《なだめ》あり

遠く日本を後《あと》にしても、仏教を信仰し、貧しさと人種差別に身を小さくしながら、日本人同士が肩を寄せ合って生きていかねばならない哀しさが、「慰藉の唄」にこめられていた。夫をFBIに連行された年老いた妻たちは、夫の一日も早い釈放を仏に祈り、明日はわが身と不安に怯える男たちは、仏の加護にすがった。

「ビー　サイレント！」

不意に制止の声が聞こえた。振り向くと、屈強な体軀の白人が二人、入って来た。帽子はとっていたが、会葬者たちを見廻す鋭い視線はFBIのそれだった。人々は、顔を硬《こわ》ばらせた。ここから誰が連行されて行くのか、息詰る怖れで、しんと静まりかえった。賢治は、もしや自分ではという不安に襲われた。若い開教師は、

「只今、讃仏歌の唱和中ですが……」

やっとそう云うと、

「葬儀がこれ以上、長びくことは好ましくない、日系人社会に不穏な空気を招く危険があるから、セレモニーは中止して直ちに出棺するよう」

やはり、FBIであった。

「オフィサー」

オルガンの前から、突然、井本椰子がたち上った。

「讃仏歌は、キリスト教の讃美歌にあたるものです、死者に対してはキリスト教も仏教も同じです、仏に召された者のために最後まで歌わねばなりません」

椰子の大きな眼に、涙が光っていた。賢治はそのひたむきさに、胸つかれた。

「お嬢さん、お気の毒ですが、今は非常時です」

「では、お別れだけをさせて下さい」

開教師が、椰子に勇気づけられて云った。

「OK、そのかわり早くすませるように」

FBIは頷《うなず》いて、外へ出た。

賢治は別れの列につらなり、白菊を一本、たむけた。棺の中の大野なみは、ヴァイオレットの絹のドレスを着、顔は日本婦人らしく薄化粧されていた。おおらかで面倒見のよかったこの夫人が、ストッキングで縊首しなければならないような取調べが、実際にFBI監獄で行われたのだろうか。それとも夫人は、死をもって答えるほど祖国日本への忠誠が強烈であったのだろうか。

棺を取り囲んでの撮影は急遽《きゅうきょ》、取りやめ、出棺になった。

寺院の前には、黒塗りのフォードが待っていた。棺を納め、遺族たちが乗り込むと、車は警察のパトカーの先導で、動き出した。

出棺を見送ると、会葬者たちは、FBIに監視されながらも、何事もなく終ったことにほっとした面持で帰って行った。賢治も、父と帰りかけると、

「ちょっと、ちょっと、賢治はん」

と呼ぶ声がした。岳父の畑中万作であった。

「さっきのFBIは、今晩の葬式の参列者をブラックリストにのせるやろか」

心配そうに聞いた。

「さあ、どうでしょうか」

「出かける前に悪い予感がして、行こうか行くまいか、ワイフと迷うたあげく、加州楼はんには昔、世話になった義理があるから来たものの、もしブラックリストにのせられて引っ張られでもしたら、三十年間の苦労が水の泡や、ワイフがキッチンして、わしがベッドのシーツ替えから、便所掃除までして、やっとホテル業が出来るようになったんやから、人の葬式に出て、挙げられでもしたら、資本《もと》も子もないよってな」

畑中万作は、十八歳の時、アメリカに渡り、収入《みいり》のいい鉄道工夫から叩き上げて、フレスノで一膳めし屋を開き、爪に火を灯《とも》すようにして小金《こがね》をため、リトル・トーキョーにメキシコ人や黒人の労務者相手の木賃宿を開き、そこから今日、客室四十室のホテルをはじめ、長期滞在者用のボーディング・ハウスを二軒営むまでに成り上ったのだった。

「ほんまにFBIが来た時は、心臓がとまりそうやったわ、

賢治はんは、大野はんの肩もつような記事書いて、大丈夫ですかいな」

畑中定代は葬儀が終ったばかりだというのに、平気で聞いた。畑中万作は一五五センチそこそこの小男だが、妻の方は大柄でフォックス眼鏡をかけ、俗にいう蚤《のみ》の夫婦であった。賢治は、二人の相も変らぬ無神経さに辟易《へきえき》したが、乙七がむっつりした顔で、

「こげなところで、たち話はようなか、今日んところは帰ろうやなかですか」

「そうですね、エミーも心配していることだろうし」

賢治がそう云い、別れかけると、エミーの母親は、

「娘の体調は、どないですか」

「おかげで、順調な様子ですよ」

「エミーは、日本で暮したことのある娘と違うて、気儘《きまま》で至らんことが多いですやろけど、最初の妊娠ですよって、いたわって下されや」

日頃、必ずしもうまく行っていない娘夫婦の間を按《あん》じるように云った。

「うんにゃ、賢治も難しところがあっ男じゃが、わしら夫婦がみてますから心配はいりもはん」

乙七がひき取るように云うと、畑中万作は、

「新聞社に勤めて、何かと早耳の賢治はんに、これからの先行きや、せっかくの財産を損せんようにする術《て》を相談したかったのやけど、またのことにしまっさ」

残念そうに云い、別れて行った。

賢治は、父をリトル・トーキョーの店に送った後、そこから十分ほどのボイル・アベニューの自宅に車を走らせた。中流の下といったクラスの家がたちならぶひっそりとした通りの一角で、玄関の扉を開けるなり、エミーがガウン姿で走り出て来た。

「遅かったのね、どうしたの」

「ご両親が来ておられ、少し話していたんだ。体に気をつけるようにとことずかって来たよ」

葬儀の最中に、ＦＢＩが来たことは口にせず、妻の両親の言葉だけを伝えると、エミーは、

「ねえ、動いているわ」

賢治の手を、自分の腹部におし当てた。妻の体温と共に、胎児の動きが賢治に伝って来る。さっき、エミーの両親と話した寒々とした思いも忘れて、掌《てのひら》の中に生々と血の繋《つな》がりを感じ取った。

「部屋が少し寒くないかい、早くおやすみ」

妻の肩を優しく抱き、ベッドルームへ行きかけると、電話が鳴った。

「こんな遅くに誰かしら？」

「いいよ、僕が出るから」

受話器を取ると、

「ハロー、ケーン、海軍おばさんの葬式に行ったんだってな」

「おお、チャーリーか、相変らずの早耳だな」

「そんなことお手のものさ、それより足もとまで水が来ているよ」

チャーリー田宮は、さりげない云い方をしたが、賢治は背筋に冷たいものが走った。足もとまで水が来たとは、FBIにマークされ逮捕の危険が迫っているという、日系人間の合い言葉であった。

「まさか、僕が――」

「さんざん記事を書いて、その上、ご丁寧に葬式まで行って、何を云ってるんだ、早く始末《しまつ》しろよ」

「おい、チャーリー」

言葉をつぎかけると、もう電話はきれていた。チャーリー田宮は、ロサンゼルスのローカル放送局に勤め、日系人とは殆んど交際せず、白人社会へ踏み込んで行くためにあらゆる努力をし、日系人の間で〝バナナ〟と陰口をたたかれていた。皮膚の色は黄色いが、一皮むけば中味は白い、つまりアメリカかぶれした奴という意味である。

「ケーン、何が起ったの、顔色がよくないわ」

彼は、妊《みごも》っている妻に動揺を与えぬように、

「チャーリーが、面倒の種になりそうなものは始末しておいた方がいいって云って来たんだ」

「じゃあ、FBIが……」

エミーは、みるみる顔色を変えた。

「来《き》やしないよ、ただ、万一に備えておくのだよ」

居間にある本棚から日本語の歴史書、伝記、写真、地図などを手早く選《よ》り出した。

「それをどうするの」

「裏庭で燃やしてしまう」

「駄目よ、焼却時間は午前八時から十時の間ときめられているから、今燃やしたら、消防署が飛んで来るわ」

「じゃ、ストーヴで焼こう、分厚い本は、エミー、表紙をはがして細かく裂いておくれ」

と云い、石炭の燃えているストーヴにどんどん、切り裂いた頁を放り込んだ。二抱えほどの書籍は、室内のストーヴでは、容易に燃やし尽せなかった。

賢治の顔から汗が滴り、頰がほてった。赤い炎がめらめらとたちのぼる度に、賢治は、日本人の血が流れている体が焼かれて行くような思いがした。

「ケーン、こんな沢山の本、なかなか焼けないわ、それより私たち、どうなるの」

エミーは、怯えていた。

「今晩は来ないよ、もう、エミーはおやすみ」

「やすめなんて、そんなこと！　どうして眠られるのよ！だから私、お葬式などに行くのはよしてと、何度も云ったじゃないの」

エミーは次第に気持を昂《たかぶ》らせ、激しく云い募った。賢治

は耳を塞《ふさ》ぎたい思いをこらえ、妻にかまう暇もなく、次々に燃やし続けた。

やっとくべ終った時、一枚の写真が、床に落ちていた。古びた写真であったが、日本の中学校の詰衿《つめえり》姿の賢治が、大事そうに一本の刀を握って写っている。

賢治が日本の教育を受けるために、郷里・鹿児島の中学に在学していた時、剣道部に入って示現《じげん》流を学び、県下の試合で優勝した日、祖父から贈られた刀であった。「お前の父親は、貧乏百姓の七男坊で何《ない》もしてやれんかったが、孫のお前にはこの刀をやろう、これは曾《かつ》て郷士じゃった天羽家に伝わる刀で、銘は『波平行安《なみのひらゆきやす》』、室町時代のものだ、さしたる名刀ではなかが、海を往《ゆ》く際に縁起《えんぎ》がよかと水軍が好んで手にした刀じゃ、太平洋を渡って往くお前に応《ふさ》わしかろ、アメリカへ移民しても、お前が由緒正しい日本人であることを忘れんように持たせる」と云い、当時、十五歳であった賢治に手渡したのだった。

その日から、賢治は、しばしば人のいない時を見はからって、独りその刀に見入った。漆黒《しっこく》の鞘《さや》を払うと、刃渡り二尺三寸五分の刀身が、燻《いぶ》し銀のように底光りし、小波《さざなみ》が静かに押し寄せて来るような刃文《はもん》が映っている。それは殺気というより、清澄で曇りのない心境を覚えさせてくれた。それだけに、学業半ばにして、アメリカへ帰る時に携え、帰国してからも、時折、取り出しては、刀の心に触れていたのだった。

開戦直後、日系人の銃刀器の所持は禁止され、警察に没収されることになった時も、賢治はこの「波平」を手放すことができなかった。シーツにくるんで、古絨毯《じゅうたん》を筒状に巻いた中へしまい込み、屋根裏へ隠して、警察へは届け出なかった。だが、それも水が足もとまで迫っていると聞いては、許されないことだった。

賢治はストーヴから離れ、急いで屋根裏へ上って懐中電燈で埃《ほこり》をかぶった絨毯の中からシーツにくるんだ刀を引っ張り出した。シーツを取り、刀を手にすると、柄《つか》の手もとにある目釘《めくぎ》をはずし、柄を左手に摑んで、その拳を右手でとんとんと叩いた。刀身がすうっと下にぬけ、燻《いぶ》し銀のような光を放った。賢治は暫し、吸い寄せられるように見入ったが、急がねばならない。刀身を持って裏庭へ出た。懐中電燈を使うことも出来ず、月明りの中で、スコップで土を掘った。

刀の長さだけ縦穴《たてあな》を掘ると、ぐいと刀身を土中に突きさした。賢治は胸にこみ上げてくるものを抑《おさ》え、さらにぐいと突きさした。あたかも自分の中にある日本を土中に埋め、訣別する思いであった。

家の前で車が停まり、ぱたんと扉《と》の音がしたかと思うと、ブザーが鳴った。すでに午前一時を過ぎている。急いで土をならし、スコップを片づけて玄関へ出、扉を開けると、先刻、葬儀の席で見たFBIの二人連れがたっている。

「ミスター・アモウですね、一緒にオフィスへ来て戴《いただ》きた

い」

身分証明書を示した。

「どのような用件ですか」

「お伺いしたいことが二、三あるのです」

「私はアメリカの国籍を持つ二世ですよ」

「解っていますが、ご同行願います」

あくまで紳士的なもの腰である。

「じゃあ、用意しますから待って下さい」

賢治がベッドルームへ足を向けると、エミーがFBIの前に飛び出して来た。

「ハズバンドを連れて行かないで、もうすぐ、私たちのベビーが産まれるのです」

蒼ざめ、昂った声で懇願した。

「ミセス、ご心配なく、ご主人には、ちょっとお話を伺うだけです」

「ノウ、ハズバンドを連れて行くのなら、私も一緒に連れて行って——」

エミーは、FBIの腕を摑んだ。

「ミセス、落ち着いて下さい、ミスターはすぐに帰って戴きますから」

エミーの手をはずし、コートを着た賢治に、

「じゃあ、行きましょう」

と促した。

「ケーン……」

「大丈夫だよ、すぐ帰って来るから、やすんでおいで」

外へ出ると、黒塗りの車が待っており、後部座席に二人の大男に挾まれて坐った。車が動き出すと、賢治の手首にかちりと手錠がかけられた。

車は、ロサンゼルス市を西に向って走り、サンペドロの移民局前で停まった。

太平洋に面した海岸線は燈火管制《ブラック・アウト》が厳しく、辺りは真っ暗で、波の音だけが聞えている。

移民局の密入国者を留置する監獄の前でおろされ、取調べ室に連れ込まれると、鉄の電気扉が音もなくしまった。窓ガラスを黒ペンキで塗り潰し、光を外へ洩らさないようにした部屋は陰惨で、逮捕のショックがさらに募った。

二人のFBIは、ようやく手錠をはずし、

「壁に向って、両手を上げろ」

犯罪者扱いしてうしろを向かせ、賢治のポケットから加州新報記者の身分証明書、財布、手帳、万年筆などを没収すると、移民局の職員に正面、左右両側面の顔写真と指紋をとらせた。

「FBIの事情聴取というのに、何故、移民局へ連行したのだ」

「FBI監獄が満員になったからだ、警察の留置場も裁判所の調べ室も、お前たちスパイ容疑のジャップで満杯さ」

移民局の職員が嘯《うそぶ》いた。

「よし、身体検査がすんだら、取調べは明日だ、ぶち込ん

でおけ」

ＦＢＩはそう云い捨てて、引き揚げて行った。

賢治は臭気の漂う、灯りのない二階の監房へ押し込まれた。ぼそぼそと不安そうに話す声がする。入口に近い壁際に坐り、じっと眼を凝《こ》らしていると、次第に暗がりに眼が馴れ、さして広くない房に、既に十人ほど詰め込まれて、三段ベッドや床に蹲《うずくま》っているのが見えた。まるで強盗、殺人犯を留置する警察の雑居房のようであった。賢治は、骨の髄まで沁《し》みるような屈辱を覚えた。家を出てから、僅か四、五十分ぐらいで、こんな恥辱を舐めさせられるとは、思いもしなかった。

夜が明け、明るくなった房内を眺めると、六名定員のところに十五名も詰め込まれている。皆、眠れなかったらしく、充血した眼で、互いに言葉少なに挨拶し、あとは落ち着きなく、体を動かしている。顔ぶれを見渡すと、日系人の各種団体の書記長や会計係、日本語学校の教師、それに、陽灼けした体から魚くさい匂《にお》いを発散しているターミナル島の漁師が四、五人ほどいる。

八時過ぎ、看守が朝食を配りに来た。長方形のアルミの容器に、一きれのパンとジャム、出がらしのコーヒーをのせ、

「ヘイ、ジャップ、餌《えさ》だ！」

靴の先で押し込んだ。賢治は腹の底から新たな屈辱感が突き上げ、手をつけないでいると、若い漁師が、

「ランチは出ない様子だから、喰っとくことですよ」

と注意した。賢治は、呑み下すようにそれを食べた。

朝食を終えると、扉ががちゃりと開き、アルファベット順に名前を呼ばれ、取調べが始った。房内に、ほっとするような吐息が流れた。この調子なら、取調べが早くすんで、今日中に帰宅できるだろうという期待が、皆の胸に湧《わ》いた。アメリカに不忠誠な行動をした者はなく、誰もが、善良な市民たちばかりであった。

天羽賢治は、名前を呼ばれて、一階の取調べ室へ入った。薄暗い小さな部屋に係官が一人と、朝鮮人らしい通訳がいるだけであった。

賢治の氏名、生年月日、住所、職業を聞き、ついで家族構成と、各々の氏名、年齢、職業なども質問し、係官は書類にタイプを打ち終ると、

「今日から外部と隔離する、したがって家族との通信、面会は許されない、新聞、雑誌の購読も禁止する」

一方的に云い渡した。

「私は市民権を持つアメリカ市民だ、こんな簡単な取調べだけで、容疑内容も明らかにせず、拘留手続きも取らず、いきなり、犯罪者扱いをするのは、法的に問題がある」

強く抗議すると、係官は顎《あご》をしゃくり、

「人手が足らないのだよ、ともかく少しでも容疑がありそうなのはぶち込んでおくんだ、詳しい取調べは、キャンプへ収容されてからになる、そこで行われるヒヤリング（審

問）で、ゆっくり話すことだな、ここは満員でわれわれは忙しいのだ」

と云い、次の名前を呼んだ。

もとの監房へ戻って来ると、異様な昂奮に包まれていた。賢治より先に取調べが終った日本語学校の教師は、

「ひどすぎる、こんなでたらめな取調べはない、日本語学校は、天皇崇拝即ち反米教育を行ったというに至っては、呆れかえる、日本語学校は、カリフォルニア州法の許可を受けて設立し、教員も州検定試験を受け、教科書も州の許可を受けているのに、いいがかりも甚しい、これがデモクラシーのアメリカのやり方か」

忿懣《ふんまん》やる方ない口調で云うと、ターミナル島の漁師は、

「奴らのやることはひどすぎる、パールハーバーがやられた日、いきなり、ターミナル島の男全員を、日本海軍に協力した容疑でFBIへ連行し、島にかかった橋を上げて、通行遮断をしてしもうた、その後、島に残った女子供たちには、四十八時間以内の立退《たちのき》命令が出、泣き叫ぶ子供を抱えて、荷造りする女たちの哀れな姿は忘れられん、遠洋航海から遅れて帰って来たわしらは、その場で逮捕されたが、家族はどうしていることやら――」

安否を気遣うと、さっきから殆んど口をきかず、米軍の古い軍服を着て、押し黙っている六十半ばの男は、むっくり起き上った。

「わしは、第一次世界大戦の時、米軍に志願し、栄誉勲章を受けた在郷軍人だ、そのわしを顔の黄色い日本人だというだけで、FBIが逮捕に来た、そこでわしは米軍の服を着、陸軍の勲章をぶら下げたが、奴らは平気で私を捕え、勲章をひき千切って没収し、ここへぶち込んだ、奴らにとって、アメリカ合衆国にどのように忠誠を尽そうが、ジャップはジャップなんだ、わしはアメリカに裏切られた！」

怒りを叩きつけるように云った時、看守に衿《えり》がみを摑《つか》まれ、小柄で貧相《ひんそう》な男が、おいおい泣きながらぶち込まれて来た。

「一体、何が、あったんです」

皆が驚くと、男はへたへたと坐り込み、

「私は、一介のガーデナーです、ビバリー・ヒルズの白人の家に傭《やと》われ、私のつくったバラの写真をリビングルームに飾りたいと云われたんで、庭で写真を撮っていると、カメラを持っていたということで、FBIにひっぱられたんです、仕事先からひっぱられ、妻や子供たちはどんなに心配を……、明日からの生活も困るし……」

男はまたおいおいと、泣いた。

「大丈夫ですよ、取調べの時、没収されたカメラのフイルムを、ぬいて見てくれといえば、容疑ははれますよ」

賢治が力づけると、男は体を震わせ、

「取調べなど、真っ平です、昨夜、木本ドクターが、ロス市内の留置場で自殺されました――」

「え？　木本ドクターが……」

一同は絶句した。木本は、日系人社会で多くの人から慕われている医師であった。

「あんなりっぱな人が、なぜ……」

昨夜、大野なみの葬儀に列したばかりの賢治は、木本ドクターの自殺に強いショックを受けた。

「噂では、若い頃、日本の軍隊で軍医だったということで、随分、ひどい取調べを受け、天皇陛下の御真影《ごしんえい》を床《ゆか》にならべて、アメリカに忠誠を誓うのなら天皇の写真を踏めと、云われたそうで……」

一同は声もなく、押し黙った。

賢治は、たち上って、監房の窓の前にたった。

小窓は黒く塗りつぶされていたが、端の方の僅かに透けている部分から灯台が見え、太平洋が望まれた。白い波濤《はとう》が冬の陽に輝き、雲一つない紺碧《こんぺき》の空と海が、水平線で融け合っている。その水平線の遥か向うに、賢治が小学校三年から大学予科二年まで過した日本があるのだった。そして今、弟の忠《ただし》が、早稲田大学の最終学年に在学している。

だが、日米開戦によって、日本とアメリカの二つの国籍をもつ弟は、大学卒業と同時に、日本の徴兵検査を受け、やがて日本軍の兵士として戦線へ出て行かねばならないだろう。そして賢治自身も、いつ召集を受けて、アメリカの戦線へ出されるかもしれない。そう思うと、賢治は、自分の眼前に拡《ひろ》がる太平洋が果てしない大海原に見え、今ほど日本との隔たりを遠いものに感じたことはなかった。


それから一週間、賢治は歯ブラシも、髭剃《ひげそ》りも使えず、服は、監獄支給のものを着せられていた。

カーキ色の木綿の服の胸ポケットと背中、腰の部分に番号が記され、囚人そのものであった。朝夕の食事と一日一回の散歩時間以外は、なすこともなく、監房の床に蹲り、考えるのは、妊《みごも》っている妻の体と齢老いた両親、弟妹のことであった。

深夜、FBIに同行を求められ、すぐ帰るからと妻に云い残して家を出たまま、連絡を取ることすらできないでいる。妻は心配のあまり、体をこわし、胎児にひびくようなことはないだろうか。

いつものように八時過ぎ、朝食が配られて来ると、賢治は、看守を呼び止めた。

「私がここにいることは、家族に報されているのか」

「われわれは、お前たちを監視しているだけで、ほかのことは知らない」

昨日も、同じ返事であった。

「では、家族との連絡にあたっているセクションに聞いて貰《もら》いたい」

「OK」

と応《こた》えたが、あとは何の応答もなく、夕刻になって、

「明日、お前たちの家族が面会に来る、時間は九時から

だ」

　と伝えた。監房内はにわかに騒《ざわ》めきたち、この一週間、家族を思い、涙ばかり見せていた気弱なガーデナーは、

「ほんと……、ほんとうに家族に会えるのですか……」

　鉄格子に縋《すが》りついて確めた。

「既にお前たちの家族には連絡ずみで、明日、家族たちがやって来る」

「これで、やっと家族の消息が解る――」

　強制立退《たちのき》の最中《さなか》に逮捕されたターミナル島の五人の漁師たちは、ほっと安堵《あんど》した。日本語学校の教師も、

「わが家の息子たちに、何と話そうかな」

　昂った声で云い、いつもは澱んだように沈滞している房内の空気は一変して饒舌《じょうぜつ》になり、一様に家族のことを話し出した。

　翌朝、九時になると、看守は賢治たちを引率して階下へ降り、面会室の前の廊下にたたせた。最初に名前を呼ばれたのはガーデナーで、まるでゼンマイ仕掛の人形のように嬉々《きき》とした動作で面会室へ入って行ったが、暫くすると、おいおいと声を上げて泣きながら出て来、看守に伴われて戻って行った。

「NO・1209、アモウ」

　賢治の番号と名前が呼ばれた。薄暗いがらんとした部屋の中に、机と椅子が置かれ、立合いの係官が一人立っている。窓には鉄格子が入り、面会人出入口の上の回転窓にも、金網が張ってある。

　面会室の扉が開き、妻の顔、続いて父と母の姿が見えた。思わず、歩み寄りかけると、係官が制止した。

「机を挾んで坐り、両方とも、手を机の上に置くよう」

　と命じた。賢治も、家族も両手をぎこちなく机の上に置いた。机の下でものを渡すことを警戒しているのだった。

「次にすべての会話は、英語で話すよう」

　係官は云ったが、囚人服を着た賢治の姿にショックを受けたのか、妻と両親は声もなく、凝然と賢治を見詰めた。やがてエミーが嗚咽《おえつ》し、母は、声を殺して泣いている。父だけがこみ上げて来るものを抑えるように、唇を嚙んでいる。賢治も容易に言葉が出ない。

「何か話しなさい、面会時間は十五分です」

　係官は促したが、両親はただでさえ英語が殆んど喋《しゃべ》れない。賢治は辛うじて、

「ハウ　アー　ユー」

　ぎこちなく聞くと、父の乙七が、

「ファイン　サンクス」

　典型的なジャパニーズ・イングリッシュで答えたきり、跡切《とぎ》れた。妻のエミーに向って、英語で、

「体の工合は、大丈夫かい」

　腹部が目だちはじめた妻の体をいたわるように云った。

「大丈夫よ、それより、ケーン、これから先、どうなるの」

「僕のことは心配しなくていい、一世の人たちと違って若いんだし、言葉も不自由しないから、今に容疑が晴れて帰れる、あと少しの我慢だ」

「ほんとに、あと少しなの、どこかへ行くんじゃないの、私、不安で毎晩、眠れなくて……」

「エミー、一人でいないで、お父さんの家へ行っておくれ、勇や春子もいることだし、気がまぎれて、体調にいいだろう」

「でも、もし、ケーンが早く帰れなかったら、ベビーが産まれても見て貰えないわ」

　わっと、泣きくずれた。二世で、両親と賢治との英語の通訳の役目を果さねばならぬエミーが、泣きくずれてしまっては、両親と話す術《すべ》がなかった。一言も話さず、黙って向い合っている親子を同情したのか、係官は、齢老いた両親の方へ顔を寄せ、

「ジャパニーズ、ＯＫ」

　小さな声で云った。両親は救われたようにこくりと頷いたが、すぐ言葉は出ず、ようやく、父の乙七が口を開いた。

「賢治、お前《まい》は二世じゃが、お前《まい》が体ん中を流れているのは、日本人の血じゃ、日本人として恥かしゅなかごっしてくれ」

　薩摩《さつま》隼人《はやと》らしい父の言葉であった。

「お父さんこそ、体に気をつけて、あとをお願いします」

「うん、何《ない》も心配いらん、勇も春子も元気じゃっで」

「お母さんも元気で、エミーの体のこと、くれぐれもよろしく頼みます」

　と云うと、母はよほどショックなのか、あぁ、あぁと頷くだけで、言葉にならない。

「そろそろ時間だ、荷物は？」

　係官が云うと、父の乙七は、スーツケースを机の上に置いた。係官は中身を調べるために開けさせたが、蓋《ふた》が開くなり、賢治は、はっとした。洗面具と下着類の他に、毛糸のセーターやチョッキが入っている。

「父さん、これ、どうして？」

「防寒用の衣類を持っ来るようにちゅう連絡があったとじゃ」

　賢治は、自分が寒いところへ送られることを直感した。

「あなた、一体、どこへ行ってしまうの、教えて――」

　エミーは、机の上に置いた賢治の手に顔をうつ伏した。涙が伝わり、抱きしめてやりたかったが、固い机が二人を隔てている。両手の間に、しっかり妻の顔を挟み、五本の指先でのみ、妻に触れた。

「時間だ――」

　係官は、賢治と妻の間を割き、両親を追いたてた。せっかく会いながら、胸を裂かれるような切なさだけを背負って帰って行く妻と両親の後ろ姿を見送り、賢治の眼からも涙がこぼれ落ちた。

　翌日、朝食が終ると、突然、移動命令が出た。サンペド

ロの移民局の監獄前に停まった幌《ほろ》付きのトラックに押し込まれ、後部出入口には鍵《かぎ》がかけられた。そしてトラックの前後を武装兵の車が厳重に警備し、雨の降る中を出発した。
幌の隙間《すきま》から外を見ると、車はダウンタウンに向って走っている。家族が防寒用の衣類を持ってきたことと考え合せて、ユニオン・ステーションから鉄道で、どこか北部の寒いところへ送られるのではないか。賢治は、自分たちが突如として、移動して行くことを誰かに報せたかった。このまま、アバロン・ブルバードを走って、サンペドロ・ストリートへ出れば、リトル・トーキョーの端を走るから、誰かがいたらトラックの上から報せることが出来る。賢治は、サンペドロ・ストリートまで来ると、幌の隙間から顔を覗かせた。リトル・トーキョーが見えたが、日本人町は殆んど店を閉《とざ》し、人影もなく、雨の中で閑散とし、みるみる遠退いて行った。

トラックは、やはりユニオン・ステーションに着いた。赤褐色の瓦《かわら》に白い壁の大きな駅の建物はスペイン風の情緒に富み、曾て賢治たちが汽車で旅をした時の楽しい想い出がこめられていたが、トラックは、駅の裏側の引き込み線に停車している列車の横に停まった。

それは、今はもう使われていないぼろ列車で、窓には金網が張られ、昼間であるのにシェードが下ろされ、車内灯が点いていた。どこから送られてきたのか、数百人の日本人が、銃を持った兵隊に追われるように列車に乗りこんでいた。逃亡を防ぐために便所の扉は取りはずされている。囚人の護送列車そのものであった。

列車は東へ東へと進み、寒いところへ送られるものと覚悟していたが、二日目に砂漠の駅で三つのグループに分散され、そこから賢治たちはトラックでアリゾナとニューメキシコの州境の軍キャンプへ送られたのだった。

*

アリゾナ砂漠に、黄色い巨大な太陽がぽっかりと、宙にうかんでいた。

砂漠は見渡す限り淡黄色に染まり、セイジ・ブラシや、アイアン・ツリーの灌木の影が淡い斑点模様を描き出す。真昼の苛烈な焦熱地獄が嘘のように、安らぎが大地を静かに包んでいく。

スプーン事件から一週間目、アリゾナ砂漠の軍キャンプは、もとの平穏を取り戻していた。

監視塔の兵隊は、欠伸《あくび》をしながらガムを嚙《か》み、百七十名の日本人民間捕虜たちも、ジーンズの半ズボンに上半身裸で、ギャベジ（残飯）捨て、キッチン掃除、便所掃除、倉庫の食糧運搬などの作業に取りかかっている。

抑留者《インターン》たちは真っ黒に陽灼けし、髭がのび、一見、逞《たくま》しそうに見えたが、いつまで続くかしれない砂漠の中の抑留生活の疲労が滲んでいる。

天羽賢治も、軍キャンプに放り込まれたまま二カ月半、いまだに審問もされず、今後の見通しもつかぬ生活に、どうしようもない苛だちと倦怠感にさいなまれることがある。そんな時、一番若い賢治は人の二、三倍働き、汗を流して、無為《むい》に流されそうな自分をおしとどめた。

今日もバラック内の掃除を黙々と終えると、指を怪我した当番に替って、食堂のギャベジ捨ての作業を引き受けた。ギャベジ捨ては、四棟《よむね》のバラックから二名ずつ当番が出、食堂バラックのキッチンに捨てられた残飯を大きなドラム缶《かん》に集め、兵隊の運転するトラックに積んで、砂漠の奥のごみ捨て場へ捨てに行く作業だった。

百七十人分の朝夕の食事の残飯量は膨大だった。まずくて食べられない鱶《ふか》のきれ端《はし》、どろどろの缶詰のほうれん草、酢づけキャベツ、支那米のべたべたのごはん、野菜やスープの鶏《とり》がら……それらが高温で腐り、流しの下のギャベジ・キャン（缶）の中で、凄じい臭いを放っている。ドラム缶に移す際の臭いは、鼻をつき、眼から涙が出、ぐうっと胃液が這《は》いのぼってくる。その上、大へんな力仕事でもあったから、便所掃除以上に厭がられていた。

夕方、気温が下っても、バラック内の力仕事は、汗がとめどなく噴き出してくる。賢治は額から首すじ、鳩尾《みぞおち》に流れる汗を時々、体を振って、弾《はじ》き飛ばした。

「近々、新入りが送り込まれてくるようだな、あのバラック、出来上ったようじゃないか」

仏教開教師の山下が、窓の外を眼で指した。真珠湾攻撃の夜、ホノルルで逮捕され、船で本土へ送り込まれて来、賢治と気の合う間柄だった。

賢治も外気を吸うように手を休め、窓の外を見た。賢治たち日本人捕虜が入っている四棟のバラックから数百メートル離れた一角に、ここ二、三日、大勢の兵隊たちによって新しいバラックが建てられ、扉には頑丈な鉄の閂《かんぬき》がつけられていた。

「それにしてもどうしてあんなに離れたところに建てたのでしょうかね、しかも一棟だけというのは――」

訝《いぶか》っていると、

「ギャーッ！」

飛び上るような声がした。

長さ七、八センチもあるスコルピオン（蠍《さそり》）が、セメントの床に、褐色の海老《えび》のような尾を巻き上げ、その尖端《せんたん》の鋭い針をふりたてている。誰かがギャベジ・キャンを動かしたはずみに、這い出て来たに違いない。

「おい、誰か、叩き潰《つぶ》してくれ！」

同じ班の男が、金《かな》しばりにあったように体を硬直させ、顔面蒼白になっている。もし刺されれば猛毒が体にまわる。以前、シャワーを浴びながら、簀子《すのこ》がわりの板の下にひそんでいた蠍に刺された者がいて、大騒動になり、皆、怖れていたが、以来、緊急に毒をぬく注射をうつ応急処置がキャンプの医務室に備えられている。

「南無阿弥陀仏《なむあみだぶつ》——」

山下開教師は、そう唱えるなり、空《から》のギャベジ・キャンを投げつけた。ぐにゃりと潰れ、腹部から緑色の液が飛び散ったが、尾はまだひくひくと動いている。

「ジャップども、何を騒いでいる！」

兵隊が顔をのぞかせたが、死んだ蠍を見ると、気味悪げに早く始末しろと命じ、ドラム缶をトラックに積み込む作業を急がせた。

十二個のドラム缶をトラックに積んで、賢治たちがメイン・ゲートの近くまで来た時、けたたましく笛が鳴り渡った。その途端、ジャップ嫌いの軍曹が、管理事務所から飛び出して来、

「ジャップども、バラックの中へ入れ！」

と命じ、トラックもバックさせられて、賢治たちは荷台の幌《ほろ》の中へ押し込まれた。忽《たちま》ち悪臭が籠《こも》った。賢治は幌の隙間から顔を出し、外気を吸った。

淡黄色の太陽は、いつしか火の玉のように真っ赤に燃え、茜色《あかねいろ》の空に、血の帯のような雲がたなびいている。賢治は幼い日、こんな夕焼けを、時々見たことがあるような気がした。それは自分が生れ、五歳まで育ったインペリアル・バレーの農場の掘立小屋からの眺めのような記憶がある。

地平線も染まりかけた黄昏《たそがれ》の砂漠に、不意に砂煙がたち、一台の軍用トラックがキャンプへ近付いて来る。監視塔の機関銃が一斉にその方を向き、キャンプ内に異様な緊張が張り詰めた。緑色の軍用トラックは、まっすぐメイン・ゲートを入って、さっき賢治が、山下開教師と話していた新しいバラックの前に停まった。

軍曹と十数人の兵隊が、ばらばらとトラックを取り囲み、銃を構えた。厳重にかけられた幌の中から、ＭＰにひきたてられるように一人の日本人捕虜が降りて来た。

手錠をかけられ、前後左右、武装兵に囲まれたその男は、身長一六〇センチそこそこで、背中と腰にＰＷと記された服を着せられている。髪はのび、青白い皮膚に痘痕《あばた》のような斑点があるが、まだ二十四、五歳の青年であった。

青年は、連れて来られた場所を見定めるように立ち止まったが、ＭＰに背中を小突かれ、バラックの中へ押し込まれた。

「もしかして、あれは真珠湾攻撃の酒巻少尉では——」

賢治の耳もとで、山下開教師が囁《ささや》いた。

「どうして知っているのです……」

二人乗りの特殊潜航艇で真珠湾へ潜入し、艇の故障で攻撃を行えず、仮死状態のままアメリカ軍に捕えられた酒巻少尉のことであった。

「間違いじゃない、ハワイから米本土へ送られる船に乗る時、アルファベット順で一番うしろに列《なら》んだ私のすぐ後《あと》に随《つ》いて来たんだ、それにあの痘痕面《あばたづら》は、自分の手で煙草の火で焼いて、写真を撮られても解らないようにしたそうだ、船の中で兵隊が喋るのを聞いたから、確かだよ」

山下開教師は、昂《たかぶ》った声で囁いた。

酒巻少尉が、キャンプの一角のバラックへ入れられたというニュースは、その日のうちに四棟のバラック中に伝わり、人々は昂奮に包まれた。

翌日から抑留者たちは一目、酒巻少尉の姿を見ようと、散歩時間を待ちかねて、代る代る、そのバラックを遠巻きにしたが、兵隊は、

「ジャップ！　近寄るな！」

銃を振り廻して、追い払った。

砂漠の真ん中の独房に入れて、四六《しろくじ》時中、兵隊が監視するのは、逃亡よりも、自殺を怖れての様子であった。

賢治も、山下開教師と散歩を装って、バラックへ近付いた。監視兵の二十メートルほど手前まで来ると、わざと大きな声で話した。この地点はアリゾナ州とニューメキシコ州の州境であり、ここに、日本人はあなた一人ではなく、百七十名もいることを聞えるように話したが、バラックからは何の反応もない。

四日目の夕方、賢治と山下は、いつものように散歩を装い、バラックに近付いた。

「それはそうと、君、昨夜の地下情報で得た大本営発表を知っているかね」

山下開教師は、兵隊たちが日本語を皆目《かいもく》、解さないのをいいことにし、酒巻少尉に聞えるように声高に云った。抑留者の中で、手先の器用な者が、短波放送がキャッチできるラジオを組みたてて、バラックの床下に穴を掘って隠し、夜になると、日本からの大本営発表を聞いているのだった。

「知っていますとも、二月二十七日から三月一日にかけて、日本帝国海軍は、ジャワ方面海戦で、巡洋艦五隻と駆逐艦六隻を撃沈したそうですね」

賢治が大声で応えると、山下は、

「まさに破竹の勢だな、シンガポール攻略以後、僅か二週間ほどでこの戦果だから、抑留されているわれわれも心強いよ」

と云った。バラック内にかすかに人影が動き、不意に、窓際に顔が見えた。

夕陽に照らし出されたその顔は、不運にも、生きて虜囚《りよしゆう》の辱めを受けながら、死ぬことも出来ない人間の苦悶と恥辱に塗りつぶされている。おそらく、二十数年の生涯を通して、信じ守り続けて来たものを喪《うしな》った瞬間から、彼は自分の存在を否定し、抹殺してかかっているに違いない――。

賢治は、同じ世代の酒巻少尉の、一つの国家、一つの旗に殉じている姿を目《ま》のあたりにして、強い感動を受けた。


朝から砂嵐が吹き荒れる日、戦時民間捕虜に対するヒヤリング（審問）が行われた。

審問によって抑留か、釈放かが決まり、家族のもとへ帰れる可能性もあるから、バラック内は、早朝から落ちつか

なかった。

ロサンゼルス日本人会会長として、タハンガのCCCキャンプやミゾラ司法収容所をひっぱり廻され、審問も経験したことのある清水一平の話では、審問委員は、司法、警察、軍、移民、財務、思想関係から一名ずつ、計六人で構成され、供述内容は、審問委員の意見を添えて、ワシントンの連邦検事局へ送られるということであった。

午前九時になると、砂嵐の中を十人ずつ、バラックから有刺鉄線と道路を隔てた軍キャンプの兵舎へ連行され、しばらく廊下に待たされた。

廊下の両端には兵隊がたち、先に審問を受けて来た者と次の番の者とが話し合えないように監視している。賢治は固い椅子に坐って、一人一人、出て来る人の顔を見ていた。十五分ほどで狐につままれたような顔をして出て来る者、一時間半もかかって、蒼い顔で退出する者、三十分でほっと安心したような顔、それぞれであった。はじめて審問を受ける賢治は、順番が近付くにつれ、動悸《どうき》が高鳴った。

賢治は、名前を呼ばれ、扉を押して入った。木造の室内には、大きな扇風機が暑い空気をかき廻し、正面の細長いテーブルに六人の審問官がならんで、中央の軍服姿の一人以外は、半袖の開襟シャツにズボンという軽装であった。

最初に、賢治は虚偽の供述をしない宣誓をさせられ、審問が始った。まず氏名、生年月日、住所、職業を聞かれ、応えていると、通訳の朝鮮人が、ふんふんと、鼻先に薄ら笑いをうかべた。明らかに日本人に対する反感が見て取れた。

「審問官、許されるならば、私自身が英語で答えることを望みます」

賢治が云うと、通訳者は阻止するような顔をしたが、審問官は、

「英語で答えられるならば、それが一番スムーズです」

と許可した。

「あなたは、加州新報の記者ですか、加州新報というのは、どのような新聞で、発行部数はどれくらいですか」

思想関係担当らしい審問官が、質問した。

「カリフォルニアに在住する日系人を対象にした日本語新聞で、日本国内で起ったニュース及び、在米日本人社会のローカル・ニュースを中心にして、それに関連するアメリカのニュースを掲載した新聞で、発行部数一万五千部です」

「あなたは、ここ数年来、外人土地法反対のキャンペーンを続けて来ましたが、それを通して、日系人の反米感情を煽《あお》ろうと意図したのではないですか」

「ノウ、帰化権を与えられない一世の日本人は、何年、この国で働いても、土地を持つことが許されません、このような現行の外人土地法は、不当に日系人の経済生活を圧迫し、生活権を阻害するものです、誰も欲しがらなかった不毛の土地を農業地に変えた日本人が、自分の土地を所有し

て安んじてこの国で働けるように、現行の外人土地法の撤廃を求めたキャンペーンです」

「では、ミセス・オーノの自殺記事は、どのような目的で作成したのですか」

「何の目的もありません、単に事実を報道しただけのことで、主観を加えた記事ではないから、プレスコード（新聞綱領）に違反していない、にもかかわらず、あの記事が逮捕の理由であるなら、不当逮捕です」

「だが、あなたの書く記事には、〝日本人よ、誇りを持て〟という日本精神昂揚、即ち軍国主義的傾向が見られるが――」

「ノウ、私の云わんとするところは、よき日本人であることは、よきアメリカ市民になることだと云っているのです。この国にいて報われることの少ない日本人は、ややもすれば無気力になり、積極的な向上心を失いがちだから、そうした人たちの気持を鼓舞するために、日本人の誇りを持って、よきアメリカ市民になれと、訴えているのです。日系アメリカ人である私は、一度だって反米的な記事を書いた覚えはありません」

賢治は、きっぱりとした口調で云った。審問官たちは、鼻白むように顔を見合せ、質問を変えた。

「あなたは、日本で教育を受けましたか」

「小学校三年から大学予科二年まで、日本で教育を受け、帰米後、ロサンゼルス市立大学に入り、卒業しました」

「アメリカで生れ、アメリカの国籍を持つ二世のあなたが、なぜ、日本で教育を受けたのですか」

「移民としてアメリカに渡って来た私たちの両親の世代では、子供が小学校に入る年齢になると、日本の祖父母や親戚のもとに送って教育を受けさせるのが通常です」

「それは、なぜですか」

「一つには、日本の教育を受けさせたいという気持と、一つには円とドルの為替相場の関係で、子供を日本へ送った方が安い費用で高等教育を受けさせることが出来、しかもそれが共働きをしなければならぬ両親にとって、助かるからです」

賢治は、この国へ来てから、一日として体をやすめることもなく、働き詰めだった両親の老いて貧しい姿を思いうかべた。

「お父さんのクリーニング業の顧客は、日本人が多いか、それともアメリカ人が多いのですか」

「日本人は、肌着、靴下までクリーニング屋に出すほど贅《ぜい》沢《たく》な生活は出来ません、殆《ほと》んど白人の顧客です」

「では、白人とのつき合いは多いですか」

「父は、殆んど英語を喋れませんが、仕事を通じて、信用を得ていたことを誇りにしています」

「次は、あなたの弟妹について聞きます、あなたの弟妹たちも、日本で教育を受けていますか」

「私のすぐ下の弟は、現在、日本の大学の最終学年に在学

していますが、その下の弟は、現在、ルーズベルト・ハイスクールの三年に在学し、妹も同じハイスクールの一年に在学中です」

「日本に留学中のあなたの弟は、将来、日本の軍隊に入る可能性がありますか」

軍服を着た審問官が質問した。

「あると思います、開戦と同時に、アメリカへ帰れなくなった弟は、おそらく、日本で徴兵を受け、日本の軍隊へ入らねばならないでしょう」

「ではもし、日本の軍隊へ入ったあなたの弟と、アメリカの軍隊へ入ったあなた自身と、戦線でぶつかった場合、あなたは弟を銃で撃ち殺すことが出来ますか」

賢治のアメリカ合衆国への忠誠を試すような聞き方をした。賢治の脳裡に、二つの国に別れて、相戦う自分たち兄弟の姿がうかび、胸迫った。

「弟を撃つことは出来ない、たとえ殺されても撃つことはできない」

体の中から絞り出すような声で云った。

「では、アメリカ軍と日本軍とが三百メートルの距離で向い合った時、あなたはどうするか」

「もし、私が戦線へ出なければならぬ時は、日本軍と銃火をかわさずにすむヨーロッパ戦線を志願します」

「それでも、なおかつ、命令によって、日本軍とアメリカ軍が、相対峙《あいたいじ》した時、あなたはどうするか」

軍服の審問官は、重ねて聞いた。賢治の額に汗が滲み、そのような質問を発する相手に激しい怒りを覚えた。

「審問官ご自身が、ヨーロッパ戦線で兄弟や親戚と戦わねばならない立場にたった時、銃を向けられますか」

軍服の審問官は、ぐっと言葉に詰ったが、司法省関係らしい審問官が体を乗り出した。

「では、あなたの祖国は？」

とっさに答えられなかった。それは血肉を分けた兄弟が二つの国に別れて戦えるかという質問以上に、賢治の心を微妙に揺がせた。賢治の瞼に、酒巻少尉の痘痕《あばた》面がうかんだ。煙草の火で顔を焼いてまで虜囚《りょしゅう》の恥辱から逃れようとした姿は、一つの国に殉じる人間像であった。

「どうしましたか、なぜ答えられないのです？」

「――血の繋がり、民族的な意味では、日本が父祖《ふそ》の国ではありますが、私の国籍はアメリカであり、私の祖国はアメリカ合衆国です」

「では、あなたはアメリカ合衆国に対し、絶対の忠誠を誓えますね」

畳みかけて来た。賢治は、窓の外に翻《ひるがえ》る星条旗に視線を向け、

「アメリカ国籍を持つ日系二世の私が、日本人の子孫であるという理由だけで逮捕され、この軍キャンプに入れられたことは、ショックです――、アメリカ合衆国に裏切られたという、名状し難いショックです、そしてこの軍キャン

プで、民間捕虜として、毎朝、星条旗を見上げる気持はどんなものか、到底、お解りいただけないでしょう……、忠誠を疑われたり、試されたりすることなく、一つの国、一つの旗に忠誠を尽すことが出来れば、どんなに倖せかと思います」

時々、言葉につかえたが、日系二世の苦渋に満ちた賢治の切々たる言葉は、審問官たちの心を搏《う》ったらしく、しんと静まりかえった。

「あなたの答えは、正直でした、そしてあなたの英語は、内容のある英語でした」

中央に坐った軍服の審問官が云った。

賢治は、審問《ヒヤリング》が行われて五日目の朝、突然、釈放された。空は濃いコバルト色にきらめき、地上の万物を灼きつくすような太陽が照っていたが、風は強く、時折、砂煙が柱のようにきりきりとたちのぼった。

賢治は、伸びっ放しになっていた髭《ひげ》を何週間ぶりかで剃《そ》り、PWと背中に記された捕虜の服を脱いで、三カ月前にロサンゼルスの移民局監獄へ妻が持って来てくれたスーツに着替えると、自由になった解放感が、体の隅々にまで拡った。

「天羽君、よかったな、アメリカ国籍を持つ二世の君が、敵性外国人の烙印を捺《お》されたわしら一世と軍キャンプにぶち込まれるなど、あまりにもひど過ぎたよ」

同じバラックの元《もと》日本人会会長の清水一平が、自分の息子の釈放を喜ぶように祝った。ロサンゼルスの移民局監獄から賢治と一緒だったターミナル島の漁師たちも、バラックに訪ねて来、

「わしら英語がよう解らん者は、通訳して貰《もろ》うたり、キャンプ側の軍人と待遇改善の交渉をして貰うたり、あんたのお陰で助かった、世話になったことは忘れんよ」

「天羽さんが釈放されたということは、沖に出てただけのわしら漁師も、いつかは無罪放免になって、家族のところへ帰れるということや！」

口々に賢治の釈放を喜んだ。そんな中で、気の弱いガーデナーだけが肩を落し、

「あんたが羨しい、わしら一世はこの先、あっちこっちのキャンプにたらい廻しになるかもしれん、日本軍が西部沿岸を占領して、わしらを保護してくれるのは、いつのことか——」

と泣き出した。

「日本軍は、今、南太平洋の方で手一杯やが、あの勢いで必ずアメリカを攻撃してくれる、それまでは陛下の臣民らしく、恥ずかしくない態度で待つのだ、ソーダ水しかないが、皆で天羽君のために、乾杯しようじゃないか」

朝食の時、キッチン・ヘルパーに出ている者がうまく調達して来たソーダ水を、各々のアルミコップに注《つ》いで、清

水一平が音頭を取った。

　コップを持った三、四十名の顔は、どれも髪と髭が伸び放題で、砂漠の中の収容所生活に心身ともに疲れ切っている。乾杯の声が上るたびに、賢治は、自分だけが釈放されることが心苦しかった。

「皆さん、どうかお元気で――、どんなことがあってもご健康を第一にして、ご家族のもとに帰れる希望を捨てないで下さい」

　そう云うのが、精一杯であった。送られる者と、送る者は、こもごもの思いで、一杯のソーダ水で別れを告げた。

　スーツケース一つを持って、鉄道の駅まで送ってくれるジープに乗ろうとすると、いつも賢治を目の仇にしている軍曹が、金色の毛むくじゃらな腕を組み、

「お前一人だけ釈放とは、よほどうまく審問官に取り入ったんだな、だが、ロサンゼルスに着くまでは安心ならないぜ、娑婆《しやば》じゃ、お前たちジャップを一まとめにして、太平洋へ沈めろっていきりたってるのが、うようよいるからな」

　青い眼に憎しみをこめて、捨て台詞《ぜりふ》を投げつけた。賢治は、軍曹の言葉を黙殺し、砂埃にむせながら、真珠湾攻撃で捕えられ、このアリゾナ砂漠まで送られて来た酒巻少尉のバラックの方を見た。つい数日前まで、銃を持った兵隊が二十四時間、監視していたそのバラックには、兵隊の姿はなく、しんと静まり返っている。ワシントンDCの国防省へ連行されたという者もいれば、コロラド州のキャンプへ移送されたという噂もあったが、賢治の瞼には、虜囚の辱めを受けながら、死ぬことも出来ぬ情況にあって、なお一つの国家、一つの旗に殉じようとしている酒巻少尉の姿が、強く灼きついていた。

「ヘイ！　ジャップ、早く乗れ！」

　兵隊にせきたてられ、賢治はジープに乗った。鉄条網の外に出ると、賢治は、羽を奪われた鳥が、再び羽を得たような喜びにひたり、思いは一途《いちず》に齢老いた両親、妻、弟妹へ奔《はし》った。

　ジープが鉄道の駅まで来ると、兵隊はロサンゼルスのユニオン・ステーションまでの切符と、USアーミー発行の通行証を渡して、走り去った。鉄道は単線で、駅舎らしい建物はなく、物置きのような小屋の蔭で一時間近く待った。

　乗り込んだ列車は戦時下らしく大半が兵隊で、賢治は民間人専用車に席を見つけ、そこに坐ると、乗客たちの眼が一斉に注《そそ》がれた。

「おい、あいつはジャップかい、それともチンク（支那人《しな》）か」

　聞えよがしに噂し合っていたが、賢治は白人ばかりの列車の中で、ひたすら黙り続けていた。人種差別には慣れていたが、日米開戦後の白人たちの眼ざしは殺気だち、知らぬ振りを押し通そうとしても、恐怖が肌に伝って来る。

「お前は、ジャップか」

眠った振りをしている賢治に、向い合せに坐った夫婦連れが、棘《とげ》のある声で聞いた。ノウ、チャイニーズと応えれば、何事も起らないかもしれないが、

「イエス、私はジャパニーズだ」

と応えた。

「ジャップは、ガバメントの命令で五十マイル以上のところへは移動出来ないはずだ、逃亡するつもりか」

「私はジャパニーズでも二世で、アメリカの国籍を持っている、間違って軍キャンプ送りになったが、USアーミーは、そのミスを認めて釈放してくれたのだ」

説明しかけると、男は聞く耳を持たず、いきなりたち上った。

「皆さん、ここにパールハーバー・アタックをした卑怯なジャップが乗っている！　私たち夫婦のたった一人の息子は海軍士官だったがあの卑劣極まる攻撃で両脚を失った、しかるにこのジャップは軍キャンプから釈放されたという、こんなことが許されていいのか！」

大声で叫び、妻の方は白いハンカチーフを顔におしあて、泣き出した。

「軍の腰抜け奴《め》！　軍が釈放しても、息子を軍隊にとられたわれわれ市民は、許さんぞ！」

「ジャップが、われわれと同じ汽車に乗るなど生意気だ！　窓から放り出せ！」

そこここから罵声が上り、コーラの瓶や屑紙が飛んで来、五人、六人と男たちが賢治の周りに集って来た。どの男も昂奮と憎悪で眼をぎらつかせている。私刑《リンチ》されるかもしれないという恐怖が、賢治を襲った。

「イエロー・モンキー、立つんだ！」

一人が、賢治の首を鷲摑《わしづか》みにして、立たせ、二、三人が賢治のスーツケースをこじあけ、窓の外へ投げ捨てた。その男たちに摑みかかろうにも、賢治は首をしめ上げられていてどうにもならず、腹部をめった打ちにされ、男たちの間を、ボールのようにこづき廻された。薄れかかった意識の中で、

「戦争の責任を、この人にぶつけるのはまちがっている」

という声が聞えた。牧師のような黒い服を着た男に背負われて、賢治は次の車輛の便所の中に運ばれた。

意識が甦《よみがえ》ると、賢治はよごれた顔を洗面所で洗い、鏡を見た。屈辱に歪んだ黄色い顔が、映っている。

こんな仕打ちをされても、アメリカの国籍を持つ日系二世の自分は、アメリカに忠誠を誓わなければならないのか――。賢治は鏡に映った自分の顔を見詰め、妻や老いた両親、弟妹たちも、こんな目に遭っているのだろうかと、胸騒ぎを覚えた。

ロサンゼルスの町々の電柱や壁に、『大統領命令九〇六六号』の布告文が貼《は》り出されていた。

JAPANESE という文字が、遠くからでも見えるように大きく記されている。

『日本人を先祖に持つすべての住民に対する布告』
外国人、非外国人を問わず、日本人を先祖に持つすべての住民は、指示する地域より立退くこと

冒頭にそう書かれ、立退《たちのき》地域、日時、立退荷物に関する事項が列記されている。

この『大統領命令九〇六六号』が布告されるなり、日本人が密集して住むリトル・トーキョーは、大混乱に陥った。日米開戦直後、西部沿岸は軍事地域に指定されたから、ジャップは立退くべしという論調は、早くから地元の英字新聞に喧伝《けんでん》されていたが、まさか大統領命令という形で、家や財産を処分する余裕も与えられず、立退きを強制されるとは、誰しも予想だにしないことだった。

そんな混乱の中で、天羽乙七は、今朝も四時すぎに起き、ドライルームに吊した洗濯ものをキャンに取り入れると、ガス台にアイロンをのせ、熱くなるのを待って、アイロン台の前にたった。起き出した時には暗かった空も明るみ、窓越しに朝星が消え入りそうな淡い光を滲ませている。

乙七の眼尻の深い皺《しわ》に、涙の滴《しずく》がたまった。辛苦にみちた農業奴隷のような歳月の果てにようやく手に入れ、三十年かけて築き上げたこの AMOH《アモウ》 LAUNDRY《ランドリー》 を、今日限りで手放し、明日、リトル・トーキョーを立退かねばならないのだった。

これが最後の仕事かと思うと、小物のソックス一組、ハンカチーフ一枚に至るまで、丁寧にアイロンをかけながら、いまだに消息不明の賢治と、日本の大学をこの三月に卒業するはずの忠の身の上を按じた。戦時下の日本でアメリカ国籍を持つ二世の忠がどのような扱いを受け、生きて行くのか――。このまま、会うことなく、一家は離散してしまうのではという不安が乙七の胸を締めつけた。

やがて二階でもの音がし、勇や春子も起き出して、最後の荷物の整理をはじめる気配がした。立退きにあたって許される荷物は一人、一乃至二個のスーツケースと制限されていたから、身の廻り品がせいぜいで、家財道具類は、今日中に売り払ってしまわねばならない。

外はすっかり明るみ、通りを隔てた向いの「桜寿司」の家族が総出で、営業用の什器一式、冷蔵庫、テーブル、椅子などを店先に並べはじめた。その隣りの雑貨品店「トーキョー・ストア」は、中国人が居抜《いぬ》きで買い取ったと聞いていたが、洋服ダンス、花瓶、カーペット、食器類を、露店の叩き売りよろしく、店頭に並べ、「大安売り」の貼り紙をべたべたと貼りつけている。誰しもこの先、どうなるか見当もつかない生活に怯え、一ドルでも現金に換えておきたい気持だった。その足もとを見るように中国人、メキシコ人、黒人、白人も、車を乗りつけ、日本人が身を切ら

れる思いで売り出した品々を二束三文で買い叩いた。

勇がタイプライターを抱えて、下りて来た。

「勇、そいは賢治がお前のハイスクール入学祝いに、無理をして買っくれたもんじゃなかか、そいまで売ってしまうとか」

「持って行けないんだから、仕方がないよ、それよりパパ、明日、立退きというのに、よくも平気で仕事などしておれるな、いくら仕事熱心でも、パパみたいな人は、リトル・トーキョーにはいないよ」

「しかし、頼まれた品もんは、きちんと仕上げて、今日中にお届けせんと、長年のお得意様に申しわけがなか」

「そんなこと云ってるから、ママ一人で、やきもきしてるんだ、第一、この店だって、一向に売れないじゃないか」

勇は歯痒《はがゆ》そうに云ったが、その一言が乙七の胸にぐさりと突き刺った。ランドリーの土地、家屋はアメリカの外人土地法によって、市民権を持たない乙七やテルの名義では買い取れず、白人の家主から賃借りしていたが、設備一切は自分で少しずつ買い増して、新しくしていたから、丸ごと買い取ってくれる客を探していたのだった。乙七とて売れるものは、少しでも売って現金に換えたいのは山々だが、今日まで辛酸を舐めて築いたものを、二束三文の切り売りにしたくなかった。

「兄さん、早くミシンを下してよ」

二階から、春子の声がした。

「そうだ、エミーのシンガー・ミシンが残ってたんだ、パパ、手伝ってよ」

勇にせかされ、二階へ上った。

一家の住いにしている二階は、今日中に処分してしまわねばならない家財道具と、仮集合所へ持って行く荷物の散乱で、足の踏み場もないほどであった。妻のテルも、娘の春子も髪をとかす暇もないほどで忙しくたち働いていたが、賢治の嫁のエミーはマタニティードレスを着て、大儀そうにスーツケースの前に坐り込み、自分と一カ月後に出産予定のベビーの衣類だけを詰め込んでいた。

「エミー、こんミシンな、あなたんお嫁入り道具じゃなかとね、ほんとうに売ってんよかね」

昔気質《かたぎ》のテルは念を押した。

「それ、父が買ってくれた時は三百ドルもしたのだけど、いくらに売れるのかしら」

「五十ドルで売れれば、上々だな」

勇はハイスクールの生徒のくせに、どこで聞いてくるのか、売値に精通していた。

「え？　たった五十ドル——、そんなことなら、実家《さと》に預けておけばよかったわ、父は家財一式、ユダヤ人の倉庫会社にうまく渡りをつけて保管して貰《もら》ったし、生命保険だって、いち早く解約して五千ドルで国債を買ったというのに」

天羽一家の世渡りのまずさを、恨むように云った。

「エミー、今頃、そげなことを云うてん仕方なかよ、いやならミシンなここい置いておきますが」

テルが云うと、

「いいえ、この際、五十ドルでも、ないよりましですわ」

万事に如才《じょさい》ない畑中万作の娘らしく云い、

「ああ、たった二個のスーツケースじゃ、とても入らない、どうしようもないわ」

ヒステリックに、嘆いた。エミーの実家の畑中万作が住む地域は、同じリトル・トーキョーでも、天羽乙七たちと立退き先が異《ちが》っていた。その上、待ちわびている夫の賢治の消息が今もって解らない不安が、産み月を間近に控えたエミーを苛だたせていた。乙七は、額に青筋をたてている嫁を見かね、

「スーツケースがたいなければ、わしとかあさんのを使いやんせ、わし達、年寄りは肌着の替えさえあればよかで」

と労《いたわ》り、ミシンを下へ運んだ。

ほどなくシンガー・ミシンとタイプライターは二つまとめて五十ドルに値切られて売れたが、肝腎のランドリーの買手はつかなかった。それでも乙七はまだ残っている洗濯ものに黙々とアイロンをかけ、きちんと折りたたんで、ハトロン紙で包装した。

「ここを売るのは、お前さんか」

店先に貼ったSALEの貼り紙を見、一昨日から五人目の白人客が、ずかずかと入って来た。

「イエス、設備は一年前に大幅に替えたばかりだ」

乙七は身をきられる思いで、ぎこちなく応えた。見るからに下卑《げび》た顔つきの男は、客と応対するカウンター、品物を仕分けておく棚、四台のアイロン台、二台のウオッシュ・マシン、エキストラクター、手洗い式洗濯場と、計算高い眼で、仔細に値踏みした挙句、

「オーケー、五百ドルでどうだ」

乙七はわが耳を疑った。三十年前、元々、日本人が経営していたこの店を居抜きで買った時でも、五百ドルしたのだった。

「ノウ、私はこの設備のほか、デリバリー用のトラック、タイヤの替えや洗剤用のソーダ、ブリーチのストックもたんとある、それだけでも五百ドルは下らん」

「だが、立退きは明日だろう、外出禁止の時間まで十時間もないぜ」

「そんなことは、あんたに関係ない、たったの五百ドルでは売れない」

「そんなに云うなら、五百三十ドルでどうだ、私はサンディエゴでランドリーを経営しているから、ここの設備がまあまあなのは認めるが、機械《マシン》などは、どんなによくても、所詮《しょせん》は中古品だ、それに、ジャップが多かったこのあたりじゃ、今後も値嵩《ねがさ》の洗濯ものなど、それ程とれんだろう、あんたのとこの売上げだって月一千ドル程度だろう」

舐めきった口調で、汚れた歯茎《はぐき》をみせた。これが最後の

買手かもしれないと思いつつも、乙七は、我慢ならなかった。

「うちには、ハイエナのような人間に売るもんは、ソープ一摑みもない」

「なに、ハイエナだと？　じゃあ、表にセールと書いているのは、何を売るつもりなんだ、お前のその黄色い右手のアイロンだこか」

男は、白い皮膚をたるませ、歯をむき出して、せせら嘲《わら》った。

「ハイエナ、出て行け！　ゲット　アウト！」

乙七の顔が引きつれ、眼が血奔った。その凄《すさま》じい形相に男は顔色を変え、カウンターまで後退《あとずさ》りした。その途端、乙七の中で、耐えに耐えていたものが堰《せき》を切って噴き出た。乙七の手が道具箱の横に伸び、ハンマーを摑んだかと思うと、ウオッシュ・マシンに向って、打ち下した。白人の男は、扉を蹴《け》って逃げた。

「あんた、やめて！」

テルが叫んだが、乙七は三十年の忍耐を一挙に爆発させるように、ウオッシュ・マシンに向って、なおもハンマーを打ち下した。乙七が毎日、動かし手入れし、今では体の一部のようになったマシンは、呻《うめ》くような音をたててくぼみ、部品が飛び散った。

アメリカへ移民し、元《もと》薩摩隼人の気概を支えにして、農業労働者から今日まで忍耐を重ねて来た四十五年の苦闘の結晶は、大統領命令九〇六六号によって、無惨にも潰《つい》え去ろうとしている。

テルに、うしろからむしゃぶりつかれ、我に帰った乙七の眼から、滂沱《ぼうだ》と涙が滴り落ちた。

強制立退が刻々と迫り、リトル・トーキョーは、売り急ぐ者と買い叩く者とで一層、騒《ざわ》めきを増していたが、乙七は扉を固く閉して、今日までの自分の生涯を閉じるかのようにCLOSEのプレートを掛けた。

二章　強制キャンプ

サンタアニタの競馬場にSPECIALと標示されたバスが続々と到着し、広大な駐車場は人と荷物でごった返していた。

ロサンゼルス周辺地区から強制退去を命じられた日系人たちであった。老人から子供に至るまで、細長い番号札《タグ》を首からぶら下げ、両手の荷物にも同じ札をつけている。WRA（戦時転住局）の役人は、家族ごとにナンバーをつけたのは、混乱を防ぐために過ぎないと説明したが、人々は番号札をぶら下げている互いの姿から視線をそらし、伏目がちに荷物検査の長蛇の列に並んだ。その列にも、銃を持った兵隊がものものしく監視《ウォッチ》している。

何千人もの荷物検査は遅々として進まず、炎天下で二時間以上も待たされている人々はたちくたびれ、あるいは毛布の包みの上に、あるいはスーツケースに腰をかけ、順番を忍耐強く待っていた。

天羽《あもう》一家も4711のファミリー・ナンバーの札《タグ》を首と荷物にぶら下げ、長い列の中ほどに並んでいたが、乙七だけは頭として札をつけず、帽子を目深《まぶか》にかむり、めったに着たことのないスーツを着、黙々とたっていた。

「私たち、あんなところに入れられるのかしら」

大きなお腹《なか》を抱えて、溜息ばかりついているエミーが、気だるそうに毛布の包みから体を起した。駐車場の東側に木組みの細長いユニットハウスらしきものが、いく棟も並び、目下、建設中なのか、黒いタール紙を壁がわりに貼りつけている。立退《たちのき》命令が出、行先はサンタアニタの競馬場と聞いて、漠然と想像していたのは、アメリカでも屈指の大競馬場のスタンド下の建物に収容されるのではないかということだった。

「まさか、人間をあんなところへ入れるわけはないでしょ、倉庫よ」

ハイスクールの教科書が入ったバスケットを大事そうに抱えている春子が、真っ先に否定したが、乙七と勇は黙っていた。スタンドの入口には星条旗がはためいていたが、MPの姿がちらちらするだけで、荷物検査の終った人々が入って行く様子はない。

三時間の長い行列の末に、天羽一家はようやく検査台の前に進み、六個のスーツケースと、毛布八枚、風呂敷包み二つの荷をほどいた。

「日本の放送をキャッチするショートウェーヴのラジオや、カメラ、通信機、刃物類は隠し持っていないだろうな」

「ノウ、何も持っていません」

乙七は答えたが、検査官は手荒にスーツケースをひっくり返した。持てるものは肌着一枚でも余分にと、苦心して

詰め込んだスーツケースから、ベビー用のおしめや、洗面用具、缶詰などが飛び出した。

検査が終ると、

「これがアパートメントの番号だ」

9アベニュー、バラック60、家番号33と、記された札が渡された。

アパートメントと聞き、天羽一家はほっと顔を見合せ、地面に散乱したものを急いでかき集めた。

「ヘイ! ユー ハリー アップ!」

嚙煙草《かみたばこ》をくちゃくちゃ嚙《か》んでいる若い兵隊が、大声でせかした。

「ソリー ソリー ジャスタ ミニッツ」

そこここで、同じやり取りが交され、慌てふためいて、スーツケースの鍵《かぎ》を壊し、泣き出さんばかりの家族もあった。

「――NO・4711 フォロー ミー」

天羽のファミリー番号が呼ばれている。天羽乙七一家は、蓋のしまらないスーツケースをロープでしばり、十二、三家族の人々と共に、兵隊のあとに従った。途中から、柵《さく》で仕切られた競走馬用の通路を歩かされており、厩舎《きゅうしゃ》の長屋が並ぶところに誘導されていた。

「お父さん――」

テルが、不安そうな眼ざしで乙七の袖をひいた。

引率する兵隊は、時折、ついて来る日本人たちを振り返り、古びた厩舎の並ぶ道をいくつもやりすごしたが、その四つ角ごとに、真新しい番号札が立っている。

まさかという思いは、現実となって、乙七一家を打ちのめした。

33番のアパートとは、柵の入口から数えて三十三番目の厩舎であった。競走馬一頭分のスペースが、検査官のいうアパートメントだった。

「ここい入れちゅうとか……」

乙七は、呻《うめ》くように云った。扉の上半分は、馬が首を出して秣《まぐさ》を食べられるようにあき、下半分だけが板張りであるから、中がまる見えであった。

「ああ、臭い、こんなところに入れやしない」

エミーと春子は、鼻をつまんだ。

「お前たちゃ、ここいいなさい」

乙七は家族を表に待たせて、中へ入った。馬の臭《にお》いと、土の床に流したタールの臭いがないまざり、異臭がむっと鼻をついた。

隣りの馬小屋から、

「こんな酷《ひど》い仕打ちって!」

怒りの声が、耳に飛び込んで来た。乙七は改めて小屋の中を見廻した。天井の隅に蜘蛛《くも》の巣が垂れ下り、両隣《と》りとの板壁や中の仕切りには、馬が蹴《け》った蹄《ひづめ》の跡や、歯を研いだかじり跡、馬糞《ばふん》、尿の飛沫《ひまつ》が至るところに残っており、黒いタールで固めた床にも、藁《わら》や秣が残っている。

一頭の競走馬が繋がれていたところに、五人の家族が住めというのか！　ジャップは馬より劣るというのか！　乙七の握りしめた拳《こぶし》が震えた。

「お父さん、ベッドを入れて呉《く》いやるそうですよ」

テルがそっと小声で、伝えた。先に収容された人々が、折り畳み式の鉄製ベッドを五台、運び入れてくれた。

「すまんこっごあす」

乙七は、軍隊用の鉄ベッドを組立ててくれた先住者に礼を云った。

「こういう時は、お互いさまです、お見かけしたところ、妊婦さんがおありやが、ま、辛抱してつかんさい」

年配者が、同情するように云い、

「一ぺんに何千人も収容したので、当局もマットレスの方まで手が廻らなんだようで、がわだけ渡すそうやから、中身のストローは、五ブロック程先で貰《もろ》うて、各自、入れてつかんさい」

「えっ、マットん中身はストロー？」

テルは、聞き返した。

「それでもないより、ましとせなりません、それにあそこでも長いこと行列《ラインアップ》せならんから、荷物の整理など後《あと》にして、すぐ並びに行きんしゃい」

と勧め、隣りのベッド搬入のため、そそくさと出て行った。

剝き出しの鉄ベッドが五台入ると、あとは一人がやっと通れるほどのスペースしかなく、まだ充分、乾ききっていない黒タールの床に、鉄ベッドの足がぐにゃりとめり込んだ。真昼でも薄暗い馬小屋に、裸電球がぶら下り、ただでさえ陰気な内部を一層、陰々《いんいん》とさせていた。

ベッドの搬入がすんで、中へ入ったエミーと勇、春子は暫《しば》しものも云えず、たち竦《すく》んだ。

「パパ、僕たち今日から、ここで暮すの」

母親似で色白だが、きかぬ気の勇は唇をぎゅっと嚙んだ。アメリカン・ボーイの自負《じふ》は、勇の中でこなごなに砕かれたに違いない。

「まあ、そげなこっじゃ、暫《しばら》くは——」

「暫くって、何週間位なの？」

十五歳の春子は、ぼろぼろと涙をこぼしていた。

「二、三カ月あ我慢せんとならんじゃろ」

子供たちの衝撃《ショック》を見かね、言葉を濁しかけると、エミーが、

「オー　ノウ、何の罪もない私から、夫や家財を取り上げ、こんな馬小屋へ追い込むなんて！　ナチスよりひどいわ！」

気が狂ったように、鉄ベッドを叩いた。

「エミー、気を鎮《しず》めんと、体いさわる、わしらはマットレスん中身を取いに行くから、落着って待っておいやんせ」

乙七は、エミーを残し、家族でストローの配給を受ける行列に並びに行った。

夕食も行列だった。二百世帯に一つという食堂《メスホール》は、大人数の料理に慣れておらず、回転が遅く、しびれをきらしてバラックへ帰る者もいた。

乙七も、踵《きびす》を返しかけた。

「お父さん、我慢しっ下さい、お父さんが帰ったら、私たち三人じゃ、あなたとエミーの二人分の食事までは貰えんかもしれもはん」

「オイはいらん」

「お父さん、勇や春子のことを考えっ下さい、こげなところでん立派に生き抜くことを教えてやっとは、お父さんしかおらんじゃなかですか」

テルがかきくどくように哀願した。

二、三百人が犇《ひし》めき合っている食堂で、二時間待って受け取った食事は、一人にブレッド一枚と、靴の底のように固いミート少々、それとカリフラワーのゆがいたものだった。乙七は、何十人もが坐れる大テーブルに坐ったが、半分も咽喉に通らなかった。父親の隣りに坐った勇と春子も、カリフラワーがごろごろしている皿にわずかに口をつけただけで、

「こんなもの人間が食うものじゃない、豚の餌よりひどいや！」

勇は、アルミ皿を床にたたきつけた。

「勇、何をすっか、ちゃんと片付けんか」

「いやだ、ホワイト・ピッグが掃除をすればいいんだ！」

勇は大声で云い、荒々しくたち上った。乙七は、周囲を気にしたが、人々は、自分の家族のことしか眼中になく、それぞれが怒鳴り合い、悲しみを嚙みしめていた。

惨《みじ》めな思いでバラックへ帰って来ると、エミーが、テルの持ち帰った食事を見ただけで、嘔吐を催すように口を掩《おお》った。

「こんな食事を貰うために、延々と何時間も列んだの！一世の人たちが、そんなふうに惨めったらしいから、白人おず、白人がよけいに馬鹿にするのだわ！」

「そうだ！　どんな屈辱的なことでもノウと云えず、おずおず白人の云いなりになるから、いつまでたっても、ジャップと軽蔑されるんだ！」

勇も口惜し気に、両親に喰ってかかった。その途端、乙七のアイロンだこ《い》のある右手が、勇の頬に飛んだ。

「何《ない》の苦労も知らんで育ったお前《まい》たちに、わしら一世の苦労が解《わか》っか！　死んだ賢一や、賢治が生れたときも、この馬小屋より、もっとひどかインペリアル・バレーの農場ん移動テントん中じゃった――、そいでもここまでやって来られたとは、白人にただおとなしく、服従して来たからではなか、酷使され、騙され、搾取されながらでん、なおそこから這い上れたとは、日本人じゃちゅう誇りがあったからじゃ」

老いたりとはいえ、なお薩摩隼人の気骨が残っていた。勇は、気圧《けお》されるように黙り込んだ。

「あなた、疲れなさったごとでしょ、もう寝《やす》んで下され」テルは、馬小屋の中を二つに分け、一方に自分と夫と勇、もう片方にエミーと春子が寝ることにし、その間を天井からシーツを張って仕切り、辛うじてそれぞれが眠れるようにした。

夜半、乙七は、眼をさました。うとうとと、まどろんでは眼がさめる浅い眠りの中で、インペリアル・バレーの曾ての生活が、夢の中で乙七を苦しませ、脂汗《あぶらあせ》をかかせた。

天羽乙七が、アメリカへ渡ったのは明治三十一年、十九歳の時であった。薩摩藩の郷士《ごうし》の出とはいえ、平時は農業や傘張りで生計をたてている下級武士の天羽家にとって、明治維新後の生活は窮乏の一途で、七男の乙七には耕す畑もなかった。といって、大阪や東京に出て商人になる資質も持ち合わせず、僅《わず》かに特技の弓道で、加治木の村の道場に集る子弟を教えていたが、そのまま一生を終えるにはやみ難いものがあり、アメリカへの渡航を志したのだった。父の吉蔵は、天羽家から海外へ出稼ぎに行くなどもってのほかと、頑強に反対し、兄姉たちも、移民になるのなら、縁を切ると、かわるがわるに説得した。しかし、貧乏を骨の髄まで味った乙七は、世間体より己のために生きようと、兄姉の制止を振り切って、海外雄飛を実行したのだった。

長い船旅の末、シアトルに上陸し、同県人の働いているサクラメントの農場で数カ月、世話になったが、独身者《ひとり》の集団である農場小屋は、夜ともなると、博打場《ばくち》と化し、刃傷沙汰《にんじよう》が絶えなかった。そんな生活に十九歳の乙七は随いて行けず、棺桶をかついで行く覚悟があれば一旗揚げられるという噂を頼りに、メキシコとの国境に近いカリフォルニアのインペリアル・バレーへ向ったのだった。

太陽が地平線から登り、地平線に沈む広大なインペリアル・バレーでは、働かない者は忽《たちま》ち落伍し、干乾しになる凄じい焦熱地獄であった。

主作物は、キャンタロープ・メロンやハニー・デュー・メロン、スイカ類で、ニューヨークやボストン、シカゴに向けて出荷された。収穫期の五月から六月になると、日本人はもちろん、フィリピン人、メキシコ人、黒人も入り混って、太陽が出ると同時に、麻袋を斜めに腰につるし、腰をかがめて、メロンを捥《も》いで行った。黒人たちは主にスイカを扱い、畑から輸送用トラックまで、縞模様のスイカをラグビーのパスのように巧みに受け渡しした。

太陽が落ちても、冷蔵列車用の箱作りのために、十一時頃までランプの下で働かねばならない。一箱いくらの農業労働者の生活は、最後は気力の闘いであった。

二十五歳の時、乙七は白人の地主から二十エーカーの土地をはじめて借りることができた。一エーカーにつき、年間二十ドルの借地料だった。

しかし、外国人土地法によって、アメリカ国籍を持たな

い一世の乙七は、借地さえも自分の名義では出来ず、白人の紹介するハワイ二世の名義で行っていたが、借地料を払う現金の持ち合せはなく、それらはすべて農作物で返済して行くのだった。しかも畑は連作で三年しか保《も》たず、三年ごとに次の荒地を開拓して行かねばならない。一攫《いっかく》千金の話は蜃気楼《しんきろう》のようにあてにならないものだった。

「あなた、眠れんとですか」

テルが、寝返りをうつ乙七に、小声で云った。寝返りをうつ度に、ストローのマットが、がさがさと音をたてた。それでも勇は、若者らしく、大きな寝息をたてて眠っている。

「すまんな、起して……」

「いいや、私は、ここへ入ってインペリアル・バレーの頃ん暮しを思い出しておったとですよ」

「そうや、オイもじゃ」

乙七はそう云い、妻を迎えた日のことを思いうかべた。

当時のインペリアル・バレーでは、女が来たというだけで、大きな話題になったものだった。乙七は、親兄姉から縁を切るとまで云われ、嫁の世話など望むべくもなかったが、同じインペリアル・バレーの熊本県出身者が、親戚に鹿児島県の知覧《ちらん》に姪がいるからと、テルを呼び寄せたのだった。

予《あらかじ》め連絡してあった時刻より、半日早い汽車で到着したテルは、地平線のかなたまで人影も見えない、真昼のインペリアル・バレーの駅に下りたって、パラソルをさして一人、途方に暮れていた。たまたま運よく馬車で通りかかった日本人に見つけられ、乙七のところまで送り届けられたのだった。

畑の中に張られたテントハウスを見て、テルははじめ、住いは別にあるのだと思ったが、そこが住処《すみか》だと知った時は声もなく、呆然とした。だが、あとは愚痴一つこぼさず、その日から黙々と乙七とともに日没まで働いた。耕作はもちろんのこと、荷車に使う馬の世話から、収穫期ごとに雇う幾人かの季節労働者の三度の食事の用意、汚れものの洗濯まで、体を休める間もなかった。そして出産、育児と、二十代の体力にまかせて、体を使いきった。

「……あん時、私が賢一を畑につれてさえ行かんければ……、私が殺したようなもん……」

テルは、声を跡切《とぎ》らせた。

「何を云うか、過ぎてしもた昔んこっじゃ、オイに甲斐性があったら、あん時、自動車でドクターんところい連れて行けたとじゃ、オイのせいじゃ」

乙七は、首を振った。

悲劇が起きたのは賢一が生まれて五カ月目のことである。ちょうどメロンの種まきの頃で、四、五時間ごとに、母乳をのませにテントハウスまで帰ることも出来ず、揺り籠がわりに地面を掘った涼しい穴に、賢一を寝かせて、乳をふ

くませては働いていた。何度目かに引き返した時、賢一の上にかけていたベビー蚊帳《かや》が風で吹っ飛び、畑に使っているワックス・ペーパー（油紙）が、賢一の顔に貼りつき、鼻孔をふさいでいたのだった。

気も狂わんばかりのテルの叫び声を聞いて駈けつけた乙七は、人工呼吸をし、体を揺さぶったが、ついに賢一は息を吹き返さなかった。白人の地主に搾《しぼ》り取られるだけ、搾り取られ、何の蓄えもない乙七には、車を傭ってエルセントロの町のドクターまで子供を運んで行く金がなかったのだった。

賢一の惨めな死に様《ざま》は、賢治にも話していない。だが、賢治は、人の噂で薄々、知っている様子であったが、両親にそれを聞き糺《ただ》そうとはしなかった。

「賢治は、どこいおろうと、あいつんこっじゃ、必ずオイたちん居場所を探し出して来るが」

乙七は、自らに云い聞かせるように呟いた。農業労働者から身を起して四十年、やっと築いた店を閉じてしまった乙七は、賢治に希望を繋がなければ、生きて行く気力を失いそうであった。

＊

天羽賢治は、ロサンゼルスのユニオン・ステーションに着いた。三カ月にわたって、砂漠の中のキャンプに強制収容されていた賢治は、列車内の私刑《リンチ》も忘れて、ロサンゼルスの緑が眼にしみ、人のぬくもりが伝って来る町のたたずまいに安らぎを覚えた。ジャップと罵られ、イエロー・ドッグと足蹴《あしげ》にされても、ロサンゼルスはわが町であった。日本人の姿は見られなかったが、賢治はまず加州新報社に向った。

ロサンゼルス・リバーの手前の加州新報の社屋に辿り着くと、煉瓦建て三階の正面の扉には、頑丈な板が打ちつけられ、そこには大きな貼紙が貼りつけられてあった。

お別れの日が来ました
明日で休刊します

われわれ日系人にとって、運命的な一九四一年十二月七日以来、おそれていた日が遂に来ました。四十年の歴史を持つ加州新報は、明日をもって休刊のやむなきに至ったのです。「休刊」ということは、新聞人として、断腸の思いでありますが、敢えて休刊せざるを得ないわが社の苦衷を御賢察下さい。

四十年の永きにわたって、御支援を戴いた読者諸氏に対し誠に申し訳なく、かつわれわれとしても、忍び難いことではありますが、本社もまた立退きを余儀なくされました。

このカリフォルニアの地から、日系人の最後の一人まで無事、立退き完了するのを見届けた上で、という願いは切なるものでありますが、輪転機、活字等の整理に半月を充てねばならず、この点もご諒承下さい。

いつの日かの再刊を信じ、歴史の証言者として、お目にかかりたいと思います。その日が来るまで、皆さん、さようなら。


読み終った賢治の咽喉が、くっと鳴った。この記事を書いたのは、多分、吉村益次郎だろう。三年前に記者を退き、営業に転じて、社長の松井竹虎を補佐して来たリベラリストの吉村が、当局の厳しい検閲を意識して、筆を抑えつつ書き上げたに違いないが、新聞人としての断腸の念《おも》いが行間に滲み出ている。

賢治は、路上に落ちている古釘を拾い、扉に K. AMOH と刻み、日付を記した。消えぬように、何度も、何度もなぞった後、賢治は立去り難い思いで、もう一度、社屋を振り仰ぎ、一緒に働いた記者、活字工、営業マンの行先に思いをはせながら、踵《きびす》を返し、父の店へ急いだ。

リトル・トーキョーは、ゴースト・タウンのように静まり返り、そこここの商店に掛けられているクローズのプレートが、カタカタと風に鳴っていた。

不意に四つ角から、自分と同じように周囲に眼を配り、緊張して歩いて来る一人の男と出くわした。スーツの胸に、I'm Chinese と書いた丸い札をつけている。敵国人の日本人と間違われ、暴行されたりするのを防ぐための自衛手段であった。男は賢治を同胞と思ったらしく、中国語で話しかけて来たが、賢治は黙って通り過ぎた。

電柱に貼られた、JAPANESE という字が目だつ大統領命令九〇六六号のビラが、時折、風に煽《あお》られて、ビリビリと裂けて行く。賢治はアメリカの無言の圧力にじりじりと押し潰《つぶ》されそうになりながら、父の店に向った。

ようやく父の店の前に辿《たど》りつくと、扉の把手《とって》に CLOSE のプレートが掛っていた。ガラス戸越しに店内を覗《のぞ》くと、ウオッシュ・マシンが叩き壊され、洗い場のタイルの破片が床に飛び散っている。

誰がこんなことを！　呆然としたが、もしや父自身ではないかとも思った。

「父さん――」

賢治は、CLOSE のプレートを両手で握りしめた。

背後でクラクションがたて続けに鳴った。

「ケーン！　やはりケーンだったんだな」

車から顔を出したのは、父の一番のお顧客《とくい》であるスミスだった。

「今頃、どうしてここにいるのだ」

賢治は、軍キャンプから釈放されたことをかいつまんで話すと、

「そうだったのか、リトル・トーキョーの日本人は、殆ん

どカリフォルニア奥地のキャンプに収容されたが、この一角の居住者だけはサンタアニタ競馬場の仮集合センターに入れられた、車で五十分ぐらいのところだから、私が送ってあげよう、こんなところで日本人が一人、うろうろしていたら、どんな目に遭うかしれない」

　貿易商で、若い頃、横浜にいたことがあるスミスは、親日家であった。

「父は、元気でしょうか」

　走り出した車の中で、まず聞いた。

「アモウはりっぱな日本人だ、明日が立退きという日の夕方なのに、頼んでいた洗濯もの一切を、ほころびまできちんと繕《つくろ》って、配達してくれたよ、ワイフが近くの白人のランドリーへ預けておいてくれればいいと、電話しておいたにもかかわらず」

「こういう時だからこそ、いつも以上にきちんとしておこうというのが、父の考え方だろうと思います、父は外国に来て働き住んでいる以上、日本人として恥になるようなことはするなと、いつも口癖のように、云っていました」

「うむ、アモウは、そういう人だ」

　スミスは、ハンドルを切りながら頷《うなず》き、

「それにしても、日本人に対するガバメントの今度の措置は誤っている、それに新聞、中でもひどいのはハースト系の新聞だ、まるで魔女狩りでもするように、連日、ジャップ、ジャップと書きたて、強制立退がすむと、次は、キャンプで朝夕の食事を与えるのは国費の浪費だ、とガバメントに圧力をかけ、無知蒙昧《もうまい》な大衆に排日運動をけしかけている」

「ハースト系だけでなく、他の新聞もですよ、日本人はまるで動物扱いだ――」

「ケーン、そんなアメリカ人ばかりじゃない、皮膚の色のことなど忘れるんだ」

　スミスはそう云い、サンタアニタに向って、スピードを上げた。

　サンタアニタ競馬場の仮集合センターでは、週に一度、シャワーが使えた。

　長い行列をして待ち、ようやくテルたちの順番が来た。

「エミー、大丈夫ね？」

　テルは、妊娠九カ月の嫁の体を気遣った。収容されて四日目で、まだ神経が昂っているエミーにシャワーを使わせるのは心配で、止《と》めたが、賢治が帰って来た時、馬小屋の臭いのしみついた体では厭ですわと、云われては、それ以上、遮るわけにはいかなかった。

　シャワー室は、五十人が使えるという大きな円形の建物だった。だだっ広い入口の扉を開けるなり、

「こんなの、厭！」

　真っ先に、春子が顔をそむけた。一人ずつの仕切りがあ

ると思っていたシャワー室は、円形になった剝き出しのコンクリート壁に沿って、漏斗《じょうご》のような形の黒錆《くろさ》びた器具が取り付けられている。人間が使うにしては大きすぎる上、位置が高く、間隔も広い。

「もしかして、ここは……」

テルは、あとの言葉を呑み込んだ。床もタイルではなく、灰色のざらざらしたコンクリートで、馬小屋にしみついている汚物の跡と同じような汚点《しみ》が、点々とある。

「お姑《かあ》さん、ここ、馬の洗い場でしょ！　ひどい！」

エミーが甲高《かんだか》い声で、叫んだ。一緒に入った女たちは、〝馬の洗い場〟という一言にたち竦《すく》んだ。

「人間を、馬の洗い場に入れるなんて、ひどい……」

「これじゃあ、まるで家畜、牛馬の扱いだわ！」

女たちは口々に云い、ショックのあまり、泣き出す者もいた。先に入っている女たちは、屈辱を嚙みしめるように首をうな垂れ、黙々とシャワーを浴びている。湯気の中にずらりと並んだ女たちの裸体は、何頭かの家畜のように見える。

たち竦んだテルたちの一群の中から、

「厭な者は、さっさと出て行くことじゃ、外で行列しているもんが、可哀そうだべ」

腰の曲った老女が声をあげ、着ているものを脱ぎ、中央のブリキ板の釘に衣類をひっかけた。それにつられるように、女たちは一人脱ぎ、二人脱ぎして、シャワーの下にたち、栓をひねった。

「マミー、私は絶対、厭！」

「私も厭ですわ、妊《みごも》っているのにこんな不潔なところで、体を洗うなんて！」

春子とエミーは、まだ眉を顰《しか》めていた。テルはインペリアル・バレーの農場で、畑に使う灌漑《かんがい》用水をテントハウスの横の池にひき、茶色の濁った水が澄むのを待って、人眼を憚《はばか》りつつ、体を洗ったことがあったから、さっさと裸になり、空《す》いているシャワーの下にたった。厭がっていた春子も、エミーもそれに倣《なら》った。

毎日、悪臭のこもった狭い馬小屋に一家五人が雑居し、皮膚炎を起しそうな生活であってみれば、週に一度しかないシャワーの日には、たとえそれが馬の洗い場であろうと、体にしみついた臭いと汗を流さずにはおれない。それは、今、黙々と体を洗っている五十人の女たち共通の思いに違いない。

こんな動物のような扱いをして――、テルは、夫の乙七が、狂ったようにウオッシュ・マシンにハンマーを打ちおろした気持が、はじめて解ったような気がした。

テルは手早く体を洗い終り、娘の春子の方を見た。体の輪郭こそ、ハイスクール一年の娘らしく、少女の固さを残しているが、そのスタイルは日本娘というより白人並みで、すらりと伸びた脚と、大きく膨らんだ胸が眩《まば》ゆかった。

「春子、エミーの背中を流してあげんね」

と云うと、春子は聞えぬ振りをして、さっと体を拭いて出て行った。その拍子に春子の向う側に立っているエミーの体が見えた。人一倍、馬の洗い場に拒絶反応を起していたが、周囲の視線に恥らうこともなく、気持よさそうに湯を浴び、大きくせり出した腹部と豊かに張りつめた乳房が、母親になる日の近いことを示している。

テルは、順調なその体つきに安堵しながらも、エミーが足を滑らせないように気遣った。

「エミー、背中を拭ってあげようか」

「まあ、いい気持――、一週間に一度しか使えないのですもの、ついでに髪も洗っておきますわ」

「髪なら明日、お湯を汲んで来て、洗ってあぐっから、今日は、こいぐらいできりあげた方がよかよ、体に障っといかんから」

うしろからバスタオルを掛けてやりかけると、エミーは、くるりと向き直り、五人の子供を産み、育て、激しい労働にも耐えて、皺だらけにしぼんでしまったテルの体を、おぞましげに一瞥した。

「せっかくですけど、ゆっくりさせて下さいません？　その方が体によろしいの」

干渉してほしくないといわんばかりに、ぴしゃりと云い、髪にシャンプーをつけて泡だてた。そんなエミーを、テルは、黙って見守った。

髪を洗い終えると、エミーは、ようやくバスタオルを巻きつけた。褐色がかった乳首と膨らんだ腹部が隠れると、肌が桜貝のように染って見え、女の目にもはっとするような妖艶さが漂っていた。やっと肌着とマタニティードレスをつけ、何事もなかったエミーを連れて、シャワー・ルームを出ると、テルはすっかり肩がこっていた。

ゆっくり歩いて、33番の馬小屋に戻って来ると、

「ああ、臭い、でも、この四日間の馬の臭いはシャワーでとれたようで、気持がいいわ」

エミーは、髪を梳《と》かしながら、はじめて笑顔を見せた。

「あんたも早う行って、さっぱいして来て下さい、ぼつぼつ男子の時間ですよ」

テルは、ベッドの端に腰をかけている乙七に云った。

「うむ、勇を待っちょっとじゃが、今日もまたどこい行ったのか、さっぱい姿が見えん」

「どこい行っとでしょうか、フットボールして来たと云うとですけど、あん汚れ方は、フットボールじゃありませんよ」

不審そうにテルが云うと、春子が、

「さすが、ママね、内緒だけど、勇兄さんたち、この競馬場のマンホールからもぐって、下水道を伝って近くの町へ出て、映画を観に行ってるのよ」

「まあ、なんちゅうことを――、見つかったらいけんなるの、映画館でよう日本人の子供を入れてくれたもんね」

「それが、そのマンホールは、映画館の敷地内に出るんで

すって、ジョン・ウェインの『駅馬車』を観て来たって、昂奮していたわ」

陰惨な馬小屋生活の中で、勇たち十代の少年は、じっとしておらず、早くも自分たちの生活を作りはじめている。

テルは、乙七と顔を見合せた。こんな生活の中で、子供たちを放っておけば、どうなることか。自分たちの生涯のみならず、苦労して育てた子供たちの将来の芽まで、摘み取ってしまうのは目に見えている。乙七とテルは、腹の底からアメリカを恨んだ。

「うっ」

不意にエミーが腹部を抑え、苦しげに肩で息をした。

「エミー、いけんしたの」

「お腹《なか》が……お腹がさし込むように……」

テルは、もしやという不安におののき、乙七と春子を外へ出した。

「下《お》り物《もの》は、あっの」

「痛い……うっ……ケーン……来て！」

エミーは、テルの体にむしゃぶりついた。テルは、エミーの下着に手をあてた。はっきり湿りが感じられた。

「あんた、早《は》よドクターを！」

外にいる乙七に、大声で叫んだ。

その頃、天羽賢治は、スミスの車に送られて、サンタアニタ競馬場の入口に降り、受付で教えられた家族番号《ファミリー・ナンバー》の小屋を探していた。

突然、けたたましいクラクションの音がし、賢治の前を車が走り抜けて行ったが、その中に自分の妻が乗っていようとは思いもしなかった。

やっと4711の小屋に着くと、見る影もないほど老い窶《やつ》れた父の乙七が、

「すぐエミーんとこい行ってやれ、早産とかで今、病院へ運ばれたとこじゃ」

「じゃ、さっきの車、あれがエミーだったのですか」

「詳しい話はあとじゃ、早よ行ってやらんか」

と促した。

「兄さん、ママ一人が附添っているから、言葉に困っているよ」

勇と春子が、急《せ》きたてた。

「じゃ、父さん、あとで――」

賢治は、父に心を残しながらも、勇が教えてくれた診療所へ、急いだ。

それは、馬小屋のたち並ぶ地域ではなく、バラックを建て増している駐車場の一角にあるということだったが、なかなか見つからない。夕闇の中で、タール紙を張った黒いバラックは、同じように見え、どれが診療所の建物か、見分けがつきにくかった。往《ゆ》き交《か》う人ごとに聞いてみたが、誰もがキャンプに入って日が浅く、首をかしげるばかりだった。

ようやくMPに出会い、事情を話してジープで送って貰《もら》った診療所は、賢治が、アリゾナの軍キャンプで収容されていたバラックと大差なく、飛び込んだ待合室の窓には、まだガラスが入っていなかった。廊下を行き来するドクターも、まだ若いインターンと、足もとが頼りなげな齢《とし》老いたドクターが目だった。こんなところで、エミーが初めての子供を月足らずで出産するのかと思うと、不吉な思いがよぎった。

受付で聞いた病室を探したが、なかなか見つからない。ナース・ステーションらしき詰所も見当らず、戸惑っていると、

「賢治じゃなかね！」

背後で、懐しい母の声がした。

「母さん、エミーは大丈夫かい」

母のテルも、父と同じように窶《やつ》れていたが、エミーのことが、一層、心配であった。

「今、陣痛が少しおさまってね……、私が悪かったとよ、エミーがシャワーを浴びっのを、もちっと強く窘《たしな》めればよかったとい」

テルは、賢治の顔を見た途端、張り詰めていた気が緩《ゆる》み、皺の増えた顔に涙を流し、馬の洗い場のシャワーのことを話した。

「馬の洗い場とは！　でも、エミーのことは母さんのせいじゃないよ、母さんはもう帰って、父さんの傍にいてくれ」

「お前じゃってん、こげん瘦《や》せて……、さぞひどか目に遭《あ》ったとじゃろう」

頰骨の目だつ賢治の顔を、まじまじと見詰めた。

「汽車の旅が長かったから、少し疲れているだけだ、あとは僕が代るよ」

「じゃあ、何《ない》かあったら、知らせやんせ、出産までまだ時間がかかっと思うけど、また後から来っからね」

母と入れ代って、賢治が部屋の扉を押すと、エミーの呻きと悲鳴が聞えて来た。

「私は馬じゃない！　足輪《あしわ》をはずして！」

賢治は、目かくしの白い衝立《ついたて》の中を覗《のぞ》き、息を吞んだ。何の設備もない小さな部屋に、鉄ベッドが一台、置かれ、天井から二本のロープがぶら下がり、仰臥したエミーが両足を開いて、足首をそのロープの輪の中に、突っ込んで、喘《あえ》いでいる。その足をはずそうともがくと、看護婦が、

「ミセス、静かに！　こうしないとベビーが出にくいのですよ、云う通りにして！」

と叱った。あまりのことに、賢治はベッドに駆け寄りかけると、

「君は？」

ドクターが呼び止めた。六十過ぎと思われるドクターが、消毒液の臭いをさせて、たっている。

「私は夫です、妻をどうしてあんな恰好にするのです」

「分娩室がふさがっていて、ロープの輪は分娩台の脚台がわりの応急処置だ、この脚台がないと、妊婦が力《りき》めないのだよ、大体、強制立退に当って、妊婦だけはロサンゼルス市内の病院に入ってもよいという指示を出していたのに、家族とバラバラになるのは厭だというだけの理由で、一緒について来たのが多い、お陰で病室の半分は妊婦だ！　全く、日本人は非科学的で手に負えない！」

「しかし、あんなロープで出産させるなんて、その方がよほど非科学的ではありませんか」

「大丈夫、難産のアメリカの母親は、昔は皆、ああして産んだものだ」

「難産？　妻は難産なのですか、予定より一カ月早いそうですが、もしや何らかの危険は——」

賢治は、体を硬くして聞いた。

「一カ月ぐらいなら、大したことはないが、ミセスの場合は、陣痛微弱で、時間がかかるだろう、そばへ行って力づけてあげなさい」

ドクターの許しで、賢治は妻のそばへ寄り、

「エミー、僕だ、今、帰って来たよ」

妻の手をとった。ぐったりしていたエミーは、暫し信じられないように賢治を見つめ、

「ケーン！　ほんとうに帰って来たのね」

縋《すが》りつくように、体を起しかけたが、またうっと呻いて、ベッドに仰臥した。

「もう、何も心配ないよ、頑張って元気な子を産んでくれ」

「でも、こんなところで産みたくない、あなた、ロスの病院へ入れて！」

「よし、ドクターに聞いてみよう」

賢治とて、同じ思いであった。

「ドクター、ロスの郡立病院《カウンティ・ホスピタル》へ運び込むわけにはいきませんか、妻もそう希望しているのですが……」

と申し出ると、ドクターはむっとし、

「今さら動かせると思うかね、ここはキャンプで、収容者の勝手な申し出など聞いておれん！　君のワイフは我慢がなさすぎるのだ！」

頭ごなしに、怒鳴りつけた。

「うっ、うっ……」

舌を噛みそうな呻き声を上げたかと思うと、ドクターは、素早く妊婦の両脚の間にたち、局部に手を伸ばした。両股の間に黒いものが、かすかに見えた。

「やっと、ベビーの頭が見えた、あともう少しだ」

と云ったが、それ以上、赤ん坊の頭は出て来ない。エミーは、ロープの輪に突っ込んだ両脚を痙攣《けいれん》させ、悶絶しそうなほどに苦しんだ。

「帝王切開がいいが、まあ、鉗子《かんし》で引っ張り出せるだろう」

ドクターは局部麻酔を施し、手早く鉗子を取って、膣《ちつ》の

側面を少し切り、そこから鉗子を入れて、胎児の頭を挾んで、引っ張り出した。みるみる、胎児の黒い頭髪が現われたかと思うと、両手、両足をつけた体が、つるりと辷《すべ》り出た。

その瞬間、エミーは、全身の力が抜け落ちたようにぐったりしてしまった。

ドクターは、生まれ出た赤ん坊を逆さにして背中をぴたぴたと叩《たた》き、手際よく臍《へそ》の緒を切ったが、産ぶ声は上らない。蒼白い小さな体から、どろりとした黒い胎糞が流れ出た。

もしや、死産では——、産ぶ声も上げず、仮死状態で横たわっている赤ん坊を見て、賢治は身が竦んだ。

「胎内で羊水をのんで、気管支窒息《ちっそく》を起しているのかもしれない、心臓に刺激を与えてみよう」

ドクターは、看護婦に湯と水を入れた容器を用意させ、赤ん坊を交互に入れて、腹部を曲げたり、足を屈伸させたりして刺激を与えたが、反応はない。

「ベビーは、どうして泣かないの」

エミーは、うわごとのように聞いた。

「大丈夫、男の子ですよ、今、別の部屋に寝かしていますから、安心なさい」

看護婦は安心させるように云ったが、ドクターは、やや慌て気味に、生まれたばかりの小さな体に、強心剤をうった。

「先生、赤ん坊がどうかしたんですか！　どうか助けて下さい！」

賢治は、落ち着きのないドクターの様子に不安を募《つの》らせた。

「君まで、興奮しないでくれ、暫く、状態をみるよりほかない」

「ほかにうつ術《て》はないのですか、私たちのはじめてのベビーなんです、何とかして下さい」

「最善を尽すよ、君ぃ、ともかく落ち着いて、私は隣りで手術《オペ》があるから、それがすんだら、また来る」

ドクターは、あとを看護婦に任せ、部屋を出て行った。

賢治は、母胎から出て来たままの形で、小さな手足を縮め、身動き一つせず、ぐにゃりと横たわっている赤ん坊を見守っていた。

せっかく、五体満足で母の胎内から生まれ出たのに、生きてくれ、息をしてくれ——、賢治は、祈る思いでその小さな体に呼びかけ続けた。

不意に、赤ん坊の体がぴくりと動いた。血の気のない蒼白い皮膚に、うっすらと色がさして来たようであった。賢治は、眼を近付けた。錯覚ではなく、次第に紅味を帯び、唇がピンク色になって来たかと思うと、フォギャッ！　と弱々しいが、確かな産ぶ声を上げた。はっとすると、また一声、フォギャッ！　と泣いた。

「ベビー、泣いたのね、聞えるわ——」

エミーは分娩後、はじめて安心したように大きな息をついた。

「エミー、りっぱな男の子だ、有難う――」

　赤ん坊の産ぶ声は、高くなって来た。人間誕生の声であった。日系人収容所の競馬場で生まれたという屈辱を背負った運命の子ではあるが、自分だって、インペリアル・バレーのテントハウスの中で生まれたのだ。俺と同じように逞しく育ってくれと、賢治は咽喉を熱くして、なお泣き続ける赤ん坊を見守った。


　賢治は、父親になった喜びを嚙みしめながら、ベビールームの扉をそっと開くと、オギャッ、オギャーとベビーたちの泣き叫ぶ声が、一斉に飛び込んで来る。

　賢治は荒削りの小さなベッドに寝かされ、手足を力一杯、ばたつかせて泣いているベビーたちを見やった。足首に両親の名前と生年月日を記した札をつけ、可愛いいベビー服にくるまっているが、出生地はサンタアニタの競馬場であることが、終生ついてまわるベビーらであった。

　賢治は、まん中のベッドに寄った。一人だけ、すやすやと眠っている。

「篤《あつし》、パパだよ」

　ふっくらした頬に手を触れると、眼をあけ、もみじのような小さな手を、口もとにもっていった。賢治は、ベビーを腕の中に抱き上げた。まだ眼は見えないはずだが、じっと賢治の顔を見つめているようだった。生れた時は、月足らずで二八〇〇グラムしかなかった体重が、二週間たった今では三三〇〇グラムに増えている。難産で、仮死状態で生れただけに、賢治は日に日に体重が増え、育って行くわが子に、限りない愛情をそそいでいた。

「オー　ミスター・アモウ、許可なくベビー・ルームへ入ってはいけません」

　顔馴染《なじみ》になった若い看護婦が、ブラウンの眼で軽く睨《にら》むようにして、入って来た。

「受付に誰もいなかったものだから、つい――、ベビーはまるで眼が見えるように、僕を見るけど、まだ見分けはつかないのでしょう」

「当り前でしょう、そんなに早く見えたら、お化けだわ」

　若い看護婦は誰にでも分け隔てなく献身的で、窓から銃を持った兵隊が二十四時間、立っている監視塔が見えなければ、強制キャンプの診療所であることを忘れるほど和《なご》やかだった。

「僕に、似ているかい？」

「日本人のベビーのことはまだよく解らないわ、さあ、授乳の時間だから、ママのところへ行きましょうね」

　馴れた手つきでベビーを抱き取った。

「ところで、明日、退院なんだが、大丈夫でしょうね、特にワイフの方は、出産の時、帝王切開しないで、鉗子《かんし》で出

したせいか、産後の肥《ひ》だちが思わしくない様子だけど」

「ドクターは、外科専門だから、ちょっと荒っぽく見えるのよ」

「え、あのドクターは、外科専門なのか、外科医が出産に当るなんて、ひどいじゃないか、専門医に診せなくてもいいのだろうか」

「外科医だってこのキャンプでは手が足りないから、どんどん出産に立ち合っているけど、事故など何もないわ」

と云い、産後の母親たちが寝んでいる部屋へ向った。

ベビー・ルームと異り、母親たちの部屋は、男の賢治には甘酸《あまず》っぱい匂《にお》いに満ちているように思われ、いつも落ちつけない。

エミーは看護婦に抱かれたベビーを見ると、待ちかねたように体を起し、

「今日は遅かったわね、さあ、いらっしゃい」

両手をさしのべ、ベビーに頰ずりした。産後の肥だちがよくないとこぼしていたが、ひと頃より顔色がよくなり、ネグリジェの胸もとをひろげて、お乳をふくませる姿は、妊娠中、絶えず苛々していたエミーとは別人のように充ちたり、美しかった。

「この頃、吸いつく力がつよくなったようね」

看護婦が云うと、

「そうなの、やっぱり男の子なのね、アーサー」

エミーはいとおしげに抱きしめた。その間もベビーは、小さなのどを鳴らすように、乳を吸っている。賢治はベッドの端に腰かけた。

「明日やっと、帰れるんだよ、両親も楽しみにしているよ」

「私、あんなところへ帰りたくないわ」

「仕方がないじゃないか、この仮集合センターの生活では、どうしようもない、皆、我慢しているんだよ」

「でも、ベビーが生れたのだから、あなた、管理事務所にうまく交渉して、私たちだけのルームを貰ってよ」

「そんな我儘を云うものじゃない、ここで永久に住むというわけじゃないのだから、辛抱するのだ」

「どうしても、あの馬小屋に皆と一緒に住まなくちゃいけないのなら、私、ここにもっと入院させて貰うわ、アーサーにだって、その方がいいわ」

「エミー、そんなことばかり云っていると、僕はもう来ないよ」

「あなたはいつだって、お父さんのご機嫌ばかり伺っているのね、この子の名前だって、篤《あつし》なんて日本名をわざわざつけるなんて、反対よ、この子は三世なんだから、もう日本名など必要ないわ」

この間からもめている名前のことを、また持ち出した。一世の親が、二世に名前をつける時は、日本への望郷の念が捨て難く、必ず日本名をつけ、アメリカン・ネームは、学校へ入ってから、白人の友達の間で仲間はずれにされな

いように、日本名をもじったり、代表的なアメリカン・ネームをつけるケースが多かった。しかしアメリカで生れ、育った二世の親は、わが子にはまずアメリカン・ネームをつけ、日本名は一世の父母、又は仏教の開教師につけて貰うのが慣《ならわ》しであった。

アーサーというアメリカン・ネームには勇敢、剛直のニュアンスが含まれてはいたが、敢えて篤《あつし》という日本名もつけたのは、老いた両親を喜ばせたかったのだった。

「エミー、ともかく明日、迎えに来るよ」

と云いながら、賢治は、はじめてのベビーが出来ても、どこか気持が通い合わない妻に、淋《さび》しいものを感じ、診療所を出ると、埃っぽい道を自分の住いに向って急いだ。

汗を拭き拭き、向うから歩いて来る男が、賢治に声をかけた。よく見ると、加州新報の活版主任だった林芳太郎である。ズボンに半袖のシャツを着、埃をよけるため、胡麻塩頭の上にタオルの手拭いをかぶっている。

「あっ、林さん――」

賢治は、懐しかった。

「子供さんが産まれたそうじゃなかね、おめでとう、あんたが帰っ来たと聞いて、訪ねて行くところじゃった」

「私も、林さんがここにおられると聞いて、会いたいと思っていたところです、加州新報の休刊の辞は、読んで来ましたよ、競馬場のスタンドで話しましょうか」

馬小屋の生活であったから、ゆっくり話せる場所といえば、そんなところしかなかった。賢治と林はスタンドへ行き、鉄骨の大きな屋根が出ている陰に坐った。

かつてレースの度に何万という観客を呑み込み、サラブレッドの華やかなレースを展開してきた米国屈指のサンタアニタ競馬場の馬場《ばば》には、今は一頭の馬の影もなかった。サラブレッドが繋がれていた馬小屋には、一万余の日系人が詰め込まれ、さらにその周囲の空地には、新たに日系人を収容するためのバラックが、どんどん建てられている。

「天羽さん、ご苦労さんごあした、あんたがサンペドロの監獄から、どっか遠くへ送られたことは、お父さんから聞いとりもした、大へんじゃったでしょう、よかったら、話を聞かせて貰えもさんか」

職人気質で、口べたであったが、真剣な面持で聞いた。

賢治は、口にするだけでも、心の傷口がうずく思いだったが、林の熱意に搏《う》たれ、軍キャンプでのことを出来るだけ気持を抑えて話した。

林は、背中を折るようにして聞き入った。

「大へんな体験をしもしたなあ、あんたといい、その真珠湾攻撃で捕虜になった酒巻少尉といい、若年の身でごりっぱでごあす、やっぱい日本人の誇りというもんじゃろう」

感慨を籠《こ》めた声で云い、

「あんたは、新聞記者として、日本人よ誇りを持て、とい

う記事をずっと書き続けっ来た、そいが、ともすれば出稼ぎ人根性で卑屈になっしまう一世たちに、気概を持たせた、めったに人を褒《ほ》めん松井社長も、陰じゃあんたを褒め、将来を見込んでおられた」

「その後、松井社長の消息は解りましたか」

「そいが、一向に手がかりがなく、FBI監獄から次へ送らるっ時も、家族とん面会は許されじ、着のみ着のままで送られた様子じゃ」

肩を落すように云った。賢治も、軍キャンプに収容されていた時、ミゾラやサンタフェなどの収容所からやって来た人たちを摑《つか》まえては、松井社長の消息を聞き廻ったが、杳《よう》として知る手がかりがなかった。

松井社長とのある日の偶然の出会いが、賢治をして加州新報の記者たらしめる緒《いとぐち》になったのだった。その日のことは、賢治の生涯を通じて、決して忘れることはないだろう。

その日、賢治は、サンディエゴの倉庫会社のブックキーパーの就職口を得ようとして出かけ、バスを降りた途端、雷雨に襲われた。バス停の近くのレストランで雨宿りしながら昼食をとろうとした時「犬とジャップにやる餌《えさ》はない」と断られ、抗議すると、外へつまみ出され、足蹴にされたのだった。

したたか打った体の痛みと泥まみれの服装で、職を求めに行くのは耐え難かったが、当時、大学を出ても日系人にはフルーツスタンドの売子か、農業労働の仕事しかなかったから、賢治は公衆便所で擦り傷の手当てをし、泥だらけの服を拭って、面接に行った。だが、泥あとのついた服を着た賢治は、その場で不採用を告げられた。

とぼとぼと帰りかけた時、声をかけられた。三つ揃いの背広を着て、中折《なかおれ》帽をかぶった銀髪の日本人がじっと自分を見つめて、泥だらけの服装について尋ねかけた。レストランであったことを話すと「よくそのまま、尻尾《しっぽ》を巻いて家へ帰らず、ここへ面接に来た、それこそ大和魂《やまとだましい》だ」と肩を叩き、その精神で邦字新聞の仕事をやってみないかと云われた。その紳士が、加州新報の松井社長であった。たまたま、社長自ら倉庫会社の創立記念の広告を取りに来ていたのだった。

最初は記者でなく、日本の同盟通信から無線で送られて来るローマ字のニュースを日本文字に直す仕事であった。夜になると、ツート、ツートーと原稿が入って来るが、ハラナイカクトウジとあっても、一般の二世には「原内閣当時」であることが解らなかった。その点、大学予科二年まで日本で教育を受けた賢治には、ニュースの内容がいち早く読み取れ、通信技術のミスで少々文字が抜けていても、前後の関係から、適切な言葉を補うことが出来た。松井社長は、賢治に向って、アメリカにおける邦字新聞では、アメリカのことを熟知している有能な記者も大事だが、君のように日本のことをよく知り、的確な日本語を書ける記者

がより必要だと云い、半年目には、記者に採用されたのだった。

記者になってから一年目の端午《たんご》の節句の日、賢治は鯉幟《こいのぼり》を加州新報の屋上に吹き流し、その写真を大きく紙面に載せて、『鯉幟、ここにも日本男子あり』という句を添えた。日系人に、日本精神を喚起させるには、視覚に訴えるにしくはないと考えたのが、図に当り、ロサンゼルスに住む日本人の家々に、鯉幟が一つ二つ、また三つ四つと上《あが》りはじめたのだった。

五月《さつき》晴れの空を泳ぐ鯉幟を見上げ、賢治は、ようやく日系人の心に、日本人としての自負《じふ》と気概が息吹《いぶ》きはじめたのを感じた。松井社長も、郷愁を誘うようなこの精神昂揚《こうよう》の試みを双手《もろて》を挙げて喜び、これがきっかけになって、賢治は社説の執筆を許されることになったのだった。

社説欄を担当した賢治は、当時、一世の親たちが二世の子供から、「自分たちは、アメリカ人なのか、日本人なのか」と聞かれて、確たる答えが出来ず、二世自身もまた自分たちのアイデンティティ（自己認識）について悩んでいるという問題を勇気を持って取り上げた。賢治は『国籍の如何《いかん》にかかわらず、何千年もの間、われわれの祖先が培い、築き上げた〝日本〟は、われわれの心の中に厳然として存在している。しかし、だからといって、現在、われわれが生活しているアメリカにおける義務を果さなくてよいという理由はない。一個のりっぱな市民としての義務を果すことは即ち、良き日本人であり、それはまた良きアメリカ市民であることと矛盾しない。良き日本人たろうと努力することが、りっぱなアメリカ市民たり得るのだ、日系人諸君よ、堂々たれ！』と、書き続けたのだった。

「天羽さん、あんたの論説で、一世の親たちは、子供に答える言葉を教えられたと、皆、感謝しちょったよ、戦争が終ったら、また一緒に新聞を出しもそう」

林は、その日を待ち望むように云った。

「でも、活字や印刷機など、英字新聞と違って、すぐ用意できるものじゃないでしょう」

「その心配はご無用、印刷機は撤去できんかったが、あれはこちらん機械で間に合う、邦文の活字は、一旦、失くしたら、日本から取い寄せねば手い入らんから、木箱い詰めて、カソリックの教会の地下室へ預けてあるんじゃ」

「神父さんに、つてがあったのですか」

「幸い、井本椰子《なぎこ》さん、彼女んつてで頼めたんじゃ、日頃は、にこにこしちょって朗らかな娘じゃが、いざとなると、なかなか激しか性格じゃな、休刊ときまった瞬間、声をあげて泣いたが、すぐ気を取り直し、邦字新聞いとって一番大事な邦文の活字の預け先を探し出してくれた、われわれは、たとえ家財を失うてん、あん活字が無事い残っとる限り、いつでん新聞を出せるんじゃ」

林は、一徹な気性をむきだしにして云った。賢治は一万

余の日系人が収容されている競馬場を眼下に見、その日が来たら、まさに歴史の証言者として、この真実を綴らねばならぬと思った。

　翌日、エミーは、馬小屋のアパートに帰って来た。乙七やテルは、篤《あつし》、篤と眼を細め、勇や春子は、アーサー、アーサーとかわるがわるに抱きかかえて喜んだが、エミーは部屋が臭《くさ》いと鼻をつまみ、寝たきりであった。

　その夜、シーツで仕切られた部屋のベッドで、エミーは泣いた。

「エミー、泣くのはおやめ」

「だって、こんな馬小屋で、いつまで暮すの、アーサーが可哀そう」

「こんなところだからこそ、母親になったエミーが、今までよりしっかりしなくては駄目じゃないか」

　声をひそめて諭《さと》すと、がさがさっと藁マットレスの音をたてて、エミーが賢治の狭いベッドに移って来た。

「自信がないわ、せめて、私たちだけの部屋に住みたい」

「エミーの両親や弟妹だって、多分、こんな状況に耐えているはずだよ」

「ああ、パパたちに会いたい、ベビーを見せたら、どんなに喜ぶかしれないわ」

「そのうち、会えるさ」

　賢治は、エミーの体をそっと抱いて唇を重ねた。久しぶりに肌のぬくもりが伝って来、シーツ一枚だけの仕切りであるのを忘れかけた時、父の歯ぎしりの音がした。貪《むさぼ》り合うような唇がはっと解《ほど》け、二人は激しい息づかいをおし殺した。どんな夢を見ているのか、乙七はさらに歯ぎしりをした。

「ああ、いや——」

　エミーは、耳をふさいだ。乙七の苦しげな歯ぎしりがようやく止んだかと思うと、春子がまるで起きているかのようなはっきりとした寝言を云い、すぐ寝静まったが、神経質になった二人には、乙七、テル、勇、春子の寝息まで耳についた。

「ああ、あなた、気が狂いそう——」

　エミーは、賢治の胸に跡がつくほど強く顔を押しあて、苛だたしげに身をよじらせた。

　満ち足りない夜を、二人は明かした。

　競馬場の仮集合センターの生活も、一カ月が過ぎようとしていた。

　相変らず、馬小屋は悪臭を放ち、上下水道は整わず、食事状態も悪かったが、生きて行くためには、この生活に順応し、各自が働かねばならなかった。

　賢治は、競馬場の広い観覧席《スタンド》を作業場にして、野戦用の

迷彩網を編む作業をしていた。グリーン、イエロー、オレンジ、ブラウン、ブラックなどに染めた麻のロープを魚網のように編んで行く単純な作業で、ハイティーンから三十半ばまでの男子の主たる仕事だった。縦横二十五フィート、あるいは縦十二フィート、横十フィートの網を一グループで一日四枚仕上げ、一カ月十六ドルの賃金であった。

センター内の仕事には、その他、調理、料理の下ごしらえ、皿洗い、食堂、便所掃除、上下水道の整備、倉庫の荷物運びなどがあり、赤ん坊の世話にかかりきりのエミーを除き、父の乙七は食堂の掃除、母は皿洗いに携っていた。

「天羽さん、なかなか、手つきがよくなりましたね、そのグリーンの濃い方は、ジャングルで使う網で、白っぽい褐色の方は、砂漠用なんですよ」

ハリウッドの映画会社でポスター描《か》きをしていた二世で、迷彩網作業の責任者格の男が云った。

「なるほど、ジャングル向きもよく出来ているけれど、この砂漠向きも全くうまく出来ている、これだと砂漠の中の兵舎も、戦車も見えないな」

賢治は、アリゾナ砂漠の軍キャンプの周囲の色を思いうかべながら、麻の結び目を締めた。

「でも、染料には気をつけないと、手がかぶれますよ、特にブラックの時はね」

「そういえば、この間から時々、手が痒《かゆ》くなり、赤くはれることがあったのは、このせいかな」

「それぐらいですめばいいけど、皮膚炎になった人もいるから、せいぜい、気をつけることだな」

向い側に中腰になって器用に手を動かしている男が云うと、ポスター描きの男は、

「天羽さんは、こんな迷彩網の仕事などしなくても、当局の管理事務所へ行けば、通訳や記録係など、楽で、給料もいい仕事がいくらでもあるじゃないですか、大学出で、もと新聞記者なんだから」

「管理事務所の仕事など、僕の性《しょう》に合わないよ、こう見えても、血の気の多い方だから、管理側に、ああだ、こうだと顎で使われるのはご免だよ」

笑い飛ばすように云い、弟の勇の方へ眼をやった。キャンプ内のマンホールから抜け出し、近くの町へ映画を観に行っていたのが監視兵に見つかってからは、暇をもてあまして、神妙に迷彩網作りをしている。同じ齢頃の連中が集っているらしく、わいわい喋りながら手を動かしていた。そこから十数メートルほど離れた通路では、銃を持った兵隊が居眠りをしている。

突然、観覧席《スタンド》の下の馬場から、賢治の名前を呼ぶ声がした。ジープに乗った兵隊であった。ここだと手を振ると、

「すぐ管理事務所まで来るようにという命令だ」

と伝え、賢治をジープに乗せた。

管理事務所は、正面入口に近い観覧席の下にあり、競馬場時代のオフィスをそのまま使っていた。

部屋は広くて清潔で、天井には大きな扇風機が廻り、外の炎暑に比べると、生き返るような涼しさであった。三十人余りの白人の軍人や軍属が働いている中に、賢治と同じ日系二世の姿も見かけられた。

兵隊は、賢治を将校の前へ連れて行った。

「ケンジ・アモウか、お前に、重要な面会人が来ているから、許可する」

と云い、奥の部屋を指した。外部からの接触は一切、禁じられていたから、重要な面会人とは、何を意味するのか、賢治は、気味の悪さを覚えた。

扉を押すと、軍服姿の男が一人、椅子に坐っている。その顔を見るなり、賢治は、体を硬《こわば》らせた。アリゾナ砂漠の軍キャンプで、審問《ヒヤリング》を受けた時にいた軍服姿の審問官であった。

「やあ、アモウ、私を覚えているかね、まあ、かけ給え、煙草は――」

とすすめたが、賢治は辞退し、椅子に坐った。

「どうだね、ここの生活は」

陽に灼《や》け、引き締った顔で、切り出した。賢治はなぜ、軍キャンプの審問官が、突然、ここにやって来たのか、測《はか》りかね、用心深く身構え、

「軍キャンプ以上に大へんです、馬小屋の臭いはぬけず、ごみ処理、上下水道の配管が整わず、非衛生的な環境です、時々、便所の汲み上げ口から糞尿が流れ出て、その悪臭に苦しめられます」

簡潔に、そして出来るだけ言葉少なに答えた。

「そんなにひどいのか、じゃあ、君一人ならともかく、両親や奥さん、それに生れたばかりのベビーがいては、大へんだな、坊やだそうで、おめでとう」

審問官は、男児誕生のことまで知っていた。

「で、ベビーのミルクは、どうしているのかね」

「四歳以下の乳幼児に対しては、決して充分とはいえませんが、配給があります」

ミルクの入手に苦労していたが、賢治はそう答えた。

「そんな環境の中で、はじめての子供を育てるミセスは苦労しているだろうね」

妙に、同情的な云い方をした。

「でも、母がそばにいて、ベビーの面倒をみていますから、ワイフはそう不満を持っていません」

「それは羨しいことだ、私たちの家族なら忽ち、トラブルが起るところだ、だが、君の齢老いた両親には、この生活はこたえているんじゃないか」

賢治の胸に、むらむらと憤りが湧いた。

「われわれ一万余の日系人を、仮集合センターとは名ばかりの、こんな競馬場に押し籠めたのは、あなたがたではありませんか、人間性を無視した生活を何カ月も強いられ、こたえない者は誰一人もおりません、特に一世は、苦節何十年の辛苦の結晶のすべてを、大統領命令九〇六六号の布

告で一瞬にして失い、ショックのあまり、夜中にふらふらと起きだし、鉄条網を脱け出そうとして、危く射殺されそうになった人もいるくらいです」

ひたと、審問官の顔を射るように見ると、審問官もまた、賢治の顔を見返し、

「その大統領命令九〇六六号に対し、君はどのような見解を持っているのか」

「戦争に勝つためには、無理なこともしなければならないでしょう、しかし、だからといって、日本人を祖先に持つ者は、老人、子供、病人まですべて収容所に入れることを命じた大統領命令は、残念ながら、アメリカの自由と平等と正義を放擲《ほうてき》したものと思います」

臆《おく》することなく、云いきった。審問官は暫《しば》し、腕を組み、

「私はこれまで、何人かの日系二世たちにヒヤリングを行って来たが、いたずらにわれわれに迎合《げいごう》し、尻尾《しっぽ》を振るばかりで、君のような勇気ある発言は聞かれなかった、君は軍キャンプでの審問においても、日系二世の立場と苦悩を偽らずに述べた上で、アメリカ合衆国への忠誠を誓ったね、ワシントンは、君のような人物を欲しているのだ」

唐突な審問官の言葉であった。賢治には、その意味が呑み込めなかった。

「アモウ、君はここを出て、ワシントンで働く気はないか、国防省のある特別のチームで、君のような精神を持ち、日米両国語を読み、書き、話せる人物を必要としているのだ」

「対日戦の暗号解読ですか」

「その内容については云えない、君自身がワシントンへ行けば、自《おのずか》ら解ることだ」

「私は、ワシントンへ行く意志を持っていません」

「今、即答せず、ミセスとよく相談してからにしてはどうかね、もちろん、ミセスも、可愛いいベビーも一緒に住むことが出来る」

賢治は、夫婦だけの部屋が欲しいと云い続けている妻の言葉を思い出したが、それは瞬時のことであった。二世である自分を戦時捕虜として軍キャンプにぶち込み、家族まで競馬場の馬小屋に押し込み、その結果、妻に難産の苦しみを与え、子供には馬小屋での出生という惨めな宿命を背負わせておきながら、ワシントンが君を必要としているとは、何と日系人を軽んじ、踏みつけた云い方だろうか——。

「アモウ、ここはあくまで仮の収容センターで今後、もっと奥地の収容所へ送られてしまうんだ、その行先は炎暑の砂漠か、酷寒の荒野か解らない、それより私の勧めるように——」

なお誘いかけたが、賢治は、

「私は、屈辱の限りを舐めさせられた相手に跪《ひざまず》くよりも、起《た》って苦難の道を歩く方を選びます」

きっぱりと云いきった。審問官は、賢治の決心が翻《ひるがえ》すことの出来ぬものであることを知ると、

「それほど、君の決心が堅いのなら、仕方がない、しかし、アモウ、われわれは、今後も、君に関心を持ち続けるであろう」

それは取りようによっては、不気味な響《ひび》きを持つ言葉であった。

真夏になると、馬小屋はますます悪臭を放った。天井は低く、風通しが悪かったから、小屋の中には熱気がこもり、床に流したタールが溶けて、鉄ベッドの脚がめり込んでしまうことも、しばしばあった。

「ああ、頭が痛くなるほど臭い！　イサム、これ、馬糞でしょう」

小屋の掃除をしていた春子が、動かしたベッドの脚の穴から出て来た藁をかき集めた。

「馬糞でも、秣《まぐさ》でもいいじゃないか、さっさと掃除しろよ、僕は考えごとをしているんだ」

両親と賢治夫婦がいなくて、兄妹二人の時は、いつも英語になる。同じ二世でも、ティーン・エージャーの勇や春子たちは、英語の方が自由に自分の気持が話せたからだった。

「この頃、ずい分、大人ぶるのね、イサムのグループは今日、日本語のレッスンがあるはずなのに、それをさぼって、一体、何の考えごと？」

一カ月程前から、一世には英語、二世には日本語の会話の授業が、競馬場のスタンドの日蔭で行われるようになっていた。

「あんなもの糞くらえだ、アメリカ人の僕が、どうして日本語など習わなくちゃならんのだ、それよりこんなキャンプは一日も早く出たいよ」

「出てどうするの、私たち日系アメリカ人は、学校にも入れないし、働くことも出来ないのよ」

「だからむしゃくしゃしているんだ、日系アメリカ人が、白人のアメリカ人以上によく出来るということを証明してやったら、連中も見直すんじゃないかな」

真剣な表情で云った。

「男の子って、みんなロマンチックなのね、私のボーイフレンドのミッキーも、昨日、食堂であったら、イサムと同じことを云ってたけど、そんなこと、当分、絶望的よ、それよりこの馬小屋生活で、私、ちょっとした発見をしたの」

春子は、ませた口調で云い、帚《ほうき》の手をとめた。

「何だい、発見って？」

「賢治兄さん夫婦のことよ、別々に住んでいた時は、仲のいい理想的な夫婦だと思っていたけど、どうやらそうじゃないみたいね」

好奇な眼で、話しかけた。

「なんだ、そんなことか、大体、賢兄さんは、エミーと恋愛結婚したんじゃないんだからな」

「じゃ、愛し合っていた人が、ほかにいたの」

「愛し合っていたか、どうかは知らないけど、兄さんには他に好きな人がいたと僕は睨《にら》んでいるんだ」

「あら、それ誰？　誰なのよ！」

「お喋りハルなんかに、云えないよ」

勇はそう云い、春子をからかっていると、外で人々の騒《ざわ》めきがした。

「うわっ、糞尿だ、早く喰い止めろ！」

春子と勇は、外へ飛び出した。その途端、糞尿の臭《にお》いが鼻をつき、茶褐色のどろどろした人糞が、二十メートル程先まで流れて来ていた。

「うっ！　これはひどいや、お前、家の中へ流れて来ないようにしろ、僕は行って来るから」

勇が走って行くと、スコップやシャベル、板切れを持った十数人の男たちの中に、賢治もいた。

「兄さん、いたのか」

「ちょうど通りかかったんだ、お前も素手《すで》でつったってないで、喰い止めるものを運んで来い」

「ＯＫ、土嚢《どのう》を持って来る！　皆も来い」

家々から飛び出して来た少年たちに、カモンと合図し、先頭にたって走って行った。

一万人を収容する仮集合センターの各ブロックの共同便所は、大きな穴を掘り、そこへ流し込んで、地中に浸透させる仕掛けになっていたが、浸透する量より、糞尿の量の方が多くなると、地表に溢れ出てしまうのだった。

便所には修理班が来て、モーターポンプで吸い上げているが、流れ出た黄金の川は低い地面に向って、幾筋も小川のように流れて行く。

賢治は、勇たちが運んで来た土嚢で、流れを喰い止め、自分は汗まみれになってスコップを振い、

「消防自動車に来て貰って、流さないと、この辺の家の人がたまらないぞ」

と云った時、

「奥さん、止まって、止まって下さい！」

女たちの声がした。スコップを持った男たちが手をとめると、長い髪をふり乱し、裸足《はだし》の女が、糞尿の流れの方へ走って来る。花柄のスカートに、色あせたブラウスを着た女は、あとから追って来た女たちを振り払い、甲高《かんだか》い声で言葉にならぬことを叫びながら、ブラウスを脱ぎ、スカートのジッパーをおろした。道の真ん中にスカートがすぽりと脱げ落ちたが、女はさらにスリップからパンティーまで、一枚、一枚、皮を剝ぐように脱いでは、放り捨てた。女は完全に狂っているようだった。

あまりのことに、賢治たちは、呆然とした。女は人だかりなど全く眼に入らず、三十代の裸の体に糞尿を塗りたくり、

「あなた、あなたぁー」

と叫んだ。

「おい、あれは日本語学校の水野校長の奥さんじゃないか」

「そうですよ、何とかしてあげて、ご主人がＦＢＩに捕えられ、いまだにどこかの軍キャンプに抑留されているのですって」

人だかりの中で、声がした。

女は、ふらふらと賢治の前へ寄って来たかと思うと、

「まあ、あなた、ここにいたの、帰って来たのね」

と云うなり、賢治にすがりついた。

「奥さん、しっかりして下さい、人違いですよ」

「いや、いや！　あなた、待っていたのよ、ほら、こうして」

さらに体をすり寄せた。気がふれ、一糸もまとわぬ体に糞尿をこすりつけ、夫の名を呼び続ける姿は、凄じかった。

「ママ！」

「帰って、ママ！」

追って来た二人の子供たちは、見知らぬ男に体をおしつける母親の姿に、泣きわめいた。

「さあ、奥さん、家へ帰りましょう」

賢治は、もはや糞尿の臭いどころではなく、女を抱えるように促すところへ、病院車が駆けつけた。

「天羽さん、この子供たちを家へ送ってやって下さい、あとは引き受けます」

傍らの男が云った。天羽は、糞尿のついた上衣を脱ぎ、泣きじゃくっている二人の子供の手を取って、その家へ向った。後から勇もついて来た。

子供たちの馬小屋には、三つの鉄ベッドが並び、棚をつくるつもりだったのか、板と鋸《のこぎり》、金槌《かなづち》、釘などが床に散乱している。男手のない家で、女手一つで棚をとりつけようとしたらしい。思えば、幼い子供を連れて、女一人でよく持てたと思うほどの荷物が壁のまわりに積み上げられ、ベッドの上には、一通の手紙が広げっ放しになっている。手紙のところどころが四角く切り取られ、軍キャンプに抑留されている者が、家族へ便りを出す時、検閲で切り取られた〝窓《ウインドウ》〟だらけの手紙であった。

「これ、パパからの手紙かい」

「そう、その手紙をよんでから、ママはずっと泣いて出て行ったの」

「そうかい、ママは体を洗ったらすぐ戻って来るから、おじさんたちが、棚を作ってあげる」

賢治は子供たちに優しく云いきかせ、勇と二人で、大工仕事をはじめた。

おそらくこの母親は、二人の子供を抱え、夫の釈放を待ちわび、周囲からは〝インタニー（抑留者の）後家〟と特殊な眼で見られ、心身ともに疲れ果て、狂ってしまったのだろう。

「お兄ちゃん、そっちの棚はもっと下にしておいて、そうすれば私たちもママをヘルプして、荷物を上げられるか

ら」

「OK、このぐらいだな」

勇は金槌を振った。賢治も蜘蛛の巣のかかった壁を拭き、板を打ちつけながら、父は軍キャンプ、母は精神病棟という一家の運命を思い、暗然とした。


八月の末、賢治たちの住いに近い第十区に、奥地への移動命令が出た。行先はワイオミング州ハートマウンテンの強制収容所であった。

第十区には、加州新報の活版主任であった林とその家族がいた。林と息子夫婦と三人の孫たちが出発する朝、賢治は有刺鉄線の中の駐車場まで見送りに行った。南カリフォルニアから、アメリカ中部の山岳地方の収容所に送られる人々は、サンタアニタの仮集合センターで働いて得た僅かなドルをはたいて、厚手の衣類を買い込み、入所の時以上に、荷物を膨《ふく》らませていた。

賢治は、迷彩網の労働で得たドルで、林の家族全員に、キャンプ内の購買部で皮手袋を買って、餞別《せんべつ》にした。

「天羽さんの家も、遅かれ早かれ、どこかんキャンプい送られるっのだから、何《なに》かともの入りじゃっとに、こげなことをして貰っては……」

バスに乗り込む長い列の中で、終始、黙りがちな林が、ぼそぼそと礼を云った。

「いや、林さんは故郷の鹿児島と、ロサンゼルスしか知らないから、北緯四五度近い寒冷地は身にこたえると思うよ、くれぐれも体に気をつけて——、あなたに神経痛にでもなられたら、いざ新聞再刊という時に、困ってしまう」

賢治は、元気づけるように云った。林はその時だけ、老《ふ》けこんだ眼をぴかりと光らせ、

「そりゃあ、もう、向うい着たら、すぐ小屋のナンバーを知らせますから、天羽さんも、松井社長や吉村益次郎さんの消息をちゃんと摑《つか》んで下さいよ」

「解ったら、すぐ連絡しますよ」

列がぞろぞろと動き、バスの間近に来た。

「寒いところだから、皆さん、大事にして下さい」

賢治が別れを告げると、

「おじさん、ジャパンって、そんなに寒いところなの」

五歳の孫娘が、きょとんとした顔で聞いた。賢治はとっさに口籠《くちごも》った。父親である林の長男は、困惑しきった表情で、

「実は、ここへ入れられる時、この子が、どうしてこんな汚いところに入るのかって聞くので、まさか日系人だからだとはいえず、おじいちゃんの国のジャパンへ帰る途中なんだと云ったら、本気にして、今度はいよいよジャパンへ行くと思い込んでいるのですよ、向うへ着いたら、どう説明して納得させたらいいものか、弱っているのです」

訴えるように話した。同じ父親として、胸を衝《つ》かれたが、篤が何も知らず、エミーの乳房をふくんでいるベビーであ

ることに、救われた。

「お元気で、さようなら」

あちこちで、別離の声が交され、バスはゆっくり開かれたゲートを出、ロサンゼルスの駅の方向へ向って、走り去って行った。

これからは毎日のように、日系人たちは、この仮集合センターから、内陸部の七州十カ所に建設された強制収容所に送られて行くに違いない。賢治は、重い足どりで、住いの方へ踵《きびす》を返した。

馬小屋だけで足らず、急ごしらえのバラックの列がならび、広い空地に、何列もの洗濯ものがひらひらと風にはためいていた。その近くの木蔭には女たちが、それぞれ屯《たむろ》している。そこには母のように洗濯係を仕事にしている者もいれば、エミーのように家族の下着類を洗って、盗まれないように乾くのを待っている者もいた。

賢治は、遠くの洗濯ものをぼんやり眺めながら、行き過ぎかけ、ふと足をとめた。

貴女《おはん》ばかりに……難儀《なんぎ》は……させぬ……難儀するなら
……共難儀……唄《うた》も鄙《ひな》びて……お粗末……ながら……
薩摩訛《さつまなまり》の……ハンヤ節

曾て故郷の鹿児島で聞いたハンヤ節とは、まるで別の唄のように哀切で、消え入るような低い声であった。そしてそれは、父の乙七の声のようであった。

声のする方へ行くと、父は、第十区の人たちが引き払ったがらんとした馬小屋の前にしゃがんでいた。

「父さん――」

声をかけると、乙七は、我に返ったように口を閉した。

「林さんたちは、出発しましたよ」

賢治は、さり気なく父の傍らに腰をおろした。

「そうや、わしらは、どこい出されるんじゃろかい」

「さあ、日系人の強制収容所は、林さんらが行くワイオミング州のハートマウンテンのほか、カリフォルニア州では、軍事地域に入らない奥地のマンザナール、ツールレーク、それにアイダホ州、ユタ州、アリゾナ州、コロラド州、テキサス州などの七州十カ所もあるそうだから、どこになることやら――」

「カリフォルニア州のマンザナール、ツールレークというところからして、今まで聞いたこっもなか土地ばかいじゃね、よっぽど辺鄙な奥地とみゆっな」

「どこに送られても、僕がそばにいるから、大丈夫ですよ」

乙七は黙って、応えなかった。

「父さん、戦争が終ったら、またリトル・トーキョーに帰って、ランドリー・ショップが出来るじゃないですか」

「うんにゃ、もう、何もかい《ない》も終りじゃ」

「何を云っているんです、もうひと働きしなくては、親類

縁者の反対を押しきってアメリカへ飛び出して来た父さんの意地が許さないでしょう」

「賢治、眼をつぶって、鹿児島ん加治木の港を思うてみろ、何《ない》が見えっとか」

乙七は、故郷のことを口にした。

「もちろん、桜島ですよ」

賢治の瞼に、太陽の燦《きらめ》く錦江湾《きんこう》にどっしり腰を据えるようにたちはだかる桜島がうかんだ。臼形《うすがた》の頂上から天に向って煙を吹き上げる山容は、まさしく男性的な火の山であり、時には霞《かすみ》に包まれて、富士山のように優美であった。

「オイは故郷《くに》い帰りたい、こん齢いなって、せっかく築いて来たもんを捥《も》ぎ取られ、強制収容所で終えるのかと思えば、死んにも死にきれん」

勇や春子の前では、見せたことのない弱気を吐いた。

「父さんらしくもないことを考えないで下さいよ、どうしても日本へ帰りたいというのなら……」

あとは、曖昧に言葉を濁した。日本への帰国希望者のうち、アメリカ側の資格にパスした者は、日本に抑留されているアメリカ人捕虜との交換で帰ることが出来るということであったが、その船に乗れるのは、十一万七千人の日系人のうちのほんの僅かに過ぎず、大海の中の粟粒《あわつぶ》を拾うような頼りなさであった。

「つまらんことば口いしたな、ところで、日本におる忠は、今頃、どげしておっじゃろか」

乙七は、父親らしく気を取り戻して云った。

「日本では、学生の徴兵猶予が取り消され、学徒動員令が出たらしいですよ、忠はこの三月に卒業していますから、もうどこかの戦地へ出ているかもしれない」

厳しい監視の眼をくぐって持ち込んだ部品で、ショートウェーヴ受信機を組み立て、日本の放送を傍受している元電気技師から聞いたニュースだった。

「じゃあ、忠は、アメリカと闘うわけじゃね……」

「おそらく、二世ということで憲兵につけ廻されただろうし、日本の軍隊へ徴兵されれば、アメリカ国籍は取り消されるのじゃないですか……、僕ら家族がこうしてアメリカにいる以上、あいつは、口では云えない複雑な思いをしているでしょう」

「ところで賢治、お前《まい》も、何《ない》かあったとじゃなかか」

突然、父は聞いた。

「いえ、別に……、どうしてですか」

「何《ない》か考えごとがあっとじゃろう、語《かた》ってみろ」

家族の誰もが感づいてないことを、父だけは感じ取っていたのだった。

「実は、この間、軍キャンプで僕を審問した軍人がやって来て、ワシントンへ来ないかと誘われました」

「何《ない》よ？　ワシントンへ――、お前《まい》、まさか……」

父の眼が、険しくなった。

「もちろん、その場で断りました、さんざん屈辱を舐めさ

せておき、都合のいい時は、お前の国籍はアメリカだからという云い草には、腸《はらわた》が煮えくり返りました」

「そうじゃったとか、お前《まい》は人一倍、日本語の素養があっし、元新聞記者ということで、今後も、そげな類いの誘いはあっかもしれん、お前《まい》がそん時い、いけな風に考えるかは、わしらの思いも及ばんところじゃが、日本人として恥ずかしくなか生き方をしてくれ」

「解ってます、僕は幼い時からその精神で育って来ているんだ」

　賢治は、自分の今後が決して平坦《へいたん》なものでないと感じつつも、父の言葉をしっかりと受けとめた。

三章　砂　嵐

日系人を乗せた二十三輛《りよう》編成の列車は、ロサンゼルスのユニオン・ステーションから出発して、既に六時間、砂漠の中を走り続けていた。

二十年程前のぼろ車輛もあれば、六、七年前の客車も連結されている寄せ集めの編成だが、石炭をたきながら、黒い瓦礫《がれき》の丘陵を上り、薄緑のセイジ・ブラシが斑点のようにへばりついている平原を横ぎり、やがてサボテンが群生している荒野にさしかかった時には、列車はあえぐようにのろのろと動いた。

列車は、今、ネバダ州に近いカリフォルニア奥地のデス・バレー（死の谷）を含む広大なモハベ砂漠を、北東に向って走っていた。

だが、列車のすべての窓に、シェードがおろされ、各乗降口には、銃を持った兵隊が監視していたから、日系人たちは、自分たちがどのあたりを走っているのか、解らなかった。マンザナール収容所とは聞いていたが、ロサンゼルスに長く住んでいる人でも、マンザナールという地名は聞いたことがなかったし、地図にものっていなかった。

病人を抱えた家族は病人を、乳呑み児《ちのご》を持つ夫婦は乳呑み児を、守りながら、一刻も早く、列車が目的地に着くことを願った。

「ケーン、私、もう体がバラバラになりそう、アーサーだって、ほら、こんなにひどい湿疹が」

天羽一家が乗っている車輛は、スクラップ寸前のようなもので、座席のスプリングは飛び出し、背も垢《あか》でてかてかと光り、板のように固い。賢治はエミーに替って、篤《アーサー》を抱いていたから、余計にこたえていたが、

「我慢するのだ、それより篤《アーサー》の汗拭《あせふ》きの替えはもうないのか」

エミーのいう篤《アーサー》の湿疹は、汗疹《あせも》だった。年中温暖なカリフォルニアに育ったエミーは汗疹を知らず、篤《アーサー》の首や手足の内側にできた赤い湿疹を、不潔な車内で移された皮膚病と思い込んでいるのだった。

賢治は、エミーから手渡されたハンド・タオルで、篤《アーサー》の額や首筋を拭きながら、向い合っている両親の様子を見た。二人とも眼を閉じ、一見、眠っているようだが、若い自分たちでさえ痺《しび》れてしまうほどのシートで、六時間も同じ姿勢で坐っていて、眠れるはずがない。

列車が、ごとんと大きな振動音をたてて、停車した。単線であるため、時折、駅や、引込線で停まったが、今度はそうではないらしく、兵隊たちの様子が慌《あわただ》しく、緊張している。

新たにMPが乗り込んで来、

「ジャップ共に通告する、一、絶対に窓のシェードに手をかけてはならない、二、いかなる理由があっても、各自の座席から離れてはならない、三、トイレットにもこれから一時間、行ってはならない、以上の三点にもし違反する者がいれば、即刻、検挙する、但《ただ》し、救急患者発生の場合は後方の病院車輛に移すので、申し出ること！」

と命令した。

乙七が、小声で聞いた。賢治も見当がつかなかったが、

「賢治、何《ない》があったとか」

「凄いぜ、兄さん」

窓際の勇が、片目をつぶって、シェードの外を指した。母と春子とエミーは、不安そうに顔を見合せたが、賢治は兵隊の眼を盗んで、素早く黒いシェードの間に指をさし入れ、外を見て、あっと声をたてそうになった。

人間の背丈を越す杭のような幹から、にょきりと太い枝をつき出し、炎暑に逆うように鋭い棘《とげ》をふりたてているカクタス（サボテンの一種）の林の向うに、迷彩色をほどこした飛行機が数えきれないほど並んでいる。さらに斜め前方の踏切りを、同じ迷彩を施した戦車が、軍のジープに守られ、列車と逆の方向に、続々と走っている。

それらは、おそらくロサンゼルスのサンペドロ港から、ヨーロッパや太平洋戦線へ向って輸送されるのであるらしい。賢治はこんな砂漠の真ったただ中でアメリカの巨大な戦力をかいま見、驚異の眼を見張ると同時に、今頃は多分、アメリカ国籍を剝奪され、日本の軍隊に召集されたであろう弟の忠の身辺を慮《おもんぱか》った。

乙七が、聞いた。

「賢治、外《そと》い何《ない》があっとや」

「いや、一面、サボテンの林なので――、ほら、兵隊がこっちを見ている、皆、何でもない顔をして」

列車が停まるまで、扉に背をもたせかけ、裸足になっていた兵隊が、軍靴を履《は》き、神経質な眼つきで一同に銃を向けているのを見て、賢治が注意した。

列車は停まったまま、一時間経っても動かなかった。車内は蒸し風呂のように蒸せ上り、子供や赤ん坊が、暑さと空腹のために泣き出し、気のたった家族同士の些細なトラブルも、そこここに起った。心身ともに疲れ果て、誰もが、ぎりぎりの体力の限界にまで追い詰められていた。

ようやく、ごとん、と列車が動きはじめた。爆発寸前のパニックは、辛うじておさまった。

それから数時間して、列車は再び停まった。またかと、車内に騒めきが起きると、

「皆、この駅で降りるのだ！」

兵隊が怒鳴った。

「ああ、やっと着いたのね」

「早く清潔なトイレットを使いたいわ、それにシャワーも！」

「何だか髪の中まで砂でも入ったようにばさばさして、気

持が悪いわ、熱いシャワーを思いっきり、たっぷり浴びたいわね」

春子とエミーは、女らしい願いをこめて話し合った。そんな収容所が用意されているとは思えなかったが、せめて清潔な施設であってほしいと賢治は願い、膝の上の篤《アーサー》をエミーに任せて、勇と二人で家族の荷物を仕分けた。

ローンパインと記した駅は、木造の小さな駅舎が一つ、ぽつんと建っているだけで、あたり一面、強い風に煽《あお》られた砂が、黄色い波のように押し寄せている。

列車から大きな荷物をひきずるようにしておりた千五百名の日系人は、そこからさらにバスに乗せられて、マンザナールへ向った。


マンザナール収容所は、ローンパインの駅から、USハイウェイを十マイル程北上した果てしない土漠《どばく》の中にあった。

曾《かつ》て、コロラド河の水が豊かに流れていた頃は、インディアンが住み、その後、白人が入って、長い軋轢《あつれき》の歴史があった後、果樹園として発展した地といわれているが、それも六十年前、ロサンゼルス市がマンザナールの豊富な水を水源として引くようになってから、徐々に干上り、ついには地表から緑が失《う》せて、砂嵐が吹きすさぶ土漠に変り果てたのだった。


バスが収容所の正門ゲートを入り、広場でおろされた時、人々は呆然とたち竦《すく》んだ。

鉄条網で囲まれた収容所の中には、黒いマッチ箱のようなバラックが、南北にびっしりと建てられ、西側には、万年雪をいただいたシエラネバダ山脈が連なり、ほぼ中央にアメリカの最高峰である一万四四九五フィートのホイットニー山が聳《そび》えたっている。そして東側前方には、USハイウェイを隔てて、褐色の裸山が、じりじりと太陽に灼かれている。

マンザナール収容所は、そうした奇怪な対照を見せて連なっている山脈の間に、砂塵に埋まりそうになりながら、星条旗をはためかせていた。サンタアニタを出発する時、白人の所長は「明日からはマンザナール・レセプション・センターでニューライフを楽しんで下さい」と云って日系人たちを送り出したのだった。人々はその言葉を思い返し、心を逆撫《さかな》でされ、打ちのめされたように突っ立った。

荷物検査のため、人々は長い行列をさせられた。エミーは砂塵にむせび、

「どこまで私たちを、ひどい目に遭《あ》わせれば気がすむの！　もう許せないわ！」

気がふれたように、喚《わめ》いた。

「エミー、篤《アーサー》がびっくりするじゃないか、目や口に砂が入らないよう、気をつけてやるんだ」

賢治は、きつく窘《たしな》めた。

午後の陽ざしはサンタアニタより強く、砂塵がおさまると、いっそう容赦なく照りつけてくる。

後方でクラクションが鳴り、ジープが砂煙をたてて通りかかった。行列をしている人々は一斉に顔をそむけ、賢治も、エミーが抱いている篤《アーサー》を庇《かば》うために、体を列の内側に向けかけると、

「ハーイ！　ケーンじゃないか」

ジープから、巻舌の英語で呼びかけられた。

「オー！　チャーリー」

賢治も驚いて、大声で応《こた》えると、行き過ぎたジープは、バックして来た。賢治がＦＢＩに逮捕される寸前、電話でその情報を知らせてくれたチャーリー田宮であった。

「やっぱり、ケーンだったな」

懐しげに云った。大きな眼と分厚い唇に、相変らず、アクの強そうな性格をにじませている。ガムを嚙みながら横《おう》柄《へい》な態度で、荷物検査の行列を一瞥すると、

「サンタアニタから到着した組なんだな、乗れよ」

後ろの空席を勧めた。相変らずな奴だと、賢治は苦笑した。

チャーリー田宮は、ロサンゼルス市立大学の同窓生で、同じ二世であるが、日系人たちからは、白人に尻《し》っ尾《ぽ》を振る〝バナナ〟と陰口を叩《たた》かれていた。だが、そのチャーリーも、敵性外国人のジャップとして、ロサンゼルスのローカルラジオ局ＫＲＫＤを馘《くび》になり、日系人収容所に入れられている。

「いつかは電話、有難う、おかげで……」

「まあ、その話はあとで、とにかく早く乗らなきゃあ、ガムが砂だらけになるよ」

チャーリーは、口の中のガムを吐き捨てて促した。

「だが、荷物検査を受けねばならんのだろう」

「いいよ、任しとけ」

うけ合うように云うと、長い列の眼が一斉に、二人に向けられた。

「やっぱり、僕は、ここで列《なら》んでいるよ」

砂塵にむせんでいる老人や女子供のことを考えると、チャーリーのジープには乗れなかった。

「じゃ、ケーン一人、列んでいろよ、ヘイ、エミー！　ベビーと一緒に乗れよ、それにパパもママも」

周囲の眼など、おかまいなしに声をかけた。

「ご好意は有難いが、そいでは列んでいなさる皆さんに、義理が立たん」

乙七も、断った。チャーリーは肩をすくめ、

「ギリ？　オー、義理と人情ね、じゃ、エミーとベビーだけ、乗せて行こう」

「おい、ちょっと待ってくれ、どのバラックに入るのかまだ解ってないんだ」

賢治が慌てて呼び止めると、

「そんなこと、インフォメーション・セクションですぐ解

るさ、ま、ユーたちは、ごゆっくり」

人を小馬鹿にしたような云い方をして、エミーを促した。エミーはベビーを抱いて、救われたようにジープに乗り込んだ。

あとに残った賢治と乙七、テルたちは、周囲の人々のあてつけがましい囁《ささや》きに体を小さくし、自分たちの順番が来るのを、辛抱強く待った。

延々、二時間後、賢治たちは、やっと第二十ブロック・七棟・二号室の番号を受け取った。

マンザナールの収容所には、MPのいる検問所に近いところから、郵便局、病院、集会所、教会などの建物があり、住宅用のブロックは、南側に三十四ブロック、北側に二十四ブロックが、線をひいたように整然と区画されている。その一ブロックは、十四棟のバラックからなり、各ブロックの真ん中に、H字形の建物と食堂があり、H字形の建物の中に、トイレット、洗濯場、シャワー・ルーム、ボイラー・ルームなどがあった。一棟のバラックは、薄い板で四軒に分割され、一軒に一家族ずつが入った。

サンタアニタ競馬場の馬小屋に比べれば、馬糞の臭いがせず、清潔であるとはいえ、間口二十四フィート、奥行二十フィートの空間に、両親と賢治夫婦と赤ん坊、それに勇と春子の七人の家族が、サンタアニタ同様、シーツで仕切って寝なければならなかった。そして窓を開けると、砂埃《すなぼこり》が容赦なく舞い込んで来る。


エミーは、赤ん坊を抱いて、ベッドの端に腰かけ、

「チャーリーのおかげで助かったわ、あんなところに二時間も列んでいたら、私もアーサーも、今頃、砂埃で息が詰って死んでしまったかもしれないわ」

大げさに云い、長蛇の列にならばずにすんだ満足を露《あら》わにしていた。春子は、積み上げた荷物の上に腰をかけ、

「賢治兄さん、私たち、いつまで、ここで住まなきゃいけないの」

悲しげに顔をかしげた。

「戦争が終るまでだろう、またロサンゼルスに戻れるよ」

荷物を解きながら応えると、勇が体を乗り出し、

「この戦争、どっちが勝つと思う？　友達に聞いたんだけど、今まで旗色の悪かったアメリカが、ミッドウェー海戦で日本の機動部隊に大打撃を与えてからは、断然、アメリカが優勢になったということだよ」

勢いづくように云うと、無表情に押し黙っていた乙七が、

「勇、根も葉もなか、よか加減な噂を信じるんじゃなか、忠がたった一人、日本に取り残され、戦地へ出されるっかもしれんことを、ちっとは考げてみろ！」

と気色ばんだ。母のテルも、

「勇、めったなこっ云うもんじゃなか、うちにゃ、忠兄さんちゅう人がおっとですよ」

母親らしく窘めた。

「そりゃあ、忠兄さんは可哀そうだと思っているよ、だけ

ど、戦争だもの、仕方がないじゃないか」

勇が肩をすくめ、けろっと云い返した途端、

「オイは、お前《まい》にそげな教育をした覚えはなか！」

乙七は、勇の頬をぴしっと、平手打ちした。勇は、頬に手をあて、父を睨《にら》み返した。

「父さん、勇は、何もそんなつもりで云ったんじゃないのですよ」

賢治は、父らしからぬ乱暴な振舞いに驚き、とりなしながら、この先、何年にわたるか解らないマンザナール強制収容所の生活を前にして、一番、参っているのは父であることに気付いた。

勇は、ぷいっとバラックを出て行った。

「いやね、早々に、親子喧嘩だなんて——、だから、私は別に住みたいと云ったのよ」

エミーは、ここぞとばかり、聞えよがしに云った。賢治は、そんなエミーの言葉には耳をかさず、勇を追って外へ出た。勇も、マンザナール収容所に彼なりの希望を抱いていたのだった。そのかすかな希望が粉々に打ち砕かれた今、混乱し、押しひしがれたような気持を爆発させるように、勇はバラックが砂地に埋もれるように並んでいる道を一目散に走って行った。

砂埃の中へ吸い込まれて行く勇のうしろ姿を見る賢治の胸に、いいようのない悲しみがこみ上げて来た。だが、自分がしっかりして、家族の要《かなめ》にならねばならないと、自らに云い聞かせ、踵《きびす》を返しかけ、はっと足を止め、眼を瞬《しばた》いた。

そこに、思いがけず、井本梛子《なぎこ》がたっていた。

「久しぶりね、ケーン」

梛子は、長い髪をスカーフで結び、大きな瞳を輝やかしていた。

「チャーリーから、ケーンの家族が、このキャンプに来たって聞いたので、とんで来たの、皆さんお元気？」

「有難う、元気だよ、梛子はいつからここへ？」

「もう五カ月以上になるわ、両親もこの頃、ようやくショックから醒めて、父はガーデナーの仕事をここでもはじめる気力が出て来たところよ」

梛子の父は、広島県出身で、ビバリー・ヒルズの顧客《とくい》を数軒持って、ガーデナーをしていたのだった。

「こんな砂漠の中で、植木の仕事が出来るの」

「砂漠だからこそ、早く木や芝生を植えて、この砂塵だけでもおさえないことにはと、云っているわ、最初のうち、こんな強制収容所から脱走してやるの、潔《いさぎよ》く死んでやるのと、齢甲斐《としがい》もなく怒鳴り散らしていたのが、自分のやれる仕事を見つけ出してからは俄然、妙に張りきり出したの」

梛子は、悪戯《いたずら》っぽく笑った。

「それはよかったね、サンタアニタ競馬場で林さんと一緒だったが、あの人は、参っていたよ」

「まあ、林さんはどこへ？」

「僕たちより一週間早く、ワイオミングのハートマウンテン・キャンプへ移動させられたよ、彼から聞いたが、新聞社をクローズする時、君がスペイン人の神父さんに頼み込んで活字の保管をしてくれたらしいね」

二十四歳の井本椰子が、女の身でよくもそこまでと感謝せずにはいられなかった。

「ところで、ここには加州新報の連中、いるのかい」

「チャーリーの話では、活字や運送関係の人が三人、独身者用のバラックに入っているそうよ」

「ほんとかい！　チャーリーは、どうしてそんなに事情に通じているんだい」

「さあ、それは謎ね、チャーリーは、ケーンがここへ来ることもぴたりと云い当てたわ」

椰子は、額のあたりの砂を手で払いながら応え、

「そういえばベビーが生れたんですってね、おめでとう！とても可愛いって、チャーリーから聞いたわ、エミーに、困ったことがあったらヘルプすると伝えておいてね、ケーンも当分の間は、何かとチャーリーに、相談したらいいと思うわ」

「有難う、だが、チャーリーはここでどういう仕事をしているんだい？」

「インフォメーション・セクション（情報部）のスタッフなの、ケーンが今日、キャンプに入ったことは、インフォメーション・セクションのメンバーたちはもう知っていて、あなたに期待しているわ」

「期待って、僕に何を？」

「それは、ケーン自身が判断することよ、じゃあ、今日はサヨナラ――、落ち着いたらうちにも寄ってね、両親も、ケーンがFBIに連行された時からずっと心配していたので、喜ぶわ」

そう云い、椰子は夕暮れの迫った黄色い砂煙の中を帰って行った。


マンザナール収容所の第一夜は、篤《アーサー》が、何かに脅《おび》えるようによく泣いた。

エミーは乳房を含ませても、抱いても、一向に泣きやまぬ篤《アーサー》に悩まされ、ついさっきまで、額に青い筋をたてて苛だっていたが、今は傍らのベッドで精も根も尽き果てたように寝息をたて、深い眠りに落ちている。

薄い屋根の上を、風に煽《あお》られた砂が、ザラザラと音をたてて、吹きつけて行く。賢治は、何度も寝返りをうちながら、井本椰子と出会った頃のことを思い出していた。

最初の出会いは、二年前、椰子が外電を和文に翻訳するアルバイトとして、加州新報へ入って来た時であった。大学を卒業しても、二世には碌《ろく》な仕事がなかったから、一名のアルバイト募集に、十数名の男性応募者が押しかけて来たが、その中で紅一点の椰子を採用したのは主筆の吉村益次郎だった。短期のアルバイトに大の男を採用しては、罪

つくりだ、それよりこの際、若くて溌剌《はつらつ》とした女性を拝ませて貰おうというのが、磊落《らいらく》な吉村らしい採用の弁だったが、当時の二世の女性では珍しいカリフォルニア州立大学卒業で、東アジア文学を専攻しただけに、日本文が正確で、齢の割には語彙《ごい》も豊富であることを、吉村は見抜いていたに違いない。

椰子が、賢治のデスクに挨拶に廻って来た時、可憐な美しさの中に知的な個性が窺《うかが》えたが、物事をはきはき云い過ぎるところがあって、日本で大部分の教育を受けてアメリカに帰って来た帰米《きべい》二世の賢治には、小生意気な二世娘という印象を拭えなかった。しかもボーイフレンドが、チャーリー田宮と解ってからは、新聞社内での付き合いを越えないようにしていた。

互いに異性として意識するようになったのは、椰子が翻訳係の十カ月のアルバイト期間を過ぎても、辞めさせられることなく、逆に簡単な冠婚葬祭や婦人家庭欄の記事を任されるようになった一年ほど後であった。

賢治が、邦字新聞の懇親会でサンフランシスコへ出張した時、休暇を利用して、学生時代の友達の家へ遊びに来ていた椰子と偶然、ユニオン・スクエアに近いケーブル駅で、出会ったのだった。

翌日、二人はゴールデンゲート・ブリッジへドライヴした。仕事を離れてはじめての付き合いだったが、その時、賢治は、椰子がアメリカナイズされた多くの二世娘たちとは異り、日本的な心情の持主であることに新鮮な驚きを覚え、濃霧に包まれたゴールデンゲート・ブリッジから、市内へひき返す時には、アメリカへ帰って七年経っても、なお忘れ難い日本への思いに惹《ひ》かれるように、椰子に心が傾いたのだった。

サンフランシスコ湾が一望のもとに見渡せる高台まで行くと、霧に包まれた全長二千七百八十メートルの大吊橋《つりばし》、ゴールデンゲート・ブリッジが、眼下に眺められた。椰子はじっと見とれていたが、不意に、

「ケーン、私もあなたと同じインペリアル・バレーの生れよ」

まじまじと賢治の眼を捉えた。

「そうだったのか、ちっとも知らなかった、インペリアル・バレーのどのあたりなんだ」

日本への感傷的な思いは、一瞬にしてふっ飛び、自分が生れ、五歳まで育ったインペリアル・バレーの生活の断片が、瞼に浮かんだ。

「私のところはメキシコ国境に近いエルセントロ、そこで十二歳まで育ったわ、だから私は、学校から帰ると、メロンの種播《たねま》きを手伝ったり、苗をワックス・ペーパーで掩《おお》う仕事もしたのよ」

賢治は、心臓が止まりそうな衝撃を受けた。生後五カ月で死んだ兄の賢一は、炎熱を避けるために畑に掘った穴の中に寝かされて、メロンの苗を掩うワックス・ペーパーが

顔に飛んで来、窒息死したと、聞いていたからだった。

「どうかしたの、ケーン」

椰子に聞かれ、兄のいたましい死に方を話した。

「そうだったの……、うちの弟も、畑の灌漑用水の池に落ちて溺《おぼ》れ死んだわ、両親は忙しすぎて、子供にかまっている時間などなかったもの、そこまで働かなくては、あのインペリアル・バレーでは生きていけなかったのだわ」

そう話し、みるみる大きな眼に涙を滲ませた。

「椰子――」

賢治は言葉もなく、椰子を抱き寄せた。賢治の眼にも涙が滲んでいた。互いに幼い兄弟の死で傷ついた心をいたわり合うように頰をよせ、唇をふれ合わせた。

しかし、二人はロサンゼルスへ帰ると、新聞社で顔を合わせても、何事もなかったように過した。チャーリー田宮と椰子の間に、結婚が間近い様子が見て取られたからだった。

バラックの屋根にザラザラと音をたてていた砂は、窓ガラスにも吹き寄せ、眠られぬままに夜があけようとしていた。

賢治は窓から射す明りを通して、砂が窓枠とガラスとの僅かな隙間《すきま》から入り、桟にも、枕の上にも、床の上にも一センチほど積っているのに気付いた。賢治は、今日からはじまるマンザナールの砂の中での生活が容易ならぬものであることを知った。


翌朝、賢治とエミーは、篤《アーサー》を連れて、エミーの父の畑中万作を訪ねていた。

畑中万作は、娘のエミーの腕に抱かれている初孫《ういまご》を覗き込み、

「おお、わしの初孫か、まさか収容所で初孫の顔をみるとは思わなんだ」

頰をこすりつけるように云うと、妻の定代も、

「まあ、色白でかわいいこと」

自分の腕に抱き取り、眼を細めた。

「賢治はん、うまいこと早ように釈放されてよかったですな、おかげで娘のお産にもたち合うて貰うて、おおきに」

万作は真底《しんそこ》、嬉しそうに頭を下げた。

「いや、僕はうまいことして釈放されたんじゃありませんよ、アメリカ市民権を持つ二世だったからですよ」

「こりゃあ、すまんこと云うて、なんせ、ＦＢＩに逮捕されて、軍キャンプへ送られ、釈放された人は、まだ誰もおらんので」

「ケーン、そんなに目くじらたてなくていいじゃないの、パパはずっと心配していたから、嬉しくて仕方ないのよ」

「そうですとも、賢治さん、せっかく来て下さったんやから、ベビーはベッドに寝かせて、ゆっくりして下さい、ちょうど、子供らもいませんし」

定代は、娘夫婦のために大柄な体をまめまめしく動かした。部屋は、賢治たちのものと同じサイズで、簡易ベッドが五つ並んでいたが、両親と三人の子供たちの間は、シーツではなく、花模様のカーテンで仕切られている。節穴だらけの板壁にも白いペンキが塗られ、手製のテーブルと椅子もあり、賢治たちの殺風景なバラックとは雲泥の差であった。

「ところで、賢治はん、仕事の方はどうするんや、早ようせんと、ええ仕事は人にとられてしまいますでぇ」

と云い、万作は、収容所内の作業を説明した。

日系人が収容されて以来五カ月、収容所内の運営は、日系人による自主管理の形がとられるようになっていた。当局の管理本部の下に、食堂、住宅、衛生、福祉、教育、情報から、ゴミ処理、洗濯、水道工事、下水配管、ペンキ塗に至るまであらゆる部門があった。収容者はこれまでの職業と特技をカードに記入して登録し、各ブロックごとに、仕事が割当てられるのだった。労働時間は一日八時間、給与は一般の労働で一カ月十二ドル、熟練を要する看護婦や電気技師は十六ドル、病院のドクターは十九ドルであった。

「そのインフォメーション（情報）という部門は、どんな仕事なんですか」

賢治は、井本梛子から耳にしているインフォメーション・セクションのことを聞いた。

「当局の管理本部とわしらとの間にたって、ものごとを処理する部門で、ここで働く二世たちは、何かとええ目ができるようやけど、特別のコネがないと入れんそうや」

やや胡散臭《うさんくさ》気に云い、

「わしは昔、食堂やってた経験を生かして、食堂の仕事をやってたけど、今は食糧の出し入れをする倉庫係に変ったんや、これがまことに結構な仕事でな」

と云い、にんまりと相好《そうごう》をくずした。

「パパ、結構な仕事って何なの？」

「兵隊がトラックで運んで来る食糧の余禄《よろく》にありつくんや、つまり、米袋を数える時、相棒とはじめは英語で、フォーイレヴン（四一一）……フォートゥエルヴ（四一二）……フォーサーティーン（四一三）とまことしやかに数えるが、何しろ数が多いよって、途中から日本語で、三百五十……三百五十一……という工合に五十ほど元へ戻して数え、また適当なところで英語に切り替え、数のだぶった分の米をいただくのや、数字に弱いアメリカの兵隊には、一向に気付かれへん、おかげでうちのブロックの食堂は米が豊富やと皆に喜ばれ、こっちもおこぼれにあずかれるのや」

と云うなり、ベッドの下から紙袋に入った米を取り出し、日本語と英語のチャンポンで数を読む真似をしはじめた。エミーと母親は、笑いころげたが、賢治は笑えなかった。

一膳めし屋から爪に火を灯すようにして小金をためるところから成り上がった畑中万作は、収容所生活においても、いち早く、その才覚を発揮していた。

「ケーン、パパに相談して、早くいい仕事を見つけてよ、仮集合センターと違って、ここには何年いるか解らないんだから」

エミーは、父の才覚に煽《あお》られるようにせっついた。

「私で役にたつなら、おたくのお父さんの仕事も、遠慮なしに云ってよう」

ぽんと胸を叩くように云い、

「そう、そう、奥さんがFBI監獄で首吊り自殺した加州楼の大野はんな、あの人も食堂の仕事をしとるわ」

「えっ、大野さんがここで……」

大野なみの葬儀の日、いたましい妻の死に、両の拳《こぶし》を握って男泣きしていた大野保の姿と、四人の息子と娘たちが泣きじゃくっていた姿が、まざまざと思い出された。

「すんでしもうたことはもう忘れまひょな、これからは皆、助け合うて暮しをようすることです」

さすがにしんみりした顔で云ったが、

「そや、エミー、米を持って行きぃ」

ベッドの下から引っ張り出した米袋の一つをエミーの手に渡した。

「でも、どうやって炊《た》くの」

「夜は気温がぐんと下がるから、石油ストーヴの配給があるやろ、その上に鍋をのせてぐつぐつ炊くんや」

と云い、娘のために、鍋まで取り出した。

「やっぱり、パパね、凄いわ」

エミーがその頬にキッスすると、万作はてれくさそうにむずかり出した赤ん坊を見て、

「初孫ほど可愛いもんはないな、ほら、ええ子や、アババのバア!」

賑やかにあやし、畑中親子の話は尽きなかったが、賢治は、

「僕はちょっとお先に失礼します」

と席をたつと、

「さよか、娘と孫はあとでちゃんと送って行きまっさ、乙七さんには、よろしゅうにな」

万作夫婦は愛想よく云った。

砂埃にむせびながら、賢治が自分のバラックへ向っていると、

「加州新報の天羽賢治さんですね」

赤銅《しやくどう》色に日焼けした二十七、八歳の青年が呼びとめた。

「池島努《つとむ》と云います、実はお話ししたいことがありまして——」

「どうぞ、おっしゃって下さい」

「いや、たち話ではどうも——、折り入ってご相談したいことがあるものですから」

「じゃあ、僕のバラックへでも寄りますか」

「ご迷惑でしょうが、そう願えれば、有難いです」

男は、何かつきつめたような表情で云った。

バラックには、父の乙七だけが、ぽつんと一人、なすこ

ともなくベッドの端に坐っていた。これまでの乙七からは想像も出来ない怠惰《たいだ》にさえ見える張りのない姿であった。

賢治が人を連れて来たのに気付くと、挨拶もせず、シーツで仕切った奥へ姿を隠してしまった。

「やはり、お邪魔だったんでしょうか」

池島努は、遠慮気味に云った。

「いや、父は世間づき合いを好まない性格で、気にしないで下さい、で、折り入ってのお話とおっしゃるのは？」

と聞くと、池島は、すぐ話し出した。

「私はターミナル島出身の二世です、ターミナル島の一世たちは、開戦と同時に、FBIに一斉検挙され、ひどいのは船から浜に上ったままの姿でぶち込まれました、皆、一介の漁師で、誰一人として日系人社会の指導者などではないのに、全員、逮捕されたのは、沖で日本海軍に攻撃の合図をしたという馬鹿馬鹿しい容疑のためなのです、僕たち少数の二世は、たまたま、遠洋航海に出かけていて、帰って来ると、島は老人と女子供だけで、しかも島にかかっている架橋が上げられ、交通遮断の状態の中で、四十八時間以内の立退命令が出ていたんです、営々と築いた家財を白人の禿鷹《はげたか》どもにただ同然で買い叩かれ、泣きやまない子供と女たちの阿鼻叫喚《あびきようかん》の中で、寝具と着替えと食器だけを荷造りして退去する有様は、凄《すさま》じい生地獄でした、この立退きを、日系アメリカ人連合会に属している親米派の二世どもは、軍事上の必要から生じたことであり、島にいると、過激な排日分子に襲われる危険があるから、一種の保護収容ともいえる、だから、おとなしく従うべきだと云うんです、こんなアメリカのイヌどもの云い草《ぐさ》を黙って通していいものでしょうか」

池島は、素朴な怒りを漲《みなぎ》らせた。日系アメリカ人連合会は、一世たちが舐めた被差別の経験を超えるためには、二世はアメリカ市民としてあらゆることに全面的に協力し、自分たちがアメリカ人であることを白人社会に周知徹底させるべきだとする全国的組織の団体で、親米派と目されていた。賢治は新聞記者時代に取材したことがあり、そのメンバーの何人かは知っていたが、所内の様子も摑みきれず、答えようがなかった。池島は、さらに言葉をついだ。

「僕は、いつも天羽さんの記事を読んでいました、端午の節句になれば鯉幟、正月には凧と羽子板の写真をカラーで印刷し、いろは歌留多《かるた》も載せて、その日暮しの生活に追われ、祖国を忘れかけている人たちに、日本の伝統と習慣を呼び起し、どれほど日本精神を鼓舞して下さったことか――、中には博打うちにまで落ちていた男が、正月の凧上げの写真を見て、日本人の誇りを取り戻し、もう一度、やり直そうと鮪船《まぐろ》に乗ったこともあるのです、ところが、日系のアメリカ人連合会のイヌどもは、日本人の誇りなど見失ってしまい、監視塔と鉄条網に囲まれたこの中にあって、なお且つ、アメリカに忠誠を尽すべきだと云うのです」

池島は話すにつれ、許し難い気持が募《つの》り、肩を震わせた。

「アメリカに忠誠を尽せというのは、どういう意味なんです？」

「あの連中は、われわれ二世は積極的に徴兵に応ずるべきだというのです」

「しかし、開戦以前に徴兵されていた二世が、パールハーバーの攻撃と同時に、1―A（即時徴兵可能）から4―C（徴兵不能）のランクに落され、兵役免除になっているのに、徴兵ということ自体、考えられないことじゃないですか」

賢治が云うと、池島は唇を嚙《か》み、

「にもかかわらず、あの連中は、アメリカの国民が闘っている時、同じアメリカ市民である日系二世も、合衆国を守るために闘ったという記録を残すべきだ、それがまた、戦後、日系二世が市民としての権利を全面的に獲得するための砦《とりで》となるから、志願してでも積極的に兵役に服すべきだ、と主張しているのです」

「ほう、志願してでも――」

「そうです、ルーズベルト大統領に、日系二世の愛国心を訴える請願書を出してでも、アメリカの市民権を持つ二世の義務と責任を明らかにすべきだというのです」

賢治は、言葉に詰った。理屈の上では日系アメリカ人連合会の云い分にも理があったが、大統領命令九〇六六号によって、老人から女子供に至るまで敵国人として強制収容所へ送り込まれ、この上ない屈辱を強いられながら、なお請願書まで出して兵役を志願しようという主張には、到底、随いて行けなかった。そして、池島の話を聞いていると、ターミナル島をはじめ、悲惨な目に遭った立退き者たちと、比較的苦しみを受けず、アメリカの善意を今もって信じている日系アメリカ人連合会の人たちとの間に、深刻な確執《かくしつ》があることが解った。

「日系アメリカ人連合会のイヌどもは、インフォメーション・セクションなどと、まことしやかな呼び方をしているが、なんのことはない、あれは当局の代弁機関に過ぎない、われわれ、大和魂を持つ二世は、あのイヌどもを叩き潰さねば気がすまない、彼らは日本人の恥だと思います」

昂奮《こうふん》のあまり、池島は拳を振り上げた。

「だが、彼らを、頭からイヌだときめつけるのは、いささか早計じゃないですか、確たる証拠があるのですか」

「いや、証拠は摑めませんが、あいつらの云うことなすこと、同じ日本人の血が流れているとは思えません、特に、リーダーのマイケル城山と、チャーリー田宮というバナナ野郎に至っては、言語道断です」

吐き捨てるように云い、

「噂によれば、チャーリー田宮は、いち早く、天羽さんに近付いて、インフォメーション・セクション入りをすすめているとかですが、加州新報に、日本人よ誇りを持てと書き、多くの日系人読者を鼓舞した天羽さんは、是非、われわれの側に随いて、奴らと闘って下さい」

「お話はよく解りました、しかし、一度彼らとも話して、

果して、日系人に対し、裏切り行為をしているのか、どうなのか、私なりに考えてみたいと思います」

賢治が冷静な口調で応えると、池島は心外そうに、

「僕たちは、天羽さんこそ、われわれ日系二世のリーダーだと信頼しています、そのことを忘れないで下さい」

念を押して、帰って行った。

池島がいなくなると、シーツで仕切った奥のベッドに坐っていた父の乙七が、むっつりと顔を出し、

「賢治、今ん話、あんまい深入りせん方がよか」

一言、ぽつりと云った。

「どうしてです？　お父さんらしくもない云い方ですね」

「オイはもう、何《ない》もかいも、いやになっしもうた、収容所とはいえ、やっとジャップ、ジャップと差別されじ、ひどか目にも合わんですん場所い来たかと思うたや、同じ日本人が、アメリカ贔屓《びいき》と日本贔屓い分かれて、アメリカんイヌだの、ぶっ潰《つぶ》してやっだの、互いに罵り、啀《いが》み合うちょる、何ちゅう浅ましかことじゃ、日本人はいつの間に、こげな情なか民族にない下ったとじゃ……一体、何《ない》のためいアメリカへ渡って、苦労して来たとか、オイには何《ない》もかも解らん……」

乙七のアイロンだこのついた右手がかすかに震え、眼ざしはうつろだった。賢治は、この頃、殆んど口をきかず、収容所内で働き口を見つけようともせず、腑ぬけのように毎日を過していた父の心のうちが、ようやく解った。

＊

「ハロー　ケーン」

チャーリー田宮が、賢治のバラックへ入って来た。一メートル八十センチのがっしりした体軀に、チェックのスポーツシャツと同系色のスラックスをきちんとはき、ペパーミントの香りのガムを嚙みながら、

「どうだい、ベビーの様子は？」

「有難う、君のおかげで助かったよ」

ミルクが足りなくて困っていたところを、チャーリーがどこからともなく手に入れて来てくれたおかげで、アーサーは夜泣きしなくなったのだった。エミーは、アーサーを抱き上げ、

「毎晩、アーサーに泣かれて、グロギーだったから助かったわ」

このところ睡眠不足が続き、四六時中、苛々していたエミーは、久しぶりで上機嫌になり、

「チャーリーは、どうして早く結婚しないの、あなただったら、きっといいハズバンドになるのに、ねえ、ケーン」

「そうだね、チャーリー、彼女とはその後、うまく行っているのかい」

賢治は、マンザナール収容所に着いた日の夕方、出会った井本椰子《なぎこ》のことを、さり気なく聞いた。

「相変らずだよ、彼女は、僕と同じアメリカ生れの、アメリカ育ちなのに、時々、気持が喰い違うんだ、僕に向って、チャーリーは少しの間でも、日本にいたことがあるのに、どうしてそんなに日本のことが解らないのって、云うんだよ」

と肩をすくめ、

「ところで、ケーン、この間から話しているインフォメーション・セクションで働く件、もうきめたかい」

「いや、まだなんだ――」

「早くきめろよ、なんなら、カミング所長に引き合せるから、会ってみたらどうだ」

強引に勧誘した。

「そんなに急ぐのなら、断っておいてくれよ」

賢治は素気《すげ》なく、云った。チャーリーの精悍な顔が、ちらっと動き、

「そんなにあっさり、断っていいのかい、インフォメーション・セクションの仕事をすれば、当然、情報には明るくなるし、待遇上、いろんなメリットがある、それに君のパパやママも、いい仕事がとれるじゃないか、何が不満なんだ」

呆れるように、云った。エミーは、むずかるアーサーをあやし、

「そういえば、ケーン、この間、やって来たとかいう妙な男、イケジマとかいう人と、何を話していたの、何だか、インフォメーション・セクションのことだったそうだけど――」

と云うと、チャーリーは、

「おい、イケジマというと、あのターミナル島の漁師の、無智でクレージーな男のことか」

「そんな云い方は止せよ、同じ二世じゃないか、それに彼らは、四十八時間以内の立退きという、想像に絶する悲惨な目に遭わされたそうじゃないか」

「あいつらは、僕たち、インフォメーション・セクションをアメリカのイヌ呼ばわりし、一世や二世仲間に〝イヌ狩り〟をせよと、アジテーションを飛ばしている軍国主義の日の丸組だ」

軽蔑しきった云い方をし、

「ケーン、君は奴らと違って、大学教育を受けたインテリだ、あいつらのグループなどに入らず、僕たちのグループに加わった方が、ベターだと思うがね」

なお、インフォメーション・セクション入りを勧めた。エミーも、

「チャーリーの云う通りよ、あんな粗暴な男たちとつき合わないで、チャーリーたちと一緒にハイレベルな仕事につくべきだわ、その方が私もアーサーもハッピーよ」

子供まで持ち出して同調した。賢治は濃い眉をぐっと寄せ、

「僕は敵性外国人としてFBI監獄にぶち込まれ、軍キャ

ンプにまで引っ張られたんだ、チャーリーのようには簡単に割切れない、暫く考えてから返事するよ」

云い出したらきかない頑なさで、首を振った。

「じゃ、無理には勧めない、父子揃って洗濯係っていうのも、お似合いかもしれん」

チャーリーは、皮肉な笑いをうかべて、さっとバラックを出て行った。

チャーリーが帰ってしまうと、エミーはむずかるアーサーをベッドにおろし、

「天羽家というのは、どういう家筋なの？　頑固な意地を通して、下手《へた》な世渡りをするのは、あなたのパパだけでたくさんなのに、ケーンまで——、もう我慢ならないわ、少しは私のパパを見習ってよ」

ヒステリックに云い募った。

「僕には、エミーのパパのような真似《まね》は出来やしないよ」

賢治はたまたま、両親や勇、春子がいないことに内心ほっとしながら、適当にあしらった。

「それ、皮肉なの、たかが鹿児島の郷士とかいう、貧乏士族の端くれで、お高くとまることはないでしょ、おかげでお舅《とう》さんはまだ仕事がなく、お姑《かあ》さんはトイレットの掃除係、ケーンの仕事はきまらず、なけなしのキャッシュが減って行くばかりだわ、立退きの時だって、皆、一ドルでも現金に換えようとしているのに、お舅さんはランドリーを買いに来た白人の態度が気に入らないからって、大事なウオッシュ・マシンを叩き壊したりして、気狂い沙汰よ、せめてケーンだけでも少しはましなペイのいい仕事をしてちょうだい、アーサーのためにもお金がいるのよ」

「アーサーに、どうして金がいるのだ」

「今は、収容所内の病院で診て貰うから無料《フリー》だけど、外《そと》の病院で診て貰うとなると、そうはいかないでしょ」

「何か、アーサーに心配なことでもあるというのか？」

驚いて、聞き返した。

「今のところ別にないわ、でも、サンタアニタで、予定日より一カ月も早く産れ、ほかのベビーに比べて発育が遅れているし、ひ弱い感じがして、何か大変な病気でもするんじゃないかと、心配しているの、だから、アーサーのためにいい仕事についてほしいの」

エミーの顔からヒステリックな怒りが消え、哀願するように云った。


それから三日目、砂埃が濛々《もうもう》と舞い上る中を、賢治はチャーリー田宮のジープに乗せられて、カミング所長のところへ案内された。

よりにもよって、こんな砂嵐の日、しかも、まだイエスと答えていないのにと、再三断ったが、チャーリーは、

「ミスター・カミングの方で、お待ちかねなのでね」

と云い、管理本部のメイン・オフィスの前に車をとめ、

まっすぐ所長室へ入った。

痩せぎすで、鷲鼻に縁《ふち》なし眼鏡をかけたカミング所長は、冷たそうな性格に見えたが、チャーリーは礼儀正しく賢治を紹介した。

「友人のケーン・アモウです、彼が加州新報に書いた記事は、多くの日系人のハートを捉え、信頼を得ていますから、彼がインフォメーション・セクションに加われば、大きな成果をあげることが出来ると、確信します」

「うむ、ケーン・アモウについては、われわれのファイルにもすぐれた二世であると記載されている、快適な収容所生活を作りあげるために、リーダーのよき一員となって働いてくれることを期待する」

賢治のインフォメーション・セクション入りが、まるで既成事実であるかのように云った。賢治は、ファイルの記載という言葉に、ひっかかるものを覚え、

「私はこのマンザナール収容所に収容されて一週間にもなりませんが……」

と云いかけると、カミングは眉を顰《しか》め、

「収容されているのではない、政府は、日系人を戦時下のあらゆる迫害から保護するために、転住させたのだ、リーダーたる者は、その自覚をまず持つことだ」

ぴしゃりと、賢治の言葉を抑え込んだ。保護する——、それなら、何故、こんな鉄条網で囲った中に、ほぼ一万人に及ぶ人間を押し込め、監視塔の兵隊は、機関銃を鉄条網の外側へではなく、内側に向けているのか——、そう反問したい衝動に駆られた時、チャーリーは、賢治の口を封じるように、

「カミング所長は、このキャンプを、アメリカの七州十カ所ある日系人収容所の中で、最もすぐれた自治管理にすることを目標としておられる、そのためには、われわれ二世が積極的に協力し、当局と収容されている日系人との関係をスムーズにしなければならない」

と云った。カミング所長は頷き、

「チャーリーの云う通りだ、政府の方針に疑問や誤解を抱く者があるとすれば、それはインフォメーション・セクションの君たち二世で解決することだ」

と云い、期待をかけるように握手した。

所長室を出るなり、賢治は、

「チャーリー、これは一体、どういうことなんだ？　何から何まですべて既成事実のような運びじゃないか」

「まあ、そう怒るなよ、ここまで来たんだ、オフィスも覗いて行ってくれよ」

チャーリーは賢治の気持などかまわずに、そこからオフィスまでひっぱって行った。

インフォメーション・セクション（情報係）のプレートが出ているバラックは、外見は一般住宅用のバラックに毛が生えた程度に見えたが、扉を押して中へ入ると、床にはリノリウムが敷かれ、テーブルと椅子が列び、十数人の二

世がタイプを叩いている。賢治はごくりと唾を呑んだ。長い間、忘れていた活字への飢餓感と、ものを書く衝動のようなものが、心を揺ぶった。

「ケーン、どうだい、ここには外の世界の匂いがあるだろう、ベッドがすし詰めのバラック生活ではなく、机と椅子とタイプライター、そして外部の新聞がある、これがインフォメーション・セクションなんだ」

チャーリーが、さらに心を揺ぶるように囁《ささや》くと、

「オー　ケーン！」

「ハウ　アー　ユー！」

そこここから、声がかけられた。殆《ほと》んどが日系アメリカ人連合会のメンバーで、賢治と同年代か、もっと若い青年たちだった。アメリカに生れ、ある期間、日本で教育を受けた帰米二世もいれば、アメリカで生れ育ち、日本を見たこともない純二世もいたが、皆、大学教育を受けた教養あるアメリカ市民たちであった。賢治が新聞の取材で顔見知りになっていた何人かもいた。

「ちょうどいい、今からミーティングがはじまるのなら、ケーンにも参加して貰おうじゃないか」

チャーリーが云うと、一斉に歓迎の拍手が起ったが、賢治は、

「いや、今日はオブザーバーとして、聞かせて戴くだけにするよ」

自分の立場を明確にした。

「OK、じゃあ、われわれは早速、はじめよう」

一同はテーブルを囲み、気楽に足を組んで、ミーティングをはじめた。リーダー格であるマイケル城山は立ち上るなり、機関銃のような早口の英語で話し出した。

「われわれ日系人が、ここへ収容された当初は、毎日の生活の苦難を凌《しの》ぐだけで精一杯であったが、生活が落ち着き、考える時間が出来ると、それぞれの立場で不満や憤りが持ち上り、無責任なデマも便乗して、今や日系人同士の間に、多くの誤解と反感が生じつつある、そこでわれわれインフォメーション・セクションは、多くの情報を集め、われわれに許されている自治の範囲内で、どのように活動すれば、日系人の今後にプラスとなるかを判断し、キャンペーンすべきだと思う」

カリフォルニア大学法科をクム・ラウデ（優等）で卒業したマイケル城山は、大学の弁論部でも群をぬいていた弁舌で、さらに言葉をついだ。

「今、収容所の中では、われわれ日系アメリカ人連合会のメンバーに対し、アメリカのイヌと非難する声がある、そのような暴言に対し、われわれの真の立場を明らかにするために、次のように答えたい、まず第一に、アメリカ合衆国が、日系人の立退きは、軍事上必要な命令だと云うならば、アメリカ市民たるわれわれ二世は、反対することは出来ない、反対することは徒《いたず》らに事態を悪くし、犠牲を生み混乱を招くだけだと判断し、日系アメリカ人連合会は、お

となしく立退こうと呼びかけたわけだが、この判断は間違っていないと信じる、武装した兵隊に銃を突きつけられて、現実にどのような反抗ができるのか、それこそ、ことを為にする連中の云い分である、第二に、収容所に放り込まれていても、徴兵があれば応じようというわれわれの意見に対し、〝裏切り者〟と罵倒する者もいるが、それについては次のように答えたい、われわれ二世の持つアメリカ市民権が、これ以上侵害されることを防ぐためには、米国に忠誠を尽すことが、将来にわたって最善の道であると考える、アメリカ市民としての義務をパーフェクトに果すことによって、戦争終了後、完全無欠の市民権を請求することが出来、且つ、一世たちの帰化権の取得も容易になると考えるからだ」

マイケルの主張は、理路整然とし、説得力があった。すぐ別の二世が発言した。

「マイケルの意見は、戦後の情勢まで展望した賢明な認識だと思う、だが、現実の問題として、マイケルの意見を、一世と多くの二世たち、特に日本である期間、教育を受けた帰米二世たちに、どのように納得させるかだ、正直いって、僕だって、これまでアメリカ合衆国を信頼して来ただけに、収容所へ入れられたショックは大きかった、われわれをアメリカのイヌ呼ばわりしている〝日の丸組〟は、このショックを最大限に使って煽りたてているから、収容者の大多数が、あの連中に同調している、しかも日本への忠誠心を持ち、団結したファシスト・グループが少数ながら暗躍しているという情報を得ているから、よほど慎重に巧く説得しなければ、逆に反米感情を煽ってしまう」

現実に即した意見を述べると、マイケルは、いかにも秀才らしい怜悧《れいり》な表情で、

「君の云うことは解る、だが、われわれをここまで追い込み、まだこの上に、われわれ二世のアメリカ市民権を剝奪し、戦争が終ったら、日本へ送り帰す法律を国会で成立させようとしている政治家がいる、しかも今年は、選挙の年だから、政治家たちは票集めの最も手近で効果的な方法として、パールハーバーをアタックしたジャップを叩きのめす挙《きょ》に出、国民の拍手喝采《かっさい》を得ようとしている、こうした政治家たちの攻撃に対する最も有効な防禦策《ぼうぎょさく》は、われわれが、白人及び他民族出身のアメリカ人と同じく、合衆国のために戦ったという記録を作ること以外にはない」

きっぱりと云った。他のメンバーたちも、政治家のみならず、新聞までも真実を報道する義務を放擲《ほうてき》し、センセーショナルなジャップ攻撃の記事を大々的に書きたてていることを議題にした。

「全くひどすぎる、記事だけではなく、社説欄で『アメリカ合衆国の兵士が戦線で限られた食糧で戦っている時、黄色いどてっぱらをしたジャップに三食喰わすことはない、ジャップはジャップであることを忘れるな』というような感情むき出しの文章を書き、もはや常軌を逸している、マ

イケルのいうように、われわれの将来を考えれば、合衆国のために、日系二世も戦ったという記録を示すよりほかに方法はないと思う」

　結論が出かかった時、チャーリー田宮が、

「ちょっと、僕にも発言させてくれよ」

　皆が昂奮し、緊張しきった中で、一人にやりと笑いながら、

「ここに一つの事実を報告しよう、一世の多くは、ロサンゼルスやサンフランシスコのごく一部の成功者を除けば、その日暮しの貧しい生活に追われ、しかも筆舌に尽し難い人種差別、迫害に耐えてきた人たちだ、その人々は収容所へ入れられて、最初は皆、ショックで打ちのめされたが、日がたつにつれ、妙な現象が出てきた、働かずに三食が食べられ、家賃はただで、ジャップ扱いもされずに過せるこの生活を有難がり、アメリカへ来て初めてバケーションができたと秘かに喜んでいる一世たちもいる、その辺のところも客観的事実として見逃しては、まずいよ」

　白熱の論議に、水を浴びせるような醒《さ》めた云い方をした。

　一瞬、座が白けたが、マイケルは、

「なんという情ないことだ！　このままでは精神的に去勢されてしまう、絶望的なデッド・エンド（行き止まり）だ！　われわれは急がねばならない、感情的に思想的に対立し、混乱している所内を平静にし、日系人は今、どうあるべきかを、勇敢に呼びかけねばならない、おそらく、プロ・アメリカン、イヌなど、あらゆる罵声が投げつけられるだろうが、信念を持ってやりぬくべきだ――」

　断固たる語調で、話を続けた。

「ケーン、どうだい、このインフォメーション・セクションの感触は？」

　チャーリーは、囁くように云ったが、賢治は答えなかった。

　先だって、訪れてきたターミナル島の池島努の意見も、日系人としての誇りと信念に燃える一人の二世の言葉であったが、今、目の前でスピーチしているマイケル城山の意見もまた、立場は異っても、日系二世の将来を冷静に予測し、信念に裏打ちされたものであった。そのどちらも、傾聴すべき内容を持っている。

　賢治は、軽々に判断しかねた。


　珍しく砂塵の舞い上らない静かな朝、チャーリー田宮は、独身用のバラックで、起きぬけの煙草をふかしていた。

　同室の二人は、もうベッドにいなかった。一人は元《もと》日米通信のカメラマンで、マンザナール収容所へ来てからは、福祉部で働いているジョー北川、もう一人はカリフォルニア大学医学部のインターンで、今は収容所の病院に勤めているダニエル長谷《はせ》だった。二人ともチャーリーより齢下の二十三、四歳で、毎朝六時前に起床すると、すぐ外へ出て

行ってしまう。

チャーリーは、窓の外に見えるホイットニー山を眺めた。朝陽が銀嶺《ぎんれい》をほの紅《あか》く染め、中腹に薔薇《ばら》色の薄い雲が幾筋もかかっていたが、美しいと見惚《みと》れることはなくなっていた。来る日も、来る日も、鉄条網で囲まれた一マイル四方の収容所の中で、同じ黄色い皮膚をした者同士が顔つき合せ、人里離れた土漠の中で過さなければならないのかと思うと、うんざりだった。

「グッド　モーニング」

インターンのダニエル長谷が、肩で息をしながら入って来た。

「夜中の急患で駈けつけて行ったのに、今朝も相変らずマラソンかい」

「ええ、こんなラットの実験箱のようなバラックで暮らしていると、マラソンでもしないと、頭が変になりますからね、そろそろ食堂がオープンする時間ですが、一緒に行きませんか」

「昨日、副所長に貰ったバーボンを、マイケル城山と二人で空《あ》けてしまったんで、頭が痛いんだ」

シャツに腕を通しながら、欠伸《あくび》を嚙み殺した。

「じゃあ、食堂へ行かなくてもいいように、僕が処方箋を書きますよ、メニューはトマト・ジュース、スクランブル・エッグ、ブレッドとコーヒーでいいですか」

ダニエル長谷は日頃、チャーリーを頼りにし、その分、サービスにつとめていた。

「OK、スクランブル・エッグは、小川君に作って貰ってくれ」

「オガワね、OK、三、四十分後に届けるよう指示しておきます」

ダニエルは、口笛を鳴らして出て行った。

三十分ほど過ぎると、ニキビ面の食堂係が、大きな風呂敷包みを下げて、現われた。

「ダニエルから指示された朝食です、このところインフォメーション・セクションの仕事がお忙しくて、連日、徹夜で体をこわされたとのことですが、大丈夫ですか」

行列して、朝食の順番を待っている人々もいるのに、食堂係は、チャーリーからチップ替りにガムやチョコレートを貰い、手なずけられていたから、阿《おもね》るように云い、風呂敷包みを解き、ダンボール箱から朝食を取り出して、

「温かいうちにどうぞ――、お大事に」

卑屈なほど頭を下げて、出て行った。

チャーリーは、アルミのコップに入ったトマト・ジュースを一気に飲み干し、スクランブル・エッグを一匙《ひとさじ》、口の中に入れ、

「グッド」

と一人ごちた。バターをたっぷり使い、舌の上でとろけるようにうまい。美食家の白人の家でコックをしていた小川でなければ出せない味であった。チャーリーは一匙、一

匙味わいながら、自分もまた白人の家のハウス・ボーイとして住込み、毎朝、スクランブル・エッグを作らされたことを思い返していた。それは苦渋と苦難に満ちた歳月だった。

　チャーリーがハリウッドのフィルム会社のオーナーの家にハウス・ボーイとして住込んだのは、十四歳にしてアメリカで唯一人、生きて行かねばならなかったからだった。

　チャーリーの父は、広島県出身で、十七歳の時、ロサンゼルスのロングビーチで大きな胡椒《こしょう》畑を持って成功している同県人を頼って渡米して来たのだった。そこで暫く働くうちに胡椒栽培のうま味を見抜き、七年で独立して、その北のハンチントンビーチに土地を借り、白人に好まれるブラック・ペッパーの生産に手をつけた。相場の動きの激しい農産物だったが、目はしのきく父は若くして忽ち一万ドルの大金を手にし、チャーリーや、妹のマリーが生まれた頃には、三十エーカーの胡椒畑と、最新の乾燥工場を持つに至っていた。そして、白人の中産階級以上の子弟が入るカソリック系小学校へ、父兄たちの反対もものとはせず、チャーリーを強引に押し込み、得意になっていたが、幸せは長続きしなかった。チャーリーが四年生のクリスマス・イヴの日、休暇で誰もいない胡椒乾燥室を見廻っていた父は、ピストル強盗《ホールド・アップ》に襲われ、顳顬《こめかみ》をぶち抜かれて、即死したのだった。

遺《のこ》された三十三歳の母に押し寄せて来たのは、父がサインした借用証を鞄に収めた地主や胡椒卸業者、胡散《うさん》臭い金貸しだった。瞬《また》く間に胡椒畑は差し押さえられ、白亜の家は人手に渡り、数年のうちには身ぐるみ剝がれて、日本へ帰らざるを得ない事態に追い込まれた。同業の日本人や県人会は、日頃の父のアクの強い、強引なやり方に眉《まゆ》を顰《ひそ》めていたから、同情は薄かった。むしろ、溜飲を下げた日系人の白い眼の中を、チャーリーと母と妹の三人は、日本行きの船に乗ったのだった。

　父の位牌《いはい》を持って帰った広島の郷里には、アメリカへ飛び出して行った五男の見知らぬ嫁と二人の子供を受け入れる心の繋がりも、生活の余裕もなかった。

　チャーリーは、子供心に父の郷里の貧しさに恐怖に近い驚きを持った。はじめは母から何度、注意されても、靴のまま座敷へ上る癖が直らず、言葉も、アメリカで日本語学校に通い、両親からも教えられてはいたが、広島の言葉は解《わか》りにくく、すぐ英語になってしまうため、祖父母にも、可愛いげのない子と、冷たくあしらわれた。

「Mamm……Let's go back to California」

　チャーリーは、早くカリフォルニアへ帰ろうと、何度、母の胸を揺ぶったかしれなかった。母は肌が白く、きめ細かで鳥取美人特有の美しさをたたえていたが、みるみる、げっそりと面窶《おもやつ》れし、

「もう、帰るところは、どこもなくなったのよ」

チャーリーと妹のマリーを抱きしめ、声を忍んで泣くだけであった。

そんな母に、父の生家は、年に二、三度、廻って来る呉服の行商人の後添えにどうかと勧めた。体《てい》のいい追い出しであったが、鳥取の実家《さと》へも帰れぬ事情のある母は、チャーリーとマリーのために、その話を拒みきれなかった。母からそのことを告げられた時、チャーリーは胸が張り裂けそうな思いで、音信不通になっていたシアトルの親戚に手紙を書き、アメリカ行きの身元引受人を頼んだのだった。日本へ来て一年もたたない十四歳の時だった。

貧乏な日本、不潔な日本、顔と心が裏腹《うらはら》で、陰口ばかり囁く日本人――、もうこんな国は二度とご免だ！　遠くなる島影を見詰めて、チャーリーは船の上で心の底から叫んだ。

サンフランシスコに到着すると、チャーリーは、父と同じようにすぐロサンゼルスへ出た。父のように農業で成功する時代は過ぎていたから、農業以外で成功するためには学歴が必要だった。チャーリーは、父が死んだ時の仕打ちから、日本人はたとえ県人会でも頼るまいと心に誓っていた。そして曾て、父兄や一部教師の反対をなだめて自分の入学を許可してくれた白人の子弟ばかりの小学校の校長を訪ね、相談した結果、ハリウッドのフィルム会社のオーナーである白人の家で、ハウス・ボーイとして働きながら、グラマー・スクールの七年に編入させてもらうことが出来たのだった。

ハウス・ボーイ――、それは最も多感な齢頃のチャーリーにとって、広島の田舎で学校にも行けず、他家の薪《まき》割りや、風呂焚き、稲刈りの手伝いをしていた頃より辛い奴隷的な生活であった。

年老いた黒人のメイドはいたが、学校から戻ると、夕食の後片付けが済むまでは、靴磨き、床《ゆか》拭《ふ》き、庭掃除、芝刈り、ペンキ塗り、子供代りに飼っている三頭のコリーと五匹のペルシャ猫の世話、メイドと一緒に一週間分の食糧品の買出しと、休む間もない。

中でも一番、こたえたのが、学校へ行く前に手伝わされる朝の料理だった。主人は、チャーリーの勉学に理解があったが、女優上りの夫人の方は、その日の気分次第で、スクランブル・エッグのちょっとした味加減、炒《いた》め加減が違っても、

「こんなものが料理なの！　うちの犬や猫だって見向きもしないわよ、ジャップの舌って、味覚がないの！」

凄じい剣幕で、皿を突き返した。そんな時はたいてい、主人が留守で不機嫌な時が多いから、

「すみません、奥様、以後、気をつけます」

すぐ謝った。

「口先では駄目！　すぐ作り直しなさい、さあ早く」

チャーリーが学校へ行く時刻であっても、容赦はしない。

「はい、奥様、只今、すぐに」

チャーリーは、やむなくキッチンへ引き返し、黒人のメイドがにやにや笑っている横で、卵を割り、フライパンをあたため、バターを溶かす。早く仕上げるために、つい強火で仕上げたりすると、

「ノウ！　さっきよりもっとまずい、私の口に合うまで何回でもやり直すのよ！」

皿ごと床に投げつける。チャーリーはそれを片付け、モップで床をきれいにしてから、またフライパンを持たねばならない。脂肪肥《しぼうぶと》りして、いつまで女優気取りでいるんだと、心の中で悪態をついてみても、今頃、学校の始業のベルが鳴っていると思うと、悲しかった。大粒の涙をフライパンにこぼしながら、チャーリーは、ハイスクールが終るまでの辛抱だと、自らに云いきかせた。そして大学では絶対、奨学資金をとって、卒業してみせるぞ、それが十四、五歳で一人ぽっちのチャーリーの心の支えだった。

チャーリーは、スクランブル・エッグを食べ終り、コーヒーを飲みかけると、

〽清《し》水《みず》港の名物はぁぁ……

浪曲の唸《うな》り声が聞えて来た。窓から覗くと、案の定、井本椰子の父の虎造が、猫背の小さな体をさらに前屈《まえかが》みにし、声をふり搾《しぼ》るようにして唸りながら、通り過ぎて行った。収容所に入れられてから、めっきりふさぎ込み、椰子も心配していたが、ガーデナー仲間を集めて、土漠の所内に芝生や木を植える仕事を見出してから、俄かに生気を取り戻し、元来の浪曲狂も蘇った。鋏を動かしている時と、ものを食べている時を除いて、たいてい、何か唸っていたが、意気軒昂たる時はきまって自分と同名の広沢虎造十八番の『清水次郎長伝』を、あたりかまわず唸りたてる癖は、昔と変らない。

チャーリーは、桟に砂がたまって、容易に開かない窓を開け、

「井本さん、今朝はご機嫌ですねぇ」

椰子の父親であることを意識して、ことさら愛想よく声をかけると、

「おお、チャーリーか、今日から食堂のまわりの芝生張りをするんじゃ、忙しいけん、何か用なら、あと、あと」

小さな体に不釣合いのごつごつした手を振り、早足で行ってしまった。

元気なもんだぜ——、チャーリーは呆れ顔でその後姿を見送り、井本虎造の娘、椰子を知った時のことを思いうかべた。

井本椰子とはじめて会ったのは、ロサンゼルス市立大学へ入った翌年だった。ハウス・ボーイの仕事の傍ら、石にかじりつくようにして勉強した甲斐あって、奨学資金をと

っていたから、ハウス・ボーイの仕事はやめていたが、夏休みにはアラスカの蟹工船に乗り込み、講義のない日は、ガーデナーのヘルパーとして働いた。その時、使ってくれたのが井本虎造だった。インペリアル・バレーのメロン作りに失敗して、ガーデナーに転業した人とは思えぬ腕のよさで、ハリウッド一帯に上顧客《とくい》を持っていたが、その虎造から娘の自慢話を聞かされても、こんなちんちくりんで、浪花節を唸る男の娘など、どうせ大《たい》したことはないだろうと聞き流していた。ところが復活祭《イースター》の休みの日、虎造に弁当を届けに来た梛子を見て、鳶《とび》が鷹《たか》を生んだという日本の諺はこのことではないかと、見惚れた。まだハイスクールの学生で、さんさんとふりそそぐ南カリフォルニアの陽光をはね返すような溌剌とした生気に満ち、豪壮な邸宅にももの怯《お》じすることなく、テラスから三つの椅子をメタセコイヤの大きな木陰に移動させ、父親の弁当を広げて、チャーリーにも勧めてくれた。それは日頃、チャーリーが軽蔑していた日の丸弁当で、広島菜の漬物が添えてあった。

「ナギコのところは、広島なの」

「そうよ、チャーリーは広島を知っているの？」

俄かに黒々とした瞳を輝かせ、チャーリーの顔を覗き込んだ。

「うん、父はこっちでピストル強盗《ホールド・アップ》に襲われて死んだけど、母と妹がいるよ」

と応えながら、胸の奥底から揺ぶられるような感情が突き上げて来たのは、母に連れ子され、呉服の行商人のところへ行った梛子と同じ齢頃の妹を思い出したからかもしれなかった。

それから数週間、チャーリーは、あのおぞましい日本と訣別《けつべつ》した時、脳裡から抹殺したはずの母と妹の俤《おもかげ》が、四六時《しろくじ》中、去来し苦しんだ。そして、その苦しみが癒えた時、チャーリーは、梛子に対して誰にも抱いたことのない温かい感情を、心の中に育《はぐく》んでいた。

大学卒業後、チャーリーは、二世の誰もが入れなかった地元の放送会社へ就職することが出来た。カリフォルニア大学に在学中の梛子は、ハイスクールの教師を希望していたから、卒業して、就職がきまるのを待ってプロポーズするつもりであった。だが、日系女性というハンディキャップのために、梛子の望みは果されず、加州新報にアルバイトとして採用され、プロポーズはのびのびになっているうちに日米戦争が起り、強制収容所入りとなってしまったのだった。

思いもよらぬ歴史の転回であり、チャーリーの人生設計の挫折であった。しかし、事態がこうなった以上、くよくよしても始まらない。強制収容所に入れられたが、チャーリーは、ロサンゼルスの地元放送会社で付き合っていた白人たちよりさらに一段上のレベルの白人管理者と接触する機会を得ている。この潮の流れにうまく乗れば、白人社会にもっと接近出来るかもしれないという新たな野望が、チ

ャーリーの頭に、渦巻いていた。

　したがって、インフォメーション・セクションでマイケル城山を中心とする二世たちが唱《とな》えているアメリカ忠誠論も、一世やターミナル島出身の漁師が熱狂している日本万歳論もチャーリーには、実のところ、どちらでもよかった。その二つの流れの間を縫ってのし上ること、それが同世代の二世より数倍も苦節を重ねて来たチャーリーの人生観であった。

「おや、今日はスペシャルですか」

　扉が開き、福祉部のジョー北川がテーブルの上の食器を見て云った。

「ダニエルが気をきかしてくれたんだよ、君の用は？」

「実は、困ったことが起りましてね」

「何だ」

「死体処理人の丸井さんが、扁桃腺をこじらせて、ずっと熱を出していましたが、どうやら結核らしいのですよ」

「じゃ、替りを探せばいいじゃないか」

「それですよ、丸井さんはリトル・トーキョーで葬儀社をやっていたから、引き受けてくれたんですが、普通じゃあ、死人を始末《しまつ》する仕事などかって出る者は、そういないのですよ」

　ジョーは、額にかかった長い髪をかき上げ、ため息をついた。

「それもそうだな、じゃあ、仏教開教師の一番、若いのにやらせたらどうなんだ、ナムアミダブツを唱えるだけが、坊主の勤めじゃない」

「ところが坊さんは、屁理屈《へりくつ》ばかり並べたて、そこまで手伝ってくれませんよ」

「じゃあ、死体処理人には特別手当を出すということで、貼紙を出したらどうだ、大体、そんなことは福祉部のチーフの山村開教師が考えることで、僕に関係ないだろう、忙しいんだよ」

　馬鹿馬鹿しくなり、たち上った。

「なるほど、特別手当の貼紙ね、月十九ドルのドクター並みで募集しますから、クレームが出たら、カミング所長にお口添え願いますよ、山村開教師じゃ、らちがあかないんです」

「ＯＫ」

　チャーリーはこともなげに頷き、インフォメーション・セクションへ行くために、バラックを出た。

　それから数時間後、各食堂の壁に、貼紙が出された。

　葬儀補助者一名求ム、月十九ドル　　社会福祉部

　昼食時で、貼紙の前は人だかりになった。

「葬儀補助者というのは、要は死体処理人のことだろう」

「いくら何でも、死体処理の仕事など、たとえドクターな

みに月十九ドル貰っても、真っ平ご免じゃ」

がやがやと喋っている人だかりの中で、天羽乙七だけが喰い入るように貼紙を見詰めていた。そして人だかりの中をくぐり抜けて、社会福祉部へ足を向けた。

バラック建ての社会福祉部の扉を押すと、カウンターで二人の男が収容所の住人たちと何事か打合せ、奥の方でも五、六人がデスクに向い、忙しげに働いている。社会福祉部は収容所内の冠婚葬祭から、運動、娯楽の計画実行まで世話する部署で、責任者は一世だが、そこで働いている大半は二世だった。

「第二十ブロックの天羽乙七ちゅう者《もん》じゃが、貼紙で募集しているあれ、申し込みたかとじゃ」

と云うと、ジョー北川が席をたって来、

「アモウ・ランドリーをしていたケーンのパパでしょう、洗濯が本職なのに、どうしてこの仕事をやるんですか」

不思議そうに、聞いた。

「オイに、やらせて貰いたかとじゃ」

乙七は、それだけ云った。

「あの仕事の内容を知っているんですか、収容所内で死亡した人の死体の処理をする仕事で、誰もいやがって引き受け手がないんですよ、だから丸井さんが元気な時でも、相棒を勧める補助者が、何回、変ったか知れず、遂に丸井さんの口説《くど》きも通用しなくなったので、僕がやらされているんですよ、僕のパパはリトル・トーキョーの本願寺の開教師で、人の葬式や法事を見て育ったから、まあ出来るんです」

若い二世にしては上手な日本語で、話した。

「でも、その僕ですら、正直云って気持のいい仕事じゃない、それをこの僕と二人でするのです、家族のOKはとってありますか」

「うんにゃ、オイは、自分のことは自分できめる主義じゃ、今日からでんやらせて貰いたか」

乙七は、何かものに憑《つ》かれたように云った。

「今日からでも？　あいにく、今日は死人が出てないし、ともかく一度、ケーンと相談してからにして下さい」

ジョーは、同じ独身バラックに住み、兄事《けいじ》しているチャーリー田宮とケーン天羽とが親しい間柄であることも知っていたから、家族と相談して、円満にことを運ぶように勧めた。

「第一番に申し込んだとじゃから、オイにしてほしか、それともオイではいかんちゅう理由《わけ》でんあっとか」

頑なに、そうまで云われると、断る理由がなかった。

「じゃあ、天羽さんにお願いしましょう、死人が出たら、連絡しますよ」

ジョーは、やっとそう応えた。

乙七がバラックへ帰って来ると、珍しく家族が揃っていた。

「テル、オイは仕事ば見つけっ来た」

「まあ、どげな仕事ですとな」

テルは、支給品の軍用コートの丈を、勇に合うように裾上げしながら、聞き返した。

「葬儀補助係よ」

「え？　そいなら、食堂のあん貼紙の――」

針を動かす手をとめた。ベッドにごろりと寝転んでいた勇と春子が、はね起きた。

「パパ、まさか、葬儀屋の真似など――、恥ずかしくて、学校へ行けないわ」

春子がまず、泣きべそをかいた。勇も、

「パパ、どうしてそんな仕事をするんだ、僕は毎日、迷彩網作りをして稼いでいるのに、何が不満なんだい」

と云った。賢治は、そんな父の様子に、いつにないものを感じた。

「父さん、何もそんなことをして稼がなくても、僕がちゃんと働きますよ」

「うんにゃ、お前《まい》とは関係のなかこっじゃ、オイないに考えたこっなんじゃ」

乙七が云うと、エミーが、シーツで仕切った夫婦のベッドの方から、

「ケーン、ちょっと来て――」

と呼び、頬《ほほ》をひきつらせていた。

「葬儀屋の手伝いなど、私絶対、いやよ、あなたが働かないから、一カ月十九ドルに眼がくらんでしまったのよ！」

筒抜けを承知で、云った。

「馬鹿なことを云うな、父さんに向って」

賢治が声を荒げると、入口に畑中万作の声がした。

「乙七はん、あんた、そ、葬儀補助係に応募しなさったのは……ほんと……ですかいな」

息せききって、駈けつけて来たらしく、ぜいぜい咽喉を鳴らしている。エミーは俄かに勢いづいたように、

「ほんとよ、パパ、私、情なくて、どうしていいか解《わか》らないわ！」

実家の父に取り縋《すが》って、派手に泣いた。

「乙七はん、えらい噂や、葬儀屋をしていた者ならともかく、洗濯屋をしていたあんたが、死人の着物の着せ替えや、納棺の手伝いなど……、何を好んで、あんたがせんならんのや」

万作は、ベッドの上に胡坐《あぐら》を組んで、一言も応《こた》えない乙七の前にたち、

「あんた、金のことなら、わしが何とか融通する、米やミルクが足りんかったら、これからもうまいこと都合して来るから、死体処理と墓掘りだけは止めておくなはれ、この日系人ばかりの狭い社会で、親戚のわしとこまで迷惑がかかる、うちのワイフなど仰天《ぎょうてん》してしもうてる、常日頃、鹿児島の郷士出身やとお高くとまっていたのは、どないなったんや！」

次第に昂奮して来た万作は、金歯を剝《む》き出して喰ってかかったが、乙七は石の地蔵のように口を閉じたままであった。テルは、おろおろし、

「万作さん、すまんこってす、私らからよう話してみますから、こらえっ下さい」

詫びるように云うと、万作は賢治の方を向き、

「エミーの話では、インフォメーション・セクションから誘いがあるのに、ぐずぐずして——、早うにインフォメーションへ入って、お父さんのええ仕事口を探してたら、こんなことにはならんかったはずや、少しはエミーや、わしら親戚の世間体も考えて、あんたが稼いでお父さんには止めて貰うようにせんとあかん！」

「そうよ、パパの云う通りだわ、あなたが、何としても説得すべきよ！」

エミーも、一緒になって云った。

畑中万作が帰ってしまうと、部屋の中は静まりかえった。エミーはシーツの向うへ入ってしまい、春子と勇はじっと父を見詰め、テルは肩を落して坐っている。

「父さん、ちょっと外へ出ませんか」

七人も詰め込まれている部屋ではなく、賢治は、父と二人きりで話をしてみたかったのだった。

「賢治、オイはもう自分で決めて来たとじゃ」

乙七はベッドの上に坐ったまま、背を向けた。賢治は、もはや父の心を翻《ひるがえ》すことは出来ないと思った。そして、葬儀補助係になろうとしている父の心の動きが解るような気がした。ターミナル島の漁師の池島努が訪ねて来て、インフォメーション・セクションのイヌ奴《め》らがと罵って帰った後、「収容所とはいえ、やっとジャップと迫害されず、日本人同士が集ったというのに、二派に分れて、互いに罵り、いがみ合うとは情ない、何もかもいやになった」と云っていた父の言葉が思い出された。すべての希望を打ち砕かれた父はおそらく、誰とも言葉を交さずにすむ仕事として、死人相手の仕事を求めたのではないだろうか。そうだとすれば、父は人間として絶望のどん底にいることになる——、そう思うと、賢治は、もはやいたわる術《すべ》も、励ます術もなく、ただ父を見守っているしかないと思った。


ギィーッと扉が軋《きし》み、裸電球一つぶら下った解剖室に、死体が運び込まれた。

壁面も床も、コンクリートで囲まれた部屋には、ステンレスの解剖台が一台と、四体の死体が収められる引き出し式の大きなアイスボックスがあった。紐を引っぱって点けた裸電球が左右に揺れる度に、ステンレスの台が鈍く光り、六十近い小柄な男の死体が裸のまま仰臥し、顔にだけうっすらとドーラン化粧が施されているのが、不気味であった。

天羽乙七が、葬儀補助係の仕事を引き受けて、半月になる。通夜や葬式のこまごまとした裏方の仕事は呑み込み、

どうにか滞りなく出来るようになったが、収容所の外の白人経営の葬儀社で消毒し、死化粧を施されて戻って来た裸の死体に、衣類をつける仕事となると、さすがにまだ背筋のあたりに薄ら寒いものを覚える。

「さてと——、天羽さんは上半身の着付けをお願いしますよ、僕は下の方をやりますから」

死体運搬人が去って行くと、社会福祉部のジョー北川が、床に置いたダンボール箱からクリーニングしたばかりの死者の下ばきを取り出した。

乙七は、遺体に向って合掌し、

「こん仏さんは、腎臓で収容所ん病院い一カ月も入院して死んやった、何ともお気の毒なこっじゃ」

と弔《とむら》ってから、裸の体にランニングシャツを着せつけにかかった。まず頭からシャツをかぶせ、硬直した重い肩を片方ずつ押し上げて、ぶらぶらする腕を通した。顔を間近に寄せると、死臭とも、防腐剤ともつかぬ臭いが鼻についた。

「天羽さん、なかなか手つきがよくなったじゃないですか」

ジョー北川は、にこりと笑った。ジョーは、元カメラマンとは思えぬ器用さで死体を扱い、下ばきの次に、ソックスを履《は》かせていた。

乙七は、やっと両腕を通したランニングシャツの裾を手術創のある腹部まで引き下げた。病人が息を引き取ると、殆《ほと》んどの遺族は故人の最も上等なスーツ、肌着、靴一式を揃えて、収容所出入りの葬儀社へ渡す。葬儀社は死体の消毒、防腐をした上、きちんと服を着せ、納棺して返して来るのだったが、清潔な死装束一式がすぐ用意出来ない独身者か、貧しい家庭の場合は、死体だけを葬儀社へ渡し、消毒、防腐の処置だけで返されてから、所内の葬儀補助係が服を着せつけることになっていた。

乙七は、次に、ワイシャツを着せにかかった。再び肩を持ち上げ、ぶらぶらする腕に袖口を通そうとしたが、ランニングシャツのように簡単には行かない。背中をもう少し持ち上げようとした時、左手で支えていた死体の腕がばたんと、ステンレスの台の上に落ちた。その途端、

「ウヮーン……ウヮーン……ウヮーン……」

硬直した腕がステンレスを音たて、コンクリートの壁に反響し、背筋が凍るような音が、二重、三重になって響いた。

「天羽さん、僕、その音、駄目なんです、音がしないように願いますよ」

ジョーは、総毛《そうけ》だつように云った。

「すまん、ワイシャツ着せは、どうも苦手でならんとよ」

「ワイシャツを難なく着せられたら、一人前の葬儀屋になれるっていうぐらいだから難しいんですよ、そっちはあとで手伝いますから、このスラックスを手伝って下さい」

ジョーは、棒のように硬直した二本の足の片一方を取り、

乙七はもう片方を持って、スラックスに突っ込み、左右から引き上げて、靴をはかせ、靴のひもをきちんと結んだ。

「女はシュミーズも、ワンピースも、頭からばさっとかぶせればいいけど、男はワイシャツにスーツとくるから、手間がかかって仕方ないな」

　ジョーは、溜息をついた。

「しかし、あんたは、管理本部ん部長から、収容所の外ん葬儀屋養成所い通ってライセンスを取ってはどうかと、云われたそうじゃね、行くとかね」

「そりゃあ、外へ出られるのなら、何だっていいですよ、だからチャーリーに相談したんです、そしたら、君のパパは本願寺の坊さんだから、葬儀屋のライセンスを取っておけば、流れ作業のビジネスが出来て、将来、リトル・トーキョーで葬儀屋をやれるじゃないか、カメラマンよりよっぽど収入がいいよと勧められたので、早速ニューメキシコのサンタフェの司法収容所に入れられている父に手紙を出したら、やっと昨日、返事があって、一人息子を葬儀屋に育てた覚えはないって怒って来ましてね、せっかくのチャンスだけど、養成所へ行くのは止めにしますよ」

　と苦笑し、腕時計を見、

「おや、お通夜の時間が迫っている、急がなくては」

　と云うなり、ワイシャツの背中を裾からびりっと引き裂いた。

「こりゃあ、いけんすっとじゃ」

　乙七が驚くと、

「急ぐ時は、仏さんに申しわけないけど、ワイシャツの背中を破って前から着せると、早くすむんですよ」

　コツを教えるように云い、裾から衿もとまで破ってしまうと、乙七に死体の両腕を持たせ、前掛けをかけるように手早く着せつけ、最後にスーツの上衣を着せた。

「お通夜の様子、どうなってるか、ちょっと見て来ますから、天羽さんは、あとネクタイを結んでおいて下さい」

「ああ、よかよか」

　ジョーが出て行くと、乙七は男の首にネクタイを結んでやり、急いで着せたワイシャツの皺をのばして、スラックスの中へきれいに押し入れた。

　すっかり身づくろいさせると、瘦《や》せさらばえて、ステンレスの台上に仰向いていた死体も、一かどの紳士の姿に変った。

　乙七は、裸電球の下で、その死顔をじっと見詰め、薄くなった頭髪を櫛《くし》で整えてやると、

「サイコロん九さんよ、ゆっくり眠いやんせ」

　そっと声をかけた。ジョー北川には黙っていたが、乙七はこの死人を知っていた。

　リトル・トーキョーには、博打《ばくち》場があった。移民の落伍者の吹き溜りとなった、その日本食堂の二階はリトル・トーキョーの恥部でもあった。そこには寝袋一つ担いで各地をわたり歩く鉄道工夫や季節農業労働者、無職のごろつき

が出入りし、日本の博打場さながら、双肌《もろはだ》脱いで丁か半かと賽子《さいころ》を転がしていた。山本九郎は、そこで十五年ほど前まで鳴らした博徒《ばくと》であったが、乙七まで〝サイコロの九〟を知っているのは、博打で稼いだ金をそっくり郷里の青森の山深い田舎の小学校へ匿名で寄付していたことが解り、邦字新聞に掲《の》ったからだった。その後、刃傷沙汰《にんじようざた》に巻き込まれて、リトル・トーキョーから姿を消してしまったが、風の便りに、オックスナードで所帯を持ち、堅気になっているということだった。

マンザナール収容所で、〝サイコロの九〟の顔を知っているのは、年寄りの一世の中でも極く僅かであり、博徒時代の心意気を思い、今は身寄りもない彼のことを誰も口にしなかった。サイコロの九自身も、名前を変え、曾て博徒だった男とは思えない温和な老人になっていた。

扉がギィーッと、鳴った。振り返ると、さっき出て行った白人の葬儀社のボーイであった。

「このボックスを渡すのを忘れてたよ、今日は二つだ」

キャンディの箱を渡すようにぽんと木箱を二個渡して、引き返した。遺体の骨の入っている箱であった。火葬に付す時は、霊柩車でローンパインの駅まで運ばれ、そこから貨物列車に積まれて、ロサンゼルスの東のサンバーナージノの火葬場へ送られ、一カ月ほどして戻されて来るのだった。その遺骨の箱に、濃い鉛筆のようなもので、ジャップとかイエロー・ドッグと落書きされている。さらにその下に長い文句の落書きがあったが、読めずにいると、ジョーが帰って来て、大声をあげた。

「なに、グッド　ジャパニーズ　アー　六十《シックスティ》　フィートアンダー、墓場に入った者しか、よいジャップはいない、つまり、ジャップは死ねという意味か、何という侮辱だ！　白豚野郎奴、地獄へ行け！」

死んでもジャップと侮蔑され、遺骨の箱に落書きされるとは——、箱の中身も、骨にしては重すぎ、手に持つと、カサコソと乾いた骨の音はせず、ゴロゴロと石ころのような音がし、ほんとうに本人の遺骨であるのかも疑わしかった。

「天羽さん、怒ってみてもはじまらない、仏さんをお棺に入れて運びましょう」

遺体を棺に入れて蓋をし、二人でよろけながら、持ち上げた。

畑中万作たちのブロックの食堂は、調理法がうまいことで評判だった。評判を聞きつけて、他ブロックからもひそかに食べに来、いつも二百人以上の人がたて混んでいた。

畑中万作を中心にしたテーブルには、娘のエミーと、井本椰子とその父親の井本虎造、母親のせきの五人がいた。エミーは、しばしば父親のブロックの食堂に出かけて来、ベビーの守りを母親にして貰っているのだった。

万作は、セルフサービスで運んで来たトレーの料理を見、

「あぁー、今日もまたレバーのフライか、こんな砂地獄の収容所では、食べることだけが楽しみやのに、来る日も来る日もレバー攻めとはかなわんな、うちのブロックの食堂の名が廃《すた》るやないか」

不満気に云った。ガーデナーの井本虎造は、人一倍、陽灼けし、手足もいかついが、どこか愛嬌のある大きな眼で頷き、

「そういやあ、近頃の料理は、収容所へ入った端《はな》のように悪うなったのお、はじめは赤肉いうけん、赤身の肉のことか思うとったら、豚や牛の臓物のことなんじゃから聞いて呆れる、まあ、食事が終ったら、わしが、寿司喰いねぇ、酒飲みねぇの、ご存じ『森の石松三十石船』を一席、唸るけん、口直しに聞いて下され、はぁっ、はぁっ、はぁっ!」

まずい食事も、さして気にならぬように笑いとばした。傍らから妻のせきが、

「あなた、このところ血圧が高いんですから、真赤な顔して唸るのはやめて貰いますよ」

止めると、娘の梛子も、

「パパのレパートリーは次郎長一家のストーリーばかりだから、皆さん、もうあきあきよ、迷惑だと思うわ」

と窘《たしな》めた。

「学校の先生をしていると、親にまで説教するようになるんか」

虎造はそう云いながらも、娘が収容所に出来たハイスクールの教師になったことが、いかにも得意で、嬉しそうだった。

「ナギコ、学校の方はうまく行っているの? この九月から開かれたんですってね」

同い齢のエミーが、聞いた。

「ええ、やっと——、バラックの一棟をクラス毎に仕切り、椅子や机は、もちろん、所内の手製で、ノートや筆記道具は、クエーカー教の教会からたくさん寄付して戴いたの、だけど、強制収容所に入れられている環境で、テキストに書いてあるアメリカ合衆国の民主主義をどう教えたらいいものか、困惑するわ」

「でも、ナギコの顔、そんなに困った顔でもなさそうよ」

生々《いき》と話す梛子に、エミーは底意地の悪い云い方をした。

梛子は、それには応えず、レバーのフライを口にした。カリフォルニア大学に在学中、主任教授から、日系人はいくら優秀な学生でも、教師にはなれないから、勉学を断念した方がいいのではないかと云われ、事実、卒業後、どこにも教師の口はなかっただけに、収容所の中とはいえ、はじめて教鞭《きょうべん》をとれた喜びは大きかった。

突然、子供たちの集っているテーブルに、騒々しい声がたち、喧嘩がはじまった。最近、子供たちは親から離れて、がやがやと友達同士で喋りながら食事するようになり、家

族単位で食事をする習慣が薄れかけていた。

「なんてことでしょう、食事時《どき》まであの騒ぎは——」

　エミーが、大げさに云った。椰子が席をたって、窘めに行きかけると、近くのテーブルの大人たちが大声で叱《しか》りつけた。

「ハイスクールの生徒はまだしも、八、九歳のあの頃の生徒はとても難しいの、家族というのは、パパが一家の中心で、ママがクックした料理を、一同、テーブルに揃って食べるというようなところから、親子、兄弟の絆《きずな》が深まって行くというのに、ここではこんな生活でしょう」

　椰子が憂えると、万作は頷き、

「うちの息子や娘も、収容所へ入ってめっきりわしの云うことを聞かんようになってしもて、父親の権威などあらへん、椰子さん、ま、せいぜい頑張って下されや」

　神妙に云い、コーヒーを一口飲み、

「苦《にが》い！　なんや、砂糖が入ってへん」

　ぷっと、口からこぼした。

「万作さん、あんたも、そう思うか」

　井本虎造は、真剣な顔をし、

「わしは無類の甘党のせいか、どうもこの頃の料理も、コーヒーも砂糖の入りが悪い思うんじゃ」

「なるほど、これはやっぱり臭い」

　万作は、天性の嗅覚を働かすように、鼻をうごめかした。

「臭い？　何が臭いんじゃ」

　虎造が訝《いぶか》しげに聞くと、

「しいっ、声が高い」

　万作は周囲を見渡し、虎造の傍《そば》へ寄った。

「わしは、白人の職員らが、肉や砂糖をピンはねして、横流ししてるのやないかと、睨んどるんや」

「まさか——、わしはそんな意味で云うたんじゃない」

「いや、虎造はん、考えられんことではない、何しろ肉と砂糖は、収容所の外でも不足しているようやから、奴らはきっと胡《ご》魔《ま》化しているに違いない」

　万作が妙に確信をもった云い方をすると、エミーも相槌《あいづち》を打った。

「パパの云う通り、時々、これはサッカリンじゃないかと、思う時があるもの」

「そのくせ、インフォメーションの連中は、バーボンウイスキーを一晩で何本も空《あ》けているそうやし、チャーリー田宮というあのバナナ野郎は、どう鼻薬をきかせてるんか、特別食を、バラックへ運ばせてるそうや、怪しからん！」

　万作は、ますますエキサイトするように、云った。

「まあ、そう興奮せんと——、それこそ根も葉もない人の噂じゃろうが」

　虎造が気を鎮めさせるように云うと、万作は、

「ここは一つ、料理長の大野はんに聞いてみようやないか、もう病院から退院して、出て来てるはずや」

　虎造の手を引っ張って、調理場へずかずかと入って行っ

た。

調理場には二十三、四人のコック、キッチン・ヘルパーが働き、威勢のいい声が飛び交っている。食事の時間帯はもう終りに近づいていたが、レバーを一人分ずつ肉切り包丁で切る者、パン粉をつける者、大鍋で揚げる者、カウンターへ並べる者と、切れ目ない流れ作業の上方で換気扇がうなり、油と熱気が充満している。

コック長の大野保は、ちょうど大鍋の前から離れ、出口の方へ歩いて来るところだった。リトル・トーキョー随一の中華料理店、加州楼の主人であった大野は、退院して間もないのに、白いエプロンをガスと油でよごし、両腕には油の飛沫を受けた赤い火傷《やけど》の跡が、点々とあった。

「大野さん、退院早々、大丈夫ですか」

虎造が心配して、声をかけると、

「おや、お二人お揃いでこんなところまで――、何かご用でしたら食堂の方へ行きますよ」

大野はエプロンをはずし、帽子を脱いだ。まだ五十そこそこというのに、白髪が増え、老け込んでいた。

「いや、邪魔やなかったら、わしらはここの方がええ、折り入って聞きたいことがありますのや、この頃、肉と砂糖の量が減っているんと違いますか」

万作が切り出すと、大野はちらっと眼を動かした。

「わしは、白人どもが横流ししてると睨んでますが、どないです?」

図星を指すように云った。大野は暫く黙っていたが、

「さすが万作さんの勘は鋭い、われわれ民間捕虜の食糧は、ジュネーヴ協定に従って、軍人に準じたカロリーでなければならないのですよ、ところが最近、配給される肉や砂糖の量が少いので、当局に抗議したところ、従来通り配給しているという回答なので、料理組合長の池島努《つとむ》君が中心になって調べているのですよ、ことによっては収容所のかなり上の人物を告発するかもしれません」

「えっ、告発、そ、そんなぶっそうな」

万作と虎造は、腰を抜かさんばかりに驚いたが、妻を警察の留置場で失っている大野保は、

「不正があれば、告発は当然じゃありませんか」

一言そう云い、調理場から出て行った。


「ねえ、ケーン、聞いているの」

エミーは、ベッドにごろりと仰向けになっている賢治に、じれったそうな声をかけた。食堂で話題になった肉と砂糖の横流しの件を詳しく話しているのに、賢治は黙っているだけだった。

「ねぇ、何を考えているの、私の話など上の空ね」

傍へ寄り、軽く頬をつついた。

「少し黙っててくれないか」

「冷たいのね、久しぶりに誰もいないのだから、もっと優

しくしてくれてもいいでしょう」

タイトスカートの腰を賢治に押しつけ、上から顔を覗《のぞ》き込んだ。収容所の仕事がはじまり、乙七は死体処理、テルは洗濯、勇と春子は学校の授業へ出ている時間しか、夫婦だけの時間はなかった。

エミーの眼は、いつしか濡《ぬ》れ光るように潤み、白い指が賢治のシャツのボタンをはずしかけた時、

「兄さん、いるかい」

ハイスクールへ行っているはずの勇《いさむ》が、勢いよく入って来た。シーツの仕切りをしていなかったから、エミーは伸ばした手を慌ててひっ込めた。

「びっくりするじゃないの、ノックぐらいするものよ」

「自分の家へ入るのに、ノックなんてごめんだね、都合が悪ければロックしておけばいいじゃないか」

収容所生活で、目にみえてすさんで来た勇は、エミーに喰ってかかるように云い返した。

「まあ、なんて態度なの、どうせまた、授業をさぼって来たんでしょ」

「おあいにくさま、今日の第一時間目はナギコ先生の都合で、休講になったんだ」

「どうして休講なんだ、病気なのか」

賢治は、むっくり起き上った。

「いや、ロサンゼルスから視察に来た白人の教育関係者とミーティングがあるんだって」

「そうか、それならいいが――」

「あら、ケーンったら、ナギコのこととなると、随分、親身なのね」

エミーは、聞き咎《とが》めるように云った。

「当然だろう、加州新報で一緒に働いていた女性《ひと》なんだ」

「改まって云われなくても結構よ、昨日、彼女と食堂で同じテーブルだったけど、教師になったことがよほど嬉しいのか、得々と教育問題を話すのよ、収容所であればこそ通用する教師じゃないの、授業のレベルが落ちて、イサムの学力が落ちないことを祈るわ」

エミーは、嫌味たっぷりに云い、

「ケーン、ちょっとアーサーを見ていて、私、販売部へ行って来るわ、買いたいものが一杯あるのに、ハズバンドは働かないし、惨めだわ」

鬱積した捌《は》け口を求めるように出て行った。

「なんだい、この頃のエミーは――、女のヒステリーって、ああいうのかい」

勇が悪態をつくように云った。

「勇、お前だって、この頃、マナーは悪いし、口のきき方も乱暴だ、春子がいるのだから気をつけなくてはいけないよ」

賢治が窘めると、

「春子だって、家にいる間はおとなしくしているけど、一歩外へ出ると、低能なボーイフレンドとパーティごっこば

かりして、生意気になったよ、こんな収容所暮し、全くいやになる」

拳でばーんと、テーブルを叩いた。

「まあ、そう落胆するな、お前、僕に用があったんじゃないのか」

「ああ、そうだった、食堂の前の通りに、こんなものが落ちていたよ」

ガリ版刷りの紙をさし出した。

皆さん、お早うございます。
最近、一部の方々の間に、食事についての不満があるようですが、戦時下で収容所の外のアメリカ市民も、食糧、ガソリン等は配給制でクーポンでないと買えません。
戦時下であることを冷静に考え、アメリカ合衆国に協力しましょう。
インフォメーション・セクション

賢治は、一読すると、

「エミーも、さっき云ってたけど、ほんとうに砂糖や肉が少なくなったのか」

「ここ一カ月ぐらい前からかな、僕たちのグループは、あっち、こっちの食堂を食べ歩いているから、よく知ってるけど、うちのブロックじゃあ、砂糖がないので、ほかのブロックの食堂から融通して貰ったとか聞いたよ」

「お前、そんなこと、なぜ知っているんだ」

「ガールフレンドのパパが、キッチン・ヘルパーをしているんだ、あそこへ遊びに行った時、池島という人と、ひそひそ話していたのを聞いたんだよ」

賢治は、弟の勇の口からも、池島の名前を聞き、彼がかなり活発に動き廻っている様子を知って、少なからぬ驚きを覚えた。

「兄さん、まだ何も仕事しないのは、どうしてなんだい」

上眼《うわめ》遣《づか》いで賢治に聞いた。

「すまないな、お前たちに小遣いの不自由をさせて」

「そんなこと云ってるんじゃないよ、実は、いやな噂を聞いたんだ、ケーンほどの男がいまだに何の仕事にもつかず、ぶらぶらしているのは、スパイになったのかもしれないって――」

「えっ、スパイ、僕が……」

賢治は、絶句した。

「俺がスパイだなんて、誰が云っているんだ」

「知らないよ、そんな噂があるって、友達に云われたんだ、収容所内には、プロ・ジャパン（日本忠誠派）の人たちの行動をつけ廻して、カミング所長にではなく、直接、ワシントンへレポートを送っている奴がいるそうだよ」

「いくら何でも、そんな卑劣な奴が日系人の中にいるものか」

賢治は否定しながらも、先日、インフォメーション・セクションの会合をのぞいた時、日系アメリカ人連合会のメンバーの一人が、「プロ・ジャパンの連中は、われわれ親米派をアメリカのイヌ呼ばわりし、許しておけん」と、不《ふ》倶戴天《ぐたいてん》の敵《かたき》に対するように激昂していた光景を思い浮かべた。

賢治は、窓際に寄った。監視塔と鉄条網に囲まれた中に、星条旗が翻っている。この強制収容所の中でも、日系二世として自ら信じる道を貫きたかった。そのためには、妻のエミーに責められても、父が死体処理人になっても、自分自身の眼で収容所内の情況を確めた上で、誤りのない行動をとろうとして、容易にふんぎりがつかなかったのだった。だが、それが逆に、周囲の人々に疑惑を抱かせ、潜在的なスパイではないかという噂まで出ているとは思いもよらなかった。

「勇、兄さんはね、インフォメーション・セクションで働くことがいいことかどうか、考えていたんだ」

妻のエミーとも、ろくに話さず、独り考えていたことを口にすると、勇は、

「迷うことはないじゃないか、僕たちは、何といってもアメリカ市民なんだから、合衆国の仕事に協力するのは当り前だよ」

と云った。そう明快に云ってのけられる弟が、羨しかった。

「父さんや母さんには、まだ話していないんだ、父さんは反対するだろうな」

「仕方がないよ、父さんは帰化権のない一世だもの、だけど、兄さんは市民権を持つ二世で、三世のアーサーのパパなんだから、アメリカ人になりきらなくては、アーサーが可哀そうだ」

ひどく大人びた云い方をし、

「あっ、もうすぐ二時間目の授業がはじまる、ナギコ先生の授業は、ナイスだから、遅れられない」

と飛び出して行った。

賢治は、父が死体処理をしている病院の解剖室へ向った。病院まではかなりの距離があった。

火災に備えた広い空地の方から、六、七人の白人男女の一団が、歩いて来た。

書類を手にしたその一団は、弟の勇が話していたロサンゼルスから視察に来た白人の教師たちらしかった。歩きながら熱心に話し続ける彼らとすれ違いかけた時、椰子と視線が合った。

「ケーン、お早う！」

「お早う」

賢治は短く応え、通り過ぎようとすると、椰子が足を止めた。

「ケーン、どうかしたの？」

「何でもないよ、彼らがロスから来た先生たちかい？」

「そう、よく解るのね、やはり教師タイプに見える？」

「いや、勇から聞いていたんだよ、勇のやつ、ナギコ先生はナイスだって云ってたけど、頑張っているようだね」

少し先へ行った教師の一団を見ながら云うと、

「それがまだ慣れなくて、失敗の連続よ、つい昨日も、勇から日本の天皇と帝《みかど》はどう違うのかって質問されて、立往生してしまったわ、これから私の授業を彼らが視察するのだけれど、立往生したらどうしようかって、内心は胸がどきどきしているの」

口では冗談めかしていたが、新任教師らしい胸の昂りが感じ取られた。

「椰子なら、立派に授業をやってみせられるよ」

「有難う、じゃあ、また——」

椰子は、一同の後を追うように走り去った。賢治はそのうしろ姿を見送り、椰子が、チャーリー田宮のいるインフォメーション・セクションのことを何故か、口にしないことを思い出した。

病院の裏手にある解剖室の扉を押すと、蝶番《ちょうつがい》がギイーッと、軋《きし》んだ。

裸電球が一つぶら下り、死臭とも、防腐剤ともつかぬ臭いが籠っている部屋の中で、父は、若いジョー北川とステンレスの解剖台の前にたっていた。台の上には髪をきれいにカールし、化粧を施した女の裸死体が横たわっていた。

「誰かと思ったら、ケーンじゃないですか」

ジョー北川が振り向いた途端、ストッキングを履かせるために持ち上げていた死人の足をステンレス台にとり落した。

ウヮーン……ウヮーン……不気味な金属音が、コンクリートの壁に反響し、賢治は、鳥肌だち、足が竦《すく》んだ。

「賢治、何《なに》か、急ぎん用か」

乙七は、女性の白いシュミーズを手にして、ぼそりと聞いた。

「ちょっと、今朝、云いそびれたことがあったもので……、仕事が終るのを待ちますよ」

賢治は出来ることなら、外で待ちたかったが、父の実際の仕事を目のあたりにして、ショックを受けた。

「手伝おうか——」

賢治は、顔が引きつれそうになりながら死体に近付いた。

「うんにゃ、お前《まい》には出来ん」

乙七は頭を振り、ジョー北川が両足にストッキングをはかせている間に、頭からすっぽりシュミーズをかぶせて、下へ引っ張りおろした。

「どうです、お父さんの手つきは、たいしたものでしょう」

ジョーは片眼をつぶってみせたが、賢治は、そうした父の姿を正視出来なかった。

やがて女性の死体にブルーのワンピースが着せられ、棺《かん》

におさめられた。

「今日はお通夜まで時間があるから、アイスボックスへ入れておかないといけないな」

ジョーは、棺の蓋《ふた》をすると、部屋の片側にある引き出し式の二段二列のアイスボックスの一つを引っ張り出した。白い冷気がたちのぼった。

「そこへ入れるのなら、僕の方が力があるから片方を持つよ」

賢治は父に代って、棺の後方を担《かつ》いだ。棺は意外に重かった。アイスボックスに棺をおさめると、

「ケーン、助かりましたよ、僕、オフィスで用があるから、お先に」

と、出て行った。乙七と賢治は、ステンレスの台を隔てて、暫く黙ったままであった。

「父さん、これ、かなりきつい力仕事じゃないか、それに一日中、陽《ひ》が射《さ》さないし、仕事を変えた方がよくないですか」

「オイには苦にならんのじゃ、そいよか用ちゅうのは、何《ない》よ」

「インフォメーション・セクションへ入ることにしました」

乙七ははじめて、まともに賢治の顔を見た。

「あしこが、何をすっところか解ってんことか」

「当局の方針を、収容者側にたって検討すると同時に、収容者の要求を当局に伝えるセクションです」

「――そうや」

乙七は、ぽつりと云った。

「そこい入ることを、お前《まい》はえらく迷うとったようじゃが、ないでじゃ」

何も話していないのに、父は、賢治の迷いを知っていた。

「それは、僕がアメリカと日本の二つの国籍を持つ人間だからですよ」

賢治は、苦しげに応えた。賢治たちの年代で、アメリカで生れた者は、すべて出生地法によってアメリカ国籍になると同時に、親が日本領事館に出生届を出した場合は、日本国籍も持つことになる。したがって日本を見たこともない二世でも、アメリカと日本の二つの国籍を持つ者がいたが、賢治のように十歳から二十歳まで日本で教育を受けた者は、国籍だけではなく、心情も二重国籍者であった。

乙七は、長い間、返事をしなかった。戸惑いと哀《かな》しみが、その眼に宿っていた。賢治は、それ以上、父と対峙《たいじ》していることが、辛かった。父の傍《そば》を離れかけると、

「そこい入って、ますます、苦しんとじゃなかろうな、そいなら何《ない》もせん方がよか」

乙七は、やっと聞き取れるような声で云ったが、賢治は踵を返して、解剖室を出た。


外へ出ると、賢治はまっすぐ、管理本部の所長室に向っ

た。

　ゲートの近くにある管理本部まで、砂埃の道をてくてくと歩いた。ほぼ一万人の大集団が住む収容所の中では、どこへ行くにも、特別の場合でない限り、歩くしか仕方がなかった。

　突然、けたたましいクラクションが鳴り、賢治の真横に、トラックが急停車した。

「天羽さん！」

　赤銅《しやくどう》色に日焼けした顔が、運転台から覗き、池島努が身軽に降りて来た。

「ちょうどいいところで会いました、食糧問題のことで、近々、ご相談したいことがあるので、その折はよろしく、どこへ行かれるのです？　お送りしますよ」

「管理本部だが、いいのかい」

「え？　管理本部へ、まさか、あのイヌどものインフォメーション・セクションへ入るんじゃないでしょうね」

「いろいろ考えたが、結局、入ることを決心したんだ」

　心情を説明しかけると、一本気の池島は、顔色を変えた。

「天羽さんを信頼している人たちが、がっかりしますよ、今晩、じっくりと話しませんか、ともかく、今日行くのは止《や》めて下さい」

　阻止《そし》するようにたちはだかったが、賢治は静かな表情で、

「池島君、僕たちは、アメリカの市民権を持つ日系二世なんだ、インフォメーションのメンバーになること即ち、アメリカのイヌだと断じるのは暴言だと思う」

「天羽さんは、あの下司《げす》野郎のチャーリー田宮に何か借りでもあるのですか！」

「何を失敬なことを云うのだ」

「あなたの奥さんが、ベビーや自分のために、随分、特別なサービスをして貰《もら》っていることは、知っていますよ、それでなければ、加州新報の記者だった天羽賢治が、インフォメーションに入るはずがない」

　池島は、昂奮して声を荒らげ、トラックに飛び乗った。

「池島君、待ってくれ！」

　呼び止めたが、トラックは走り去った。賢治はあと味の悪い思いで、歩き出した時、また砂埃をたてて自動車が近付いて来た。池島が引っ返して来たのかと思うと、チャーリー田宮であった。

「何だかしらんが、うるさい奴に絡まれていたな」

　にやりとした笑いを、うかべ、

「決心したんだろう、乗れよ」

　ぽんと助手席を叩いた。

　賢治がジープに乗り込むと、チャーリーは、いつものようにガムを嚙みながら、

「所内に不穏な動きがあるという情報が入ったから、それとなくパトロールしてみたが、もう一つ、はっきりしない、ケーンなら、新聞記者時代の顔も広いだろうし、何か事情を摑んでいるんじゃないか、僕らが期待しているのは、そ

の顔の広さなんだが、さっきの奴は、何をいきりたっていたんだ」

早速、探りを入れた。

「僕をそんな風に利用するつもりで、インフォメーションへ引っ張るのなら、あてが違うよ」

はっきり云うと、チャーリーは、何を思ったのか、鉄条網の方に向って、ぐっとハンドルを切り、立入禁止地帯の手前で、ぴたりと車を停めた。

「何もそうむきになって怒ることはないじゃないか、ケーン、見ろよ、この鉄条網の向うには、自由があるんだ、要は、ものの考え方一つだよ」

「君は一体、何を云いたいんだ、廻りくどい云い方は止してくれ」

「そう一々、怒るなよ、要は君は、友達甲斐《がい》がない奴だ」

「どうして俺が——」

「いつかの電話を忘れたわけじゃないだろう」

あくの強そうな眼は鉄条網のはるか彼方に向いていたが、声にはどこか脅しめいたものがあった。多分、それは賢治がFBIに連行される寸前にその危険を知らせてくれたことらしい。

「それは感謝している、だがそれとこれとは、問題が違うぞ」

きっぱり云うと、

「解っているさ、ともかくカミング所長がお待ちかねだ」

チャーリーはアクセルを踏んで、車を走らせた。

管理本部に着き、所長室に向いかけると、赫《あか》ら顔の肥満した男が、ワイシャツの胸ボタンをだらしなく開けて歩いて来た。チャーリーは、足早に歩み寄り、

「ご機嫌いかがですか、トーラン副所長、この男は、私の友人で、インフォメーションで働くことを勧《すす》めているケーン・アモウです」

紹介すると、トーラン副所長は、赫ら顔のたるんだ顎《あご》をうむと頷《うなず》かせ、声もかけずに行ってしまった。チャーリーは、ちぇっと舌打ちし、

「郡役場の下級役人上りのくせに、威張りちらしてやがる、副所長と食糧部長を兼務しているんだ」

賢治は、この間から収容所内で問題になっている食糧担当の部長が、見るからに質《たち》の悪そうな白人であることが、気になった。

所長室に入ると、カミング所長は、縁なし眼鏡をかけた痩《や》せぎすの顔を振り向け、

「ケーン、君の返事を待っていた」

ファースト・ネームで呼んだ。賢治は、きちんとした姿勢で、

「イエスと答える前に、私がインフォメーション・セクションに入る立場を明確にし、忌憚《きたん》のない意見を述べさせて戴《いただ》きたいのです」

ときり出した。

「ケーン、要はOKなんだろう、意見など次の機会でいいじゃないか」

チャーリーが、制しかけると、

「よろしい、君の意見を聞こう、話し給え」

「はっきり申し上げて、多くの収容者たちは、インフォメーション・セクションを当局の云いなりになる代弁機関と考え、アメリカのイヌという言葉さえ、口にしています、だが私は、当局に対し、アメリカに忠誠を誓う日系二世の立場にたち、且つ一世を含め多くの日系人の意見を反映させた提案をし、収容所内の日系人による自治管理を円滑なものにしたいと思います、ですが、現実の収容所内は欠陥だらけで、多くの収容者たちは、政府に対して絶望し、腸《はらわた》を煮えくり返らせています、ここで当局が収容所運営について大幅に日系人の自治管理に委《ゆだ》ね、広範囲の生活改善に本腰を入れるならば、収容者のこれまでの苦痛は多少とも償われるでしょう」

と云うと、カミングは、縁なし眼鏡の底から、じろりと鋭い視線を向けた。

「収容所は、多額の国家費用によって賄《まかな》われ、議会では費用がかかり過ぎているとさえ云われているのだ」

「しかし、この間、所長は、ここは強制収容所ではない、日系人に対する保護政策として設けられたキャンプだと明言されました、それなら今少し、人間らしい生活条件——、たとえばバラックの一部屋に夫婦一組以上が入り、シーツで仕切って住む生活は、正常な健康とモラルに反しています、食糧についても収容所で規定している量とカロリーを厳守して貰いたい、インフォメーションのリーダーたちのスピーチは、日系人の将来を展望したすばらしい内容です、しかし、彼らのスピーチを冷静に受けとめられる者は、そう多勢はおりません、それは単に日本生れの一世だけでなく、アメリカで生れた教養ある二世であっても同じです、何故ならわれわれには、アメリカに裏切られたという衝撃《ショック》があまりにも強烈だからです、〝演説より生活改善〟です、それを怠れば、一万人が住むバラックの中で、膿《うみ》のようにたまっている不満、憤りがいつかは爆発するでしょう」

一気に云うと、カミングは暫《しば》し、腕を組み、

「ケーン、君の意見は参考になるところがあった、検討しよう」

「所長の理解に感謝します、私も収容所の自治管理に協力します」

と誓った。

所長室を出ると、チャーリーは、賢治をインフォメーションン・セクションに連れて行き、メンバーたちに紹介した。リーダー格のマイケル城山の姿は見えなかったが、居合わせた七、八人が、

「ケーン、喜んで歓迎するよ」

「グッド、われわれは君を待っていた」

と席をたって来た。賢治は、皆によろしくと、握手をす

ると、

「ケーン、君のデスクは、ここがいいだろう」

チャーリーが、空席になっている机と椅子を指した。賢治は、その椅子に坐った。机の上には、メモ用紙とタイプライターが置かれていた。賢治は、ふと、メモ用紙に何か書き記してみたい衝動に駆られた。

ワイシャツの胸ポケットに差している万年筆を取り出した。それは賢治が新聞記者時代に愛用したシェファーの万年筆であった。FBIに逮捕され、監獄で所持品を預けさせられた時も、出獄するに当って所持品を返される時も、万年筆が紛失していないかを真っ先に確め、今日まで失わずに持っていたものであった。いわば、賢治の分身のようなものであった。キャップをはずし、メモ用紙に、まず今日の日付を記そうとしたが、かすれて書けない。インクがなくなったのかと思い、軸のインクタンクの部分を見ると、インクは入っていたが、よく見ると、ペン先と軸の間に、白い埃のように細かな砂が詰っている。

マンザナールの砂埃は、バラックの隙間、ガラス窓の桟からだけではなく、髪の中、鼻の穴、口の中まで入り、きちんとキャップがしてある万年筆のペン先にまで入り込む――。まさに砂塵の荒野で、人間の心をもざらざらと砂礫《されき》のように荒廃させてしまいそうであった。突然、砂嵐が吹き荒れるように何かが起った時、果して自分の力が役だつだろうか――。賢治は、ふと気弱になりかけると、

「どうしたんだい、ミスター・プロ・アメリカン」

チャーリーが嘲《わら》った。

四章　ニ　セ　イ

十一月上旬になると、マンザナール収容所のあるモハベ砂漠は早くもぐっと冷え込み、シエラネバダ山脈の頂きは、新雪に包まれる。

砂埃が舞う収容所には、いつしか芝生や花壇が出来、若木が育ち、よくも悪くも一万人の日系人の生活感が生れていた。

黒いタール紙を張った急ごしらえのバラックは、夏の間の強烈な日光で変色していたが、窓には色とりどりのカーテンがかかり、薄い屋根に突き出した煙突から暖房用の石炭ストーヴの煙が、たちのぼっている。

メイン・ゲート近くの管理本部に隣接しているインフォメーション・セクションにも、赤々とストーヴが燃え、そこで働く二世たちはジャケットを脱ぎ、タイピストたちも半袖のブラウス姿で、管理本部から指示されて来る仕事を、きびきびとこなしている。

インフォメーション・セクションへ入って一カ月たった天羽賢治は、ジョークがとび交う中で、午後から誰とも言葉を交さず、タイピストに任せられない文書を打っていた。背筋をほとんど動かさず、タイプライターに向っている姿は、加州新報時代と変らなかったが、早い速度でキーを打つ手が、時々、とまった。

一旦、指がとまると、長い間、動かない。じっと考え込むように窓の外を見たり天井を見上げたりした後、既にタイプし終えた頁を繰って慎重に読み返し、意に染まない箇所は二、三頁分でもびりっと引き裂いて、新しいペーパーに打ち直していく。

賢治がタイプしているのは、カミング所長に特命された収容所の報告書であった。表題に、MANZANAR FROM THE INSIDE と記されたその報告書は、カミング所長の名で、ワシントンのWRA（WAR RELOCATION AUTHORITY――戦時転住局）本部へ送られる文書であった。マンザナールをはじめ、アメリカにつくられた日系人強制収容所のことを、アメリカ政府は政策的に「戦時転住局」と公称していた。

収容所内の運営、生活実態を細かな項目に分け、『犯罪』『教育』についてようやくタイプし終え、後廻しにしていた『食糧』の項目に来て、賢治は再び躊躇《ためら》った。副所長が肉と砂糖を横流ししているという疑惑が出はじめて一カ月余り経つにもかかわらず、噂はいまだにくすぶり続け、糾弾派と穏健派の意見の相違は、プロ・ジャパン対プロ・アメリカンの思想的対立にまで、発展しつつあった。

賢治個人の意見ではなく、カミング所長の立場で、そのあたりをどのように書くかとなると、なかなか腰が坐らな

い。

The food of Manzanar is simple, but well-cooked ......

という書き出しで、新しいペーパーにタイプを打ちはじめた時、背後に人の気配を感じたが、かまわず打ち続けた。

Food costs the United States a fraction over 38 cents per day per person ......

人の気配は依然として、背後から消えない。リターン・レバーを右から左へ素早く動かし、振り返ると、チャーリー田宮がコークの瓶を片手にたっていた。

「何だ、チャーリーだったのか」

「そうだよ、その問題には大いに興味があるんだ、早く先を読ませて貰いたいな」

残りのコークをぐうっと一呑みし、精悍《せいかん》な顔に、あくの強そうな笑いをうかべた。

「実は、このことなんだがね」

賢治が打ちかけのタイプをさして云うと、

「おっとっと、相談事ならご免だね、僕はケーンの見解、いやカミング所長の見解を知りたいだけなんだ」

ぴしゃっと、賢治の問いかけを封じた。そういう時のチャーリーは、日頃の付き合いがどうあれ、露骨にはっきりしている。

「それなら、自分の席へ戻ったらいいだろう、気が散るよ」

賢治がむっとすると、

「さあ、そろそろ、コーヒーブレークにしましょう、おいしいクッキーがあるわ」

タイピストのマーサが、一同に声をかけ、ミーティング用の大きなテーブルにポットとクッキーの缶を置いた。

「うーん、いい匂いだ」

リーダー格のマイケル城山が、ワシントン・ポストを片手にたって来、ロイ三木、サブロー中川、ダン吉田らも仕事の手を休めて集って来た。賢治の傍から離れたチャーリーも、マーサの形のいいヒップにタッチしながら、クッキーを口に放り込み、

「これ、どこで手に入れて来たんだい?」

と聞いた。

「ハウジング・マネージャーのミスター・テーラーからよ、あの人は管理本部では一番の親日家で、この間は、寒いだろうからって、うちのママにケープをプレゼントしてくれたわ」

「テーラーは、マーサに気があるんだ、ああいう白人の中年男は手がこんでるから、気をつけた方がいいぜ」

「チャーリーこそ、女性に対するマナーに気をつけて貰いたいわ、ナギコに云いつけてよ」

誰彼となくボディ・タッチするチャーリーを軽く睨みつけながら云うと、

「僕のはスキン・タッチ、日本でいう〝和〟のスピリットを発揮しているんだ」

日本語があまり得意でないマーサを煙に巻くように云うと、マイケルは端正な顔に苦笑をもらし、

「チャーリーには勝てないよ、それよりケーン、一休みしないか」

一人、タイプを打ち続けている賢治に声をかけた。

「うん、あと三行――」

賢治は、短く応えた。ロイ三木は、マイケルに顔を寄せ、

「ケーンは、カミング所長のお覚えがいいんですよ、今、打ってるのもその特命レポートなんでしょう」

小声で、囁《ささや》いた。

マイケルは、きれ者らしく、平静を装いながらも嫉妬に近い色が眼にうかんでいた。インフォメーション・セクションのメンバーは、大半が大学出で、ことにマイケルはカリフォルニア州立大学の法学部を首席で卒業していながら、まともな職にありつけず、オックスナードで父親が手広く経営するレタス畑の手伝いをしていたのだった。サブローは、中川は簿記《ぼき》係、ダン吉田はフルーツスタンドの売子であった。それだけに、たとえ強制収容所の中とはいえ、はじめて大学卒業者らしい知的な仕事に携ることが出来た彼らの喜びは大きく、管理本部に対して献身的であった。その点、賢治は、加州新報時代の延長のように落ち着き払った仕事ぶりで、カミング所長以下、白人管理者にも、もの怯《お》じすることなく自分の信条を述べ、リーダー格のマイケル並みの信望を得ている。日本で教育を受けた帰米二世のくせに、純二世並みに白人管理者の信任を得ていることが、アメリカ贔屓のメンバーにとって、心穏やかでなかった。

タイプが一段落した賢治は、マーサが注《つ》いでくれたコーヒーで咽喉を潤した。

「さすが君のタイプは早いなあ、一分間に、どれぐらい？」

マイケルが、フランクに聞いた。

「たいしたことないよ、せいぜい四、五〇ワードぐらいだ」

賢治は、さり気なく応え、マイケルのポケットにつっ込んでいる新聞に眼を止めた。

「それ、ロサンゼルス・タイムスかい」

「いや、ワシントン・ポストだ、カミング所長のところにあったので、貰って来たのさ、アイゼンハワーが、アフリカのトブルク戦線で奮戦しているらしい」

と云い、賢治に渡したが、ここ十日間ほど姿を消していたマイケルが、ワシントンへ派遣されていたらしいことは、賢治にもうかがえた。インフォメーション・セクションでは、表向きの仕事以外に、各人の能力と性格によって、シークレットな任務が与えられている。

フロントページには、アイゼンハワー将軍の顔写真と、北アフリカのトブルク戦線を戦車で行進する英米仏の連合

軍の写真が大きく出ている。

「さすがアイゼンハワーだ、誇り高い英仏軍を指揮して、よくここまでやったものだ」

　と云うと、トム中田も横から覗き込み、

「砂漠の狐で鳴らしたロンメル将軍もこれで終りだな、八月にスターリングラードに突入したドイツ軍も、戦闘が長びいて冬将軍に襲われ、敗戦の色濃いというし、日本も破《は》竹《ちく》の勢だったのが、六月のミッドウェー海戦で敗けてから、どうやら戦局は悪くなる一方らしい」

「だが、日本軍は油断できないよ、あのマッカーサーを、コレヒドールから、撤退させたんだからね」

「いや、あれはマッカーサーが、尻尾を巻いて後退したんじゃないよ、アイ　シャル　リターンと云って、戦略的に一時撤退したに過ぎないと、この間のロサンゼルス・タイムスや、エグザミナーに書いてあったよ、彼ならきっと巻き返すよ」

　戦争のこととなると、若い血潮が燃えたつのか、たちまち話の輪がひろがった。

　賢治は、黙って煙草をふかしていた。同じ日本民族の血が流れている二世同士でありながら、日本を見たこともなければ、日本語さえも、充分に話せない彼らと、日本で中学、大学予科二年までの教育を受け、軍国主義に反撥《はんぱつ》しながらも、厳しい軍事教練を叩《たた》き込まれた自分との違和感を感じた。


　カミング所長付きの職員が入って来ると、彼らはテーブルの上にのせていた足を慌てて下《おろ》した。

「マイケルとケーンはいるか、所長がすぐ来いということだ」

　と告げた。賢治とマイケルが所長室へ行くと、カミングは、

「ジャップ・ヤンキーのことだがね」

　と切り出した。

「ジャップ・ヤンキーって、どういうことですか」

　賢治が不快げに聞き返すと、マイケルは、

「ハワイの二世部隊のことだよ」

　と云い、カミング所長が頷いた。

「そう、ハワイの二世たちは、今年の四月、自分たちがいかにアメリカに忠誠な市民であるか、その証《あか》しをたてるために、戦場に出て戦いたい、という請願を陸軍に申し出た」

「ところが、ノウと答えられ、既に軍隊にいた者まで兵役を解《と》かれ、残った者は炊事兵や掃除係の雑役に使われているそうではありませんか」

　賢治が云うと、マイケルは、

「それは仕方がないよ、ライジングサンのマークをつけた日本軍の飛行機がパールハーバーをアタックしたのだからね」

　はっきりと、アメリカ人の立場で非難しかけると、カミ

ングが体を乗り出した。

「今さらパールハーバーの話じゃない、要はハワイの二世部隊結成が、このほど戦時省首脳によって公式にOKされ、今、その部隊はウィスコンシン州のマッコイ・キャンプで猛訓練を受けている」

賢治は、あまりのことに言葉もなかった。

「その部隊は、どこの戦場へ出るのですか」

「それは軍の機密だ」

「まさか、アジアの戦場ではないでしょうね」

賢治は、日本で、軍隊に徴兵されているであろう弟の忠の身の上を思ったが、五人の兄弟が揃ってアメリカにいるマイケルは、

「われわれは日系アメリカ人なのだから、アメリカ人として忠誠を尽すためには、戦う相手がドイツだろうと、イタリーだろうと、たとえ日本とだって、戦わねばならない」

二世の心情を披瀝《ひれき》した。

「マイケル、いくら君が日本を見たこともない純二世だといっても、君の両親は日本に生れ、親戚だってたくさんあるだろう、その日本と闘うと、平然と云えるのか」

賢治の胸に、こみ上げて来るものがあった。

カミング所長は、二人の様子を興味深げに観察し、

「優秀な日系二世であるマイケルとケーンとの間で、考え方が違うことがよく解《わか》った、ところでケーン、君は日本以外のドイツ、イタリーとなら、戦うことが出来るというのだな」

心の証しを問うように聞いた。

「政府が、われわれ日系二世の所有しているアメリカ市民権を否定して収容所へ放り込んだ誤りを率直に認めるならば、市民の義務は果さねばならないと思います」

「よろしい、ではハワイ二世のみならず、カリフォルニアの二世たちにも、兵役志願の気持があることを政府に伝えるには、どうすればいいと思うかね」

二人の顔を見比べて、尋ねた。

「所長の許可さえ戴ければ、私はワシントンの戦時省へ陳情に行きますが――」

マイケルは、怜悧《れいり》な表情で即答した。

「よろしい、ただ、君のように親米的な日系アメリカ人連合会のメンバーの陳情だけでは、ワシントンはまだ、全面的に信頼しないだろう、もっと多くの二世がそれを義務と心得ているという心証を伝える最善の方法は何だと思うね」

賢治は、カミング所長が自分たちを呼んだ意図がようやく解った。

「所長、現在の収容所内の状態で、そのようなことは無理です」

賢治が云うと、マイケルは逆に、

「われわれカリフォルニアの二世たちにもヨーロッパ戦線のフロントにたつ意志がある、という声明文を作り、二世

の署名入りで、ルーズベルト大統領宛に出したらどうでしょう」

　と提案した。カミング所長は指を鳴らし、

「なるほど、それはグッドアイディアだ、声明文は私が眼を通すが、署名を集める方法については、君たちで決め給え」

　上機嫌に云ったが、賢治は、

「所長、今、そんなことをすれば、いたずらに収容者たちを刺激するだけです」

　重ねて云った。

「何故だ」

「食糧問題で、管理本部のある人物についての疑惑が、半ば公然と囁かれているのです」

「知っている、ターミナル島の漁師たちを中心にした日本軍国主義の帰米二世グループのことだろう、勝手に騒がせておけばよい」

　カミングは、あしらうように軽く云った。

「彼らは感情的に騒いでいるのではありません、正義と平等の国アメリカに裏切られたという思いが根底にあることを見逃したら、これは大きな問題に発展するかもしれませんよ」

「トーラン副所長が砂糖と肉を横流ししているなどという噂は、反米的なトラブル・メーカーの憂さ晴らしにすぎない、だが、今度の大統領宛の声明文の署名を妨害する者があれば、この収容所から隔離するつもりだ、それも君たちの仕事だということを自覚してくれ」

　高圧的に云い放った。マイケルは、イエス・サーと答えたが、賢治は黙って、所長室を出た。

　外へ出ると、夕暮れの冷たい空気が頬を刺した。マイケルは、早足でインフォメーション・セクションへ戻って行ったが、賢治は足を止《と》めた。ちょうどメイン・ゲートに近いポールから、星条旗が夕陽に染まりながら、するすると降ろされつつあった。

　その向うから五、六人の二世たちが、一日の仕事を終えて、唄を歌いながら歩いて来た。

祖国を杳《はる》か海越えて
ここアメリカの大陸に
正義と愛国《あい》に奮《ふる》い起《た》つ
日本は生みの親にして
育ての親はアメリカぞ
我等は尽す親善の
使命に燃ゆる第二世

　二世たちが何か会合がある度に歌っている『二世行進曲』であった。星条旗は降ろされると、二人の職員の手で、きちんと折り畳まれた。

　それは、明日もまた、アメリカと日本の間に複雑に揺れ

動く二世たちの頭上に、翩翻《へんぽん》とひるがえるであろう。二世か――、賢治は重く、呟《つぶや》いた。

同じ頃、チャーリーは、少し隔った通路を、特別の任務のために、収容所内のポスト・オフィスへ向っていた。

ポスト・オフィスのバラックの中では、十二、三人が手紙や小包みを持って列を作っており、六人の職員はその応対に追われていた。

チャーリーは、ロサンゼルスの放送局に勤めていた頃の友人宛と、ハウス・ボーイとして住み込んでいたハリウッドのフィルム会社のオーナー夫妻宛の二通の手紙を出すために、切手の行列に並んだ。郵便局が閉まる寸前のこの時間帯がよく混むことを計算してのことだった。

チャーリーの番が来ると、瘦《や》せた貧相《ひんそう》な男が、封書の重さをはかり、

「それぞれ、五セント――」

無愛想《ぶあいそう》に云った。チャーリーは云われた額を一ドル札で出した。職員はむっつりとして受け取ったが、眼は素早く札の左下を読み取っていた。そこには、チャーリーがその男を呼び出す場所と時刻が、すぐ消せる鉛筆書きで記してあった。

「九十セントのおつり、ＯＫ」

男は、最後のＯＫに、特殊の語感を含ませた。

チャーリーは、カミング所長から収容所の危険分子の動静を調査する特命を与えられ、三人のスパイを使っていた。男はそのうちの一人だった。

郵便局を出、ガムを口に放り込んで、二十分後に落合う場所に指定した病院の方へ向った。

病院へ入ると、面会者でたてこんだ待合室のベンチに見舞客のように腰かけた。郵便局の職員と会う場所は、チャーリーと同じ独身バラックに住んでいるインターンのダニエル長谷が、ベッドの空《あ》いている部屋を用意してくれる手はずになっていた。

ダニエル長谷が消毒液の匂いをさせて、現われた。

「手術が長びいてしまって、空部屋の手配が出来てないんですよ、手術回復室でもいいですか」

「かまわないけど、その手術したばかりの病人が入るんじゃないのか」

「残念ながら、出血多量で今、死にました、だから急患でもない限り、今日のところは、誰も使いませんよ」

ダニエルは、けろりとして云い、チャーリーを案内しかけると、玄関から郵便局の瘦せた男が、見舞品のように見せかけた包みを、わざとらしく小脇に抱えて現われた。

チャーリーのあとについて、手術回復室へ入ると、男は包みの中から二束に仕分けた手紙や葉書をさし出した。一束は外部から収容所の人宛に来たもの、もう一束は郵便局で受付けた所外向けの郵便物だった。

チャーリーは慣れた手つきで、ぱらぱらとチェックして行き、

「このところ、インターメント・キャンプの大物からの手紙が少ないな、見落しているんじゃないだろうな」

じろりと、険しい眼で、男を見た。男は郵便局で働いている時と異るねちっこい横柄さをちらつかせ、

「どんなに忙しくても、見落すようなへまはしませんよ、ニューメキシコのサンタフェの司法省強制収容所に抑留《インターン》されている元加州新報社主の松井が、天羽賢治宛によこした手紙だって、ぴたりと押えたじゃありませんか」

恩着せがましく、云った。郵便局のその男、五味《ごみ》一郎はチャーリーより二、三歳齢上《としうえ》の二世である。前身はサンフランシスコの沖仲仕《おきなかし》ユニオンの活動家で、共産党員だったが、ストライキ煽動で検挙されてから転向し、開戦直前、ひそかにロサンゼルスへ移住して、マンザナール収容所に入ったため、殆んどの人は五味のことを知らなかった。その知られていない前身といい、何故か日本語が堪能な点といい、郵便物を秘かに検閲させるには、恰好《かっこう》の人物だった。

「おや、これは何だ」

外部宛郵便物の束の中から、宛先がWRA（戦時転住局）の本部のジョンソン長官になっている封書が出て来た。

「今日は、これをお見せしたくてねぇ」

五味は、薄笑いを滲ませ、一度、開封したらしい封を、器用な手つきでまた開けた。

敬愛するジョンソン長官殿

われわれは、マンザナール収容所の住民を代表して、当収容所における食糧に関する不正事件を、ご報告申し上げます。

当収容所の副所長兼食糧担当部長ブライアン・トーラン氏は、部下と共謀して、貨車でローンパイン駅に着いた食糧をトラックに積み替える際、ブラック・マーケットの業者と結託《けったく》して、肉及び砂糖の荷引きを行い、横流ししている事実を知ることが出来ました。われわれ戦時民間捕虜は、ジュネーヴ協定によって規定されている食糧を摂取し得る権利を保証されているはずにもかかわらず、かかる不正、非道が行なわれている事実に対し、深い憤りをもって、告発します。

アメリカ合衆国の正義の名において、公正なる裁きを得ることを望みます。

一九四二年十一月五日

マンザナール収容所住民一同

一読するなり、チャーリーは告発文を鷲掴《わしづか》みした。

「五味、大手柄だ、こんなものがWRAのジョンソン長官の眼に入った日には、俺たちインフォメーションのメンバーは、即日お払い箱だ、張本人のトーランはもちろん、カミング所長だって、監督不行届で馘《くび》だ、これを出しに来た

野郎はわかっているのか」

「これは私が受付けたものじゃないし、受付けた女の子にもそれとなく聞いてみたのですが、誰も覚えていないようです、それにご覧のようにタイプライターで打った文書なので、誰が書いたかの手がかりもありませんしね」

「だが、この英語の文章の書き方は、日の丸組のプロ・ジャパンとは思えない、帰米二世の奴らの書く英文は、泥くさい日本流だからな」

チャーリーは、手紙の文章を仔細《しさい》に読み返し、告発状を出しかねない連中で、タイプライターを持っていそうな男たちの顔を思いうかべた。ターミナル島出身で、料理組合長の池島努の背後に、参謀役のような男が存在しているに違いない。

「この告発状はともかく俺が預っておく、君の今度の手柄に対する報酬はうんと高く要求してやるから、今後ともよく注意していてくれ、小切手は五日以内に送らせるよ」

と云い、手術回復室を出ると、チャーリーはインフォメーション・セクションの公用車としてあてがわれているジープに乗り、特別通行証を検問所のMPに示し、十二、三マイル北のインディペンデンスの街に向った。カミング所長に知らせるには、大きすぎる情報だった。

夕闇《ゆうやみ》の迫ったUSハイウェイには、車の影は殆んど見当らなかったが、ハイウェイと平行している鉄道の先に、列車のテールランプが見えた。時間的にみて、サクラメント行きの列車だろう。あの列車がインディペンデンスに停車し、駅が混雑する頃には、こちらもすべり込めるだろうと、チャーリーはさらにスピードを上げた。

砂漠の中の町にしては大きいインディペンデンスの駅前に着くと、予想通り、広場には車が並び、灯りの中にさまざまな人々の姿があった。

列車は到着したばかりらしく、ホームや待合室には、再会を喜ぶ握手や歓声が渦まく一方で、見送りや、別離の抱擁を交す悲しげな人々の姿も見える。チャーリーは足をとめた。それこそチャーリーが飢えている自由な人間社会であった。

「お前はジャップか、キャンプに放り込んであるはずなのが、なんでここをうろついている!」

ポリスが、チャーリーの襟《えり》がみを引っ摑んだが、チャーリーはすぐ通行許可証を示し、木造の建物の二階へ駈《か》け上った。

古びた扉をノックすると、中から用心深く開かれ、若い男が、もう一つ奥の部屋へ通した。そこには眼つきの鋭い屈強な体軀の男が、上衣を脱ぎ、ワイシャツにピストルを着装したままの姿で、電話していたが、チャーリーを見るとすぐ切り、

「何があったのだ、幸い今日はいたからいいが、連絡はこっちからすることになっているはずじゃないか」

と咎《とが》めた。男はFBI捜査官で、収容所のカミング所長より大きな権限をもっており、チャーリーは、その時々の内容に応じて、カミング所長とFBI捜査官の双方に、適宜に分けて、情報を知らせていたのだった。

「非常に厄介な問題が発生したのです、収容者たちが、トーラン副所長をWRA本部のジョンソン長官に告発しようとしています、その文書を入手しました」

と云い、封書をさし出した。捜査官は、素早く読み終り、

「各収容所で、こういう噂はよくあるが、ジョンソン長官に直訴《じきそ》というのは、事態が深刻だな、主謀者は誰だ」

「大体の見当はついているんですが、彼らだけで、この文章は書けません、相当、英語力のある者がついていると思います」

「そいつは誰だ」

「一人、気がかりな人物がいますが、何しろ、今しがた入手したばかりの文書ですので、その人物の行動を二十四時間、徹底的に尾行してみませんと……」

「そいつは、もしかすると、もとコミュニストで、君の手先になっているゴミ・イチロウじゃないのか」

チャーリーは一瞬、はっとした。気がかりな人物として チャーリーの頭に浮かんでいるのは、ハワイ出身で第一次世界大戦の時、米軍の兵士として闘い、勲章まで授与されているにもかかわらず、強制収容所へ入れられ、悲憤慷慨《こうがい》のあまり、反米的になっている二世であった。ところが、それではなく、自分が使っているゴミ・イチロウが疑われているのだ。当人がかかわっている文書を、わざわざたれ込むだろうか——。チャーリーは、打ち消しながらも、ねっちりとしたあの転向者ならやりかねない、マークしてみようと思った。

「では、これで帰りますが、次の連絡はどうしますか」

「私はある捜査で動くから、ローンパインの駅電話を使って、ここの駅長に、電話してくれ、それからもう一人の要注意人物、ケーン・アモウは、この告発状のことを知ったら、どう動くと思うか」

チャーリーは、カミング所長の特命事項としてマンザナール収容所の報告書をタイプしていた天羽賢治の姿を思い浮かべた。ちょうど食糧問題の項目にさしかかっていたが、まだ十二、三行しか打っていず、自分に相談を持ちかけてきた様子からすると、迷っているに違いない。

「あなたの指図によって、私が強力にインフォメーション入りをさせた男ですから、ご安心下さい」

引き取るように云うと、

「ロサンゼルスで、アモウを逮捕したのは、君も知っているようにこの私だ、あいつは手強《てごわ》い男だから、友達だからといって手ごころを加えず、眼を離すな」

と命じた。チャーリーは無表情を装って頷いたが、賢治に、FBIの逮捕が迫っていることを報せ、嫌疑を受けそうな書類を焼却させたのは、チャーリー自身であったのだ

った。

「チャーリー、君の日本語放送は、なかなか、評判がいいじゃないか、東京ローズの向うを張って、ニューヨーク・ピンキーと呼ばれて、日本で聞かれているそうだよ」

がらりと語調を変え、犒《ねぎら》うように云った。

チャーリーは、二カ月に一度、極秘裡《ごくひり》に、FBIの監視のもとに、ニューヨークの放送局へ飛行機で飛び、日本向けの謀略放送を行っているのだった。それは万一、収容所内に知れると、ショートウェーヴで、日本の大本営発表を聴いているプロ・ジャパンの連中に殺されてしまいかねない危険な仕事であった。


夜の闇にまぎれて、チャーリーが、収容所に帰り着いた時は、監視塔のサーチライトが、バラックの棟々を不気味に照らしていた。

チャーリーは、ジープを管理本部の横のパーキング広場に停めかけると、ヘッドライトの中に、急ぎ足で通り過ぎる女性の姿がうかんだ。

「ヘーイ、ナギコ!」

スカーフで長い髪を結んだ顔が驚いたように振り返り、返事の代りに手を振った。チャーリーは、パーキングさせるつもりのジープを井本梛子の傍へ横付けし、

「どうしたんだ、こんな遅くに、女一人で危いじゃないか」

最近、収容所内の風紀が乱れ、性犯罪が増えつつあった。

「明日の授業の調べごとで、つい遅くなってしまったの、公用車を使って悪いけど、ルームまで送ってくれない?」

梛子はコートの衿もとをかき合せ、寒そうに華奢《きゃしゃ》な体を縮めた。

「もちろん、OKさ」

チャーリーは手を伸ばし、梛子を横に乗せた。

「教師として熱心なのもいいが、ほどほどにしないと、これからは風邪をひくぞ、カリフォルニア育ちのナギコは寒さを知らないのだから」

ジープをゆっくり走らせながら云った。他の人間には男女を問わず、絶対に見せない気遣いであった。

「あら、私だって広島の寒さは知っているわ」

梛子は、黒い瞳をチャーリーに向けた。

「馬鹿だな、ナギコが広島へ行ったのは八月から十月までじゃないか、広島はそんなに寒くなかったはずだ」

と笑いながらも、期せずして二人とも同じように広島の寒さを思い出したことに、ほのぼのとした心のぬくもりを覚えた。タフであることを自任するチャーリーも、極秘裡の行動で、心身が疲労しきっているのだった。

「ちょっと、ドライヴしようか」

「でも、これ公用車ですもの、目立つわ、人が見たら、どう思うか考えて」

「こんな収容所の中で、人がどう思おうと、いいじゃないか、今日はとても疲れているんだ、つき合ってくれよ」

チャーリーは、ジープを走らせ、迷彩網工場と木材倉庫の間の一角に停めた。そこは、バラックが跡切《とぎ》れ、サーチライトの死角になり、人目につかない場所であった。

「わびしいドライヴね、でもきれいな月夜――」

椰子は、凍ったような砂漠の空に半円形の輪郭を浮かび上がらせている蒼《あお》い月を見上げた。

「月なんか、どうでもいいよ、寒いだろう、温めてやるよ」

チャーリーは、椰子の体をぐいと引き寄せた。冷たい頬であったが、強くおしあてているうちに、温かい頬になり、息が洩れた。項《うなじ》にたてたコートの衿を押し広げかけると、椰子は、チャーリーの手を抑え、それ以上の愛撫を拒んだ。

「どうしてだい」

「こんなところでいやよ、それより広島の話をしましょうよ、私は先祖のお墓参りをかねて、たった三カ月の広島だったけど、あなたは一年近くもいたんでしょう」

「あんな田舎のどこがいいんだ、俺は興味ないよ」

そこに住んでいるであろう母と妹への思いを、ふっきるように云った。

「私には限りない郷愁があるわ、あの優しい山脈《やまなみ》と稲穂の田畑、そして澄みきった秋空に響く秋祭りの太鼓の音、それに厳島《いつくしま》神社の大鳥居の美しさ、あの日本のすばらしさに、どうしてチャーリーは惹《ひ》かれないの」

椰子は大学時代に、初めて観た日本の山河、宮島の厳島神社を瞼に描いた。引き潮の時は、朱塗りの大鳥居が白砂の干潟《ひがた》に高くそそりたち、ひたひたと潮が満ちて来ると、小波《さざなみ》を朱《あか》く染めるように大鳥居が海に浮かびあがる。六世紀末の建立とされ、平清盛が大造営したという社殿も、潮が満ちると、大回廊が海に浮かび、平家の公達《きんだち》や姫君たちのきらびやかな姿をそこに見るような幻想的な美しさであった。

「ナギコ――」

チャーリーの腕が、強引に椰子を抱いた。収容所に入って以来、二人きりになる機会がなく、すれ違っていた気持がチャーリーを昂《たかぶ》らせ大胆にした。

「……チャーリー……」

椰子は、チャーリーの激しい愛撫に、かすかな声をあげると、チャーリーは、重なり合った体を巧みにコートで包みかけた。

「……駄目よ、チャーリー」

あまりの激しさに、椰子は抗《あらが》い、おしのけようとした。

「いいじゃないか、俺たちはもう……」

なおも執拗に、椰子を捉えた。

「待って、人が来るみたい」

椰子は、顔を上げた。チャーリーもきき耳をたてた。倉庫が並んでいるあたりに夜、人が来ることは考えられなか

ったが、固い靴音がして、警邏《けいら》の兵隊らしい。

「見咎められたら、どうするの」

「いいじゃないか、人目を憚《はばか》る仲じゃなし、ランデブーだって、はっきり云ってやるよ」

チャーリーは意に介さないように云ったが、梛子は乱れた服に、きちんとコートを重ねた。

靴音は、ジープの傍まで近付くことなく、手前の角を曲って行き、やがて聞えなくなった。

「奴《やつ》ら、行ってしまったよ」

「よかったわ、もう部屋《ルーム》へ送って」

「もう少しいいじゃないか、俺は、あんな独身バラックに帰るのは、うんざりだ」

チャーリーは滅入るように吐息をつき、

「ナギコ、結婚しよう」

有無を云わさぬように、迫った。大学を卒業して以来、二度目のプロポーズだった。

「ええ、でも……」

梛子は、指先で髪を整え、ほどけたスカーフを結び直した。

「でも、何だ、迷うことなど、もうないじゃないか」

「私は、こんな強制収容所の中で結婚するのは耐えられない、私たち、皮膚の色は黄色くてもアメリカ市民なのよ、それがどうしてこんな収容所の中で、ウエディング・マーチを聞かなければならないの」

知的な眼をきらりと光らせ、憤りをぶつけるように云った。

「二人が結婚するのに、そんな理屈は関係ないだろう、侘《わび》しい結婚式がいやなら、俺のバラックにいる社会福祉部のジョー北川に頼んで、盛大にさせるよ、ウエディング・ドレスだって、エンゲージ・リングだって、出来得る限り、最高のものを手に入れてくる、それなら満足だろう」

「チャーリー、私はそんなことを望んでいるのではないわ」

梛子は、哀しげに首を振った。

「解ってるよ、こんな鉄条網の囲いの中で、新しい人生を出発させるのは不本意なんだろう、俺だって、本心を云えばこんな惨めったらしい檻《おり》の中で、結婚式など挙げたくないよ、俺は夢なんかと縁遠い人間だけど、ナギコとの結婚式だけは俺の生れ育ったハンチントンビーチの由緒《ゆいしょ》ある教会でと思っていたんだ」

夜空を見上げて、しみじみとした声で云った。それはいつもの人を喰《く》ったようなチャーリーではなかった。

「ねえ、戦争が終るまで待って」

「いつ終るか見当もつかない時期など待たなくても、こんな収容所なんか出てやる、俺はそういうことが出来る男なんだ」

自らにも云いきかせるように、チャーリーは強い語調で云いきった。

「そうね、あなたの力量なら——」

椰子は、チャーリーの横顔を見た。人一倍、あたたかいものに飢えながら、傲然《ごうぜん》とわが道を行くチャーリーは、満身に傷を負いながらも、狙った獲物はどこまでも追い詰めて行く野獣のような魅力を持っていた。

「日をきめていいね、ここを出る時だって、結婚していた方が、万事、好都合なんだ」

チャーリーは、さらに強引に話を決めようとした。

「もう少し考えさせて——、両親にも話さなくちゃあ」

「君のナニワブシ・パパは、俺たちの結婚にまだ反対なのだろう」

「そんな云い方はよして、パパはあなたのことがよく解らないだけよ、要は私自身の問題だわ」

「それなら早く返事をしてくれ、待っている、さあ送って行こう」

チャーリーは、エンジンのキーを入れた。

バラックへ帰ると、部屋は暗く、父の大きな鼾《いびき》が部屋中に響いていたが、左隣りからも、幼児のむずかる声が、薄い板壁を通して聞えて来る。

椰子は足音をしのばせ、妹の広子《ひろこ》とベッドを並べた仕切りの中に入って、そっと着替えした。

「姉さん、また学校の調べもの？　それともデイト？」

眠っていたはずの広子が、声をかけた。

「静かに——、パパに見つかったら、叱《しか》られるじゃないの」

「大丈夫、あの鼾からして、今なら火事になったって、起きないわよ」

広子は、くすっと毛布の下で、笑った。

「まあ、パパのことをそんな風に云うもんじゃないわ、早くおやすみなさい」

椰子は早々にベッドに入り、瞼《まぶた》を閉じると、

「姉さん、私の悩みごと、聞いて」

広子が、改めて深刻そうに話しかけてきた。

「どうしたの、一体」

「私、イサムが好きなの」

「イサムって、天羽勇君のこと？」

「そう、だけど彼ったら、同い齢なのに、食堂の前に落ちていたビラがどうとか、プロ・ジャパンの連中は怪しからんとか、そんなことばかりに興味を持って、私のことなど眼中にないの、どうしたらいい？」

思春期の少女らしい悩みを、広子は打ちあけた。

「そんなこと、姉さんにどうしろというの」

「ハイスクールの生徒会で、一緒の委員になれるよう、はからってよ、姉さんは生徒会担当の教師の一人だから、簡単でしょ」

「ヒロコらしくない考え方ね、それにそんなこと深刻に考えるのは早過ぎるわ、おやすみなさい」

椰子はくるりと、妹に背を向けた。広子は冷たいのねと怒った割には、すぐ寝入ってしまった。

可愛い妹――と、椰子は微笑した。それにしても、チャーリーと結婚するとなると、年老いた両親と、このあどけない妹の生活はどうなるのだろうか。チャーリーは、結婚すれば、収容所から出る時も万事、都合がいいと云ったが、肉親を収容所に置いて、チャーリーと行動をともにすることが、出来るだろうか。

椰子はチャーリーとの結婚に再び、躊躇《ちゅうちょ》した。大学を卒業して、はじめてチャーリーからプロポーズされた時は、父や母の辛酸を見て来ただけに、自立出来る仕事を摑むまでという口実でひき延ばしたが、今は他の二世の男たちにはないチャーリーの逞《たくま》しさ、自分に対する強引なまでの愛情に、二十二歳の時より、より一層強く惹かれている。それでいながら、人生を分ち合う相手として考えると、何故か迷いが生じた。

躊躇《ためら》いの一つは、チャーリーが絶対、秘密にしている影の部分であった。今日も、あんな遅い時間に収容所の外からジープで帰って来、心身ともに疲労しきっている様子だったが、仕事の話はしようともしない。彼の仕事にたち入るつもりはないが、心を開いて話し合えない影の部分に、何かダーティなものを感じる。

それが椰子の心にひっかかっていた。

天羽賢治は、いつもより早く、インフォメーション・セクションを出、二ブロックほど来た時、池島努が、ジャンパーのポケットに手を突っ込み、前屈《まえかが》みに歩いて来るのに気付いた。

池島とは、一カ月前、管理本部へ向う途中で出会い、インフォメーション・セクションへ入ることを告げると、見損ったと罵倒《ばとう》し、納得のゆく話をしようという賢治の言葉に耳もかさず、あと味の悪い別れ方をしたきりであった。そして、今度の当局側の食糧横流し事件を糾明《きゅうめい》する先頭にたち、この事件をきっかけにして、一挙に収容所内のプロ・アメリカン（親米派）と対決する気構えであることは、確実であった。それだけに、賢治は、食糧の横流し事件について、池島自身から、直接、話を聞いてみたかった。

「池島君！」

呼びかけると、太平洋の潮風で鍛えあげた逞しい上体をぐっと振り向け、つかつかと賢治に近寄って来た。

「あんた、どんな面《つら》をして、僕を呼び止めたんですかね」

「いきなり、そんな云い方はないだろう」

賢治があきれると、

「白ばっくれもいいとこ、このビラ、あんたは、知らんというのかい」

池島は、ジャンパーのポケットから、一枚のビラを取り出し、突きつけた。

声明書

尊敬するルーズベルト大統領閣下、ハワイの日系二世たちによって、第一〇〇歩兵大隊が編成されましたことは、既に大統領閣下もご承知のことであります。同じ日系二世として、われわれ米本土の二世たちも、アメリカ合衆国への忠誠を証明するための機会を平等に分たれたいと思っております。しかし、不幸にして、今、われわれは、WRAのリロケーション・センターに収容され、その忠誠を証明する機会を与えられておりません。願わくは大統領閣下のご英断によって、われわれもハワイ二世と同じく、合衆国の栄誉ある兵士として、戦場のフロントにたって、果敢に闘うことを切望します

一九四二年十一月二十日

マンザナール・リロケーション・センター

日系二世一同

インフォメーション・セクションで文案を作った声明書であった。

「あんたを見損ったよ、鉄条網と監視塔に囲まれた収容所へ放り込まれながら、よくもこんなもの書けたもんだ！　われわれの仲間は、誰一人としてこんな声明書に署名していない、それを日系二世一同とは、何ごとだ！」

賢治は、言葉に詰った。マイケル城山が草案した段階で、賢治は、一同という語は事実に反するから、日系二世有志と書き、同意者の署名を取るべきだと主張し、そう決定したはずだった。それがもとのままの形で出てしまっている。しかし、同じインフォメーション・セクションの人間として、それを口にすることは出来なかった。

「天羽さん、だんまりですかい、何とか答えて貰いたいものですな、あんたが、チャーリーのバナナ野郎にひっ張られて、インフォメーションに入るからには、何か考えがあってのことかもしれんと、はじめは考えてもみたが、何のことはない、こんなビラ書きに加わっているあんたは、奴らと同じイヌじゃないか」

吐き捨てるように云った途端、それまで黙って聞いていた賢治の顔に憤りが奔《はし》った。

「イヌとはなんだ、言葉を慎しみ給え！　君たちの方こそ、冷静に話し合おうともしない、建設的な意見を出すわけでもない、むやみやたらと血気に逸《はや》り、それじゃあ、まるで日本軍国主義じゃないか」

賢治は、日本の大学での軍事教練で、何かといえば、すぐ学生を殴る配属将校の粗暴さを思いうかべた。

「なに、軍国主義だって？　当局の代弁を勧めているくせに、一人前の口をきくな！」

と云うなり、賢治の横っ面を力まかせにぶん殴った。賢治は、転倒しそうになったが、たち直り、

「人を殴って、気がすむことなのか」

相手の気持を鎮めるように云うと、

「吠《ほ》えるな、イヌ！」

池島の手が伸び、賢治の衿がみをひっ摑んだが、賢治はとっさに逆手にとって締め上げた。鹿児島の『健児の舎』で習得した少林寺拳法《しょうりんじけんぽう》である。池島は一瞬、たじろいだが、締め上げられている衿がみを渾身《こんしん》の力で振り払い、賢治の向う脛《ずね》を蹴り上げた。したたか、蹴り上げられながら、相手と四つに組んだ。組んづ、ほぐれつ、地面に転がり、砂煙がたった。

いつの間にか、人だかりがし、その中に天羽テルが、洗濯ものを抱えて、呆然とたっていたが、賢治は気付かなかった。

「MPが来たぞ！」

誰かが叫んだ。池島と賢治は、ぱっとたち上って、人だかりにまぎれ込むように左右に別れ、MPが来た時は人だかりが散っていた。

「賢治――」

背後で、思いがけない母の声がした。

「母さん、どうしたんだい、洗濯の帰りかい」

何事もなかった振りをし、母の抱えている洗濯ものを自分の手に持った。

「お前、服が泥だらけだよ」

母のテルは、賢治の背中についている泥を落してやった。揃ってバラックへ帰る天羽親子に、人々は白い視線を向けていた。

＊

収容所のハイスクールの体育館で、ブギウギのレコードが鳴り響き、はじめてのダンスパーティが開かれていた。日米開戦から約一年、人々の心が倦《う》み、不穏な空気が漂いはじめたのを、インフォメーション・セクションがいち早く察知し、人心懐柔のためにと、所長に申し出て主催したのが、今日のパーティだった。

いつもは殺風景な板壁や天井に、色とりどりのクレープ・ペーパーが飾られ、シャンデリアを型どった金、銀の束がぶら下っている。

天羽勇は、収容所へ入れられる前まで通っていたルーズベルト・ハイスクールのマーク入りセーターを着、兄の賢治に似た長い足で、早いテンポのブギウギを、ガールフレンドたちとスマートに踊り、妹の春子は、畑中万作の息子のトムからプレゼントされたペーパーフラワーをブラウスの胸もとに飾り、陽気な笑い声をたててステップを踏んでいた。

曲が変り、パートナーが変る度に、歓声や笑いが弾《はじ》けるように起り、二十代、三十代の二世たちも、ハイティーンに負けず、熱狂的に踊りまくっていた。誰もが、いつ終る

ともしれない強制収容所の生活を忘れ、楽しい自由な時間をむさぼるように昂奮していた。

曲がタンゴに変り、ハイティーンたちが一息入れてコーラを飲んでいる間、二、三十代の二世たちがホールの中心を占めた。

「ケーン、見て、あの二人――」

賢治と踊っている妻のエミーが、人々の肩越しに含みのある視線を向けた。そこに、きわだった身装《みなり》をした長身のチャーリー田宮と井本梛子が、楽しげに語らいながら、踊っていた。賢治は二人の姿をちらっと見ただけでターンし、エミーの汗ばんだ体を支えて、踊った。エミーは、舅《しゅうと》、姑《しゅうとめ》と義弟妹との同居生活で、たまりにたまっている欲求不満を一気に吐き出すように、パーティのはじまる前から、オレンジジュースで割ったジンを秘かに飲んで、酔っていた。

レコードの曲が止《と》まり、生《なま》のトランペットが吹き鳴らされた。驚いてその方を見ると、元クラブのバンドマンだった青年が、見事な音の冴《さ》えを轟かせ、ムーンライト・セレナーデを吹きはじめたのだった。人いきれのむんむんする会場に熱狂的な拍手と口笛が湧き上り、暫し聞き入る中で、一組、また一組と踊り出した。

「ケーン、ミセスをお借りしていいかい」

チャーリー田宮が傍に来た。

「いいとも、はじめての試みなのに、盛会でよかったな」

「全く、われわれの思うツボにはまったよ、これで食糧横流しの、アメリカのイヌの、ネコのと、目くじらたてていた不穏な空気は当分、吹っ飛ぶさ」

チャーリーは、満足そうにダンスの輪の中へエミーを誘い出して行った。

エミーは賢治から離れると、ドレスの背中に廻されたチャーリーの粘りつくような掌《てのひら》をひそかに娯《たの》しみながら、

「あなたたち、いいムードだったわ、なぜ、結婚しないの」

梛子とのことを、とろりと酔った眼で聞いた。

「ちゃんともう、約束しているさ」

「おや、そうなの! ウエディング・マーチはいつ奏《かな》でるの」

「まあ、いいじゃないか、それよりエミーはとてもグラマラスだ」

チャーリーも酔っていたが、エミーの内心を見抜くように、さらにぐいとひき寄せ、厚い唇を耳たぶに触れさせながら囁いた。

「チャーリー、あなたこそ、とてもセクシーよ、女が放っておかないはずだわ」

巧みなチャーリーの愛撫に、酔いで気の緩んだエミーは、一児の母親とは思えない大胆さで、豊満な肢体をチャーリーに預け、傍目《はため》にも濃厚な踊り方をした。

「エミー、ますますいいよ、結婚を早まったと思わないか

い……」

チャーリーもまた、露骨にエミーの体を娯しみ、甘い言葉を吹き込みながら、眼は椰子の方を追っていた。

椰子は、賢治と踊っていた。

「久しぶりね、こうして踊るのは」

「うん――、開戦前の十一月に、加州新報のダンスパーティがあった時以来かな」

賢治は、静かにリードしながら、応えた。

「松井社長からは、やはり何の連絡も来ないの？」

賢治の濃い眉のあたりが憂いを帯びた。

「ニューメキシコ州のサンタフェの司法収容所に移されたことは確実なんだ、二度、手紙を出したが、まだ返事が来ない」

「そう――、もしかして検閲にひっかかっているのかもしれないわね」

多くを語らなくとも、曾ての同じ勤務先、加州新報の松井社長の身の上を按《あん》じる気持と、松井との連絡を阻む眼に見えないものに対する憤りが、互いの胸をしめつけた。

いつしか二人だけが周囲から取り残されるように遅いテンポになり、踊りの輪から次第にはずれて行った。

ふと、刺すような視線に、賢治は気付いた。意外な近さに、妻のエミーがしどけない姿で、チャーリーに体をもたせかけながらも、咎めるような眼ざしを向けている。

賢治は、妻から得られないものに、惹き込まれかけた自分にはっとし、踊りの輪の中へ戻りかけようとすると、チャーリーも、エミーをリードしながら、賢治と椰子の傍に近寄って来た。

「ああ、素敵……、チャーリーとならオールナイトで踊り続けたいわ」

エミーは、悩ましげな吐息をつき、聞えよがしに云った。

チャーリーは、エミーの媚態《びたい》を面白がるように、賢治と椰子にウインクして見せた。

ダンスパーティは、時がたつにつれ、乱れはじめ、ハイティーンたちは、見物の一世たちが眉を顰《ひそめ》るほど騒ぎたて、二十代以上の二世たちは、体をぴったり合せ、かすかに体を動かすだけのチークダンスになっていた。

ラストダンスにはまだ、時間が早すぎたが、賢治は、エミーの節度のない姿といい、会場の雰囲気といい、そろそろ閉会にした方がいいと思った。

「チャーリー、ラストダンスにしようじゃないか」

「何を云っているんだ、収容所の夜は長いんだよ」

チャーリーは笑い飛ばすように聞き流し、エミーを賢治に戻しかけると、エミーは、

「まだ、いいじゃないの、私は明日からまた、ケーンのファミリーと暮さなければならないのよ」

チャーリーにしがみついて、離れなかった。賢治はその姿を見苦しいと思う一方、哀れを催し、窓外へ視線を向けた。監視塔から照らすサーチライトの強烈な光が、ガラス

窓を通して、会場を舐めるように照射して行く。若い二世たちの自由というのは、所詮、監視塔のサーチライトの中でしか許されないのか――。

賢治は云いしれぬ虚無感に襲われた。そして、今夜のダンスパーティの催しをインフォメーションのイヌどもの懐柔策だと嘲《あざけ》った池島努たちのグループの顔を思いうかべた。

「ケーン、あまり深く考えない方がいいわ、それとも何か気懸りなことでも？」

椰子が、賢治の心を汲み取るように云った。

「いや、別に――」

賢治は、再び椰子の手を取って踊った。

池島努の部屋の下に掘られた地下壕は、やっと背がたつ高さであった。

バラックの修理用として資材倉庫から持ち出した木材で、十五、六フィート四方の地下壕を作り、禁じられている短波のラジオを据えていた。

ランプの灯りの中には、池島努をはじめ、七人の顔があった。食糧横流し事件を告発した料理人組合の幹部たちで、いずれも二十二、三歳から三十そこそこの二世であった。

互いに声をひそめて話していたが、時々、頭上に池島の母や、来訪者の足音がし、砂粒がぱらぱらと落ちて来ると、沈黙した。池島は太平洋の潮風で灼かれた赤銅色の逞しい顔を光らせ、

「ＷＲＡ（戦時転住局）のジョンソン長官宛《あて》に出した告発書の返事が、いまだにないというのは、どうもおかしい、ワシントンまで届かず、どこかで握《にぎ》り潰《つぶ》されているのかもしれん」

と云うと、一同は重苦しく黙り込んだ。

「僕は、所内の郵便局が怪しいと思う、あそこに、われわれの手紙を当局側に通報したのがいるかもしれん」

「あそこのヘッドは元郵便局員の二世だが、あの実直そのものの人に、スパイ行為などまず考えられない、となると、女二人、男四人のうちの誰かということになるが――」

「あそこにいる女には出来ん、それに、男四人のうち一番齢の若いトミーは、父親がＦＢＩに逮捕され、いまだにノースダコタ州のビスマークの司法収容所に放り込まれているから問題外だ、あと三人のうち、二人は、リトル・トーキョーで、文房具店と薬屋をやっていた男で、素性も家族構成も解っていて、スパイなどやらん、そうなると、残る一人は、しょぼくれた五味一郎とかいう男になるが、どうみても、スパイの柄じゃないな」

と云うと、池島はぽんと手を叩いた。

「それ、そいつだよ、スパイに限って、しょぼくれて人目にたたないようにするもんだよ、そういえば、あの上眼遣いに人を見る眼は、陰険で下卑《げび》ている」

「顔つきできめてしまうのは早計だな、僕は、あの人の顔

は身寄りのない身辺のわびしさから来るものだと思うよ」

　元レストラン経営者だったメンバーが、人の表情を見分けるような云い方をすると、池島は、

「ほう、あの齢で、女房子供もない独り者、どこで何をしていた男なんだい？」

「それが、どうもはっきりしない、噂では、昔、サンフランシスコの沖仲仕をしていたそうだけど、今じゃ、あの通りのしょぼしょぼで、収容所へ入る前は、ロサンゼルスのメキシコ人ばかりの地区に住んでいて、日系人とのつき合いがなかったそうですよ」

「ふうん、ますます以《もっ》て、臭いな、早速、今日からあいつをマークして、正体を突き止めることだ」

　険しい声でそう云った時、

「もうすぐ、大本営発表の時間ですよ」

　と云い、ラジオのダイヤルをグルグル回して合せはじめると、一同はきちんと姿勢を正し、一人だけがニュースをカーボン紙に書き取るために鉄筆を握った。やがて勇ましい軍艦マーチが流れ出し、アナウンサーの日本語が、雑音に遮られながらも聞えて来た。

「大本営発表、帝国海軍部隊はガダルカナル島の敵航空基地を猛攻撃し、大損害を与え、さらに同島の西北方において、敵増援艦隊に遭遇《そうぐう》し、激戦の末、その大部を潰滅《かいめつ》し、南方に敗走せしめたり、現在判明せる戦果は次のごとし、〔撃沈〕巡洋艦八隻、駆逐艦四隻、輸送艦一隻、〔大破〕巡洋艦二隻、駆逐艦三隻、〔飛行機〕撃墜六十三機、撃破十数機……」

　六千マイルの海を隔てた日本から、輝やかしい戦果が聞えて来た。一同の胸に熱くこみ上げ、燃え滾《たぎ》って来るものがあった。この限りない祖国への念《おも》いがあればこそ、アメリカの収容所の中にあっても、日本への忠誠を誓い、その勝利を確信しているのだった。

「万歳！　輝やかしい戦果を祝って乾杯しようじゃないか」

　池島は、地下壕の片隅で密醸造《じょうぞう》している酒の容器をあけ、

「日本の勝利を祝って、乾杯！」

　祝杯を上げると、頭上で足音がした。

「しっ、声が高い――」

　一同、口を閉《と》ざすと、地下壕の上の床をコッ、コッ、コッ、三度、合図のノックの音がした。下から出入口の蓋《ふた》を開けると、第十ブロックの料理長の大野保が、米軍の古い軍服を着た男を連れて、梯子《はしご》を降りて来た。五十そこそこの中肉中背の男だが、眼が異様に光り、特に左眼は義眼らしく不気味に光っている。ハワイ二世のケニー松原であった。第一次世界大戦に米軍兵士として戦い、左眼を失い、殊勲章まで授与された軍曹だが、パールハーバー攻撃の日、敵性外国人としてFBIに逮捕され、米本土の強制収容所送りになって以来、アメリカ合衆国への忠誠心を捨て、百二十%の日本人になってやると決意した熱血漢であった。池

島たちが食糧横流し事件を告発する段階から陰の参謀役となり、告発書の文案を作り、タイプを打ったのだった。

「遅れてすまない、実は夕方、ハワイの家族に手紙を出しに郵便局へ行くと、チャーリー田宮と出くわし、『いいタイプライターをお持ちだそうで、貸して戴けませんか、僕のが故障しましたので』と丁寧に云いおったが、僕をマークしている気配がぴんと来て、OK、いつでもと云ってやった、それで、今夜の地下壕の会合を気取られぬよう、あの連中のダンスパーティが始まるのを待ってやって来たんだ」

「どうして、チャーリーの奴が、あなたがいいタイプライターを持っていることなど知っているんです？」

池島は、訝しげに聞いた。

「所内の売店を通じて、通信販売で外部の品物が買えるようになった時、僕は真っ先にタイプライターを購入したんだよ、それをチャーリーが、どうして知ったかとなると、郵便局内で、われわれの通信物を秘かにチェックしているスパイがいるわけだ、WRA長官宛の告発書も、おそらく、そいつがチェックして、当局に報せ、握り潰されている公算が大だ、同胞が同胞を売るスパイ行為は、最も卑しむべきことだ」

ケニー松原の義眼が、ランプの灯りでぎらりと光った。

「その上、奴らは、大統領宛に、米本土の二世たちも第一線にたって戦いたいなどという声明文を出したり、ダンスパーティを開いて、若い二世たちの不平不満を抑えこもうとしている、奴らは老人から病人、女子供までひっくるめて強制収容された時のあの非道と、屈辱感をもう、忘れてしまっているのか――」

「それにあいつらは、カミング所長以下、食糧横流しの張本人の副所長まで庇《かば》いたて、あげくの果てはFBIとも繋《つな》がっている！　パールハーバーの日、われわれターミナル島の漁師をはじめ、西海岸の日系人のリーダーたちが、一網打尽にFBIに連行されたのは、奴らが前々からFBIに協力して、逮捕リストを作ったからだ」

池島が殺気だつように云うと、ケニー松原は、

「それならこっちも、インフォメーション・セクションのイヌどもを摘発する〝イヌ狩り〟のブラック・リストを作ろう、まずナンバー1は、リーダーのマイケル城山、ナンバー2はチャーリー田宮、ナンバー3はケーン天羽、ナンバー4はロイ三木、ナンバー5は……」

次々に名前を上げ、記して行き、地下壕内は異様な雰囲気に包まれた。ケニー松原は、さらに言葉を継いだ。

「このブラック・リストと別に、デス（死刑）・リストが必要だと思う」

「え？　デス・リスト――」

息を呑む気配がしたが、池島は即座に、

「賛成！　デス・リストは、マイケル城山、チャーリー田宮、ケーン天羽の三名だ」

と告げると、大野保が、

「天羽賢治は、デス・リストから、はずすべきだ」

はっきりと云った。みるみる池島の顔に怒気が漲《みなぎ》った。

「なぜだ、あいつこそ、裏切り者だ、食糧横流しが行われているのに、われわれが人道的な扱いを受けているようなレポートを所長名で書いて、ワシントンへ送っている」

「そんなことまで、どうして解るんだ」

「タイピストのマーサ、彼女は僕の隣りのルームで、お喋りだから、ケーンが所長名の重要書類を扱って、タイピストに打たさず、自分で打っていると話してくれたよ」

「まさか、あんたはこの間、彼と殴り合いしたことを根にもって——」

「俺はそんなけちな男じゃない、それより大野さん、あんたこそ奥さんが、ＦＢＩ監獄で自殺した時、天羽が勇気を持って報道したことへの義理だてをしているのならお笑いだよ、あの頃の天羽賢治と、今の彼とは、もはや別人だ」

「違う、彼は決してイヌに、なり下れる人物ではない、彼がインフォメーション・セクションに入ったのは、彼なりの考えを持っているはずだ、ただ、それを口にしないだけのことだ、彼をデス・リストに入れることは、絶対、反対する！」

一歩も譲らなかった。不意に、バラックの外からも入れる出入口の方から、砂がばらばらと落ちて来た。

軒下の物干しの下に掘った穴には芝生を植え、盥《たらい》を置いている。

「今頃、変だ、誰か盗み聞きしている者がいるんじゃないか」

池島の緊張した声に、一人がするすると梯子をのぼって行ったが、

「君のお母さんが洗濯ものを取り入れるところだった」

拍子抜けした顔で戻って来た。池島は、

「今からダンスパーティへ奇襲をかけ、一挙にイヌ狩りだ！」

ピチッと指を鳴らすと、一同は起《た》ち上り、

「ケニーさん、あんたは参謀役だから表だたず、残って下さい」

と云うなり、表へ駈け出して行った。

ダンスパーティは、終りの時刻に近づいていた。

ライトが半分消され、ラストダンスが近いことが知らされると、参加者たちは友達同士、恋人同士、夫婦という、それぞれのカップルに戻り、あと数曲でラストになる興奮と陶酔にひたりきるように踊り続けた。

そうした人の渦の中を分け、すうっとチャーリー田宮と井本椰子のカップルに近づく人影があった。所内の郵便局で働き、チャーリーの手先になって郵便物をチェックしている五味一郎であった。たとえ人の多いダンスパーティ会場であろうと、五味が自分に近寄るのは危険であった。

チャーリーは、椰子の頬にキスし、

「ナギコ、ダンスパーティの締めくくりをやらなくちゃならんのだ、誰かと踊っていてくれ」

「いいわよ、行ってらっしゃい」

椰子は、何の疑問も持たず、腕を解《ほど》いた。チャーリーは、目だたぬように五味の方へ近付いた。幸い、周りは他人など眼中にないハイティーンばかりだった。

「どうしたんだ、こんなところへ来て」

「池島努を中心にした料理人組合の連中が、ここへ殴り込みに来ますよ、つい今しがた池島の地下壕で密談しているのを、この耳で聞き込んだんです」

「ほんとうに来るのか」

「まず間違いありません、連中に狙われているナンバー・ワンは、あんただから、半殺しの目に遭いかねませんぜ」

低く押し殺した声で、云った。チャーリーは顔色を変えた。腕っ節《からて》には自信があるが、池島たちの帰米二世のグループは空手、柔道、剣道の猛者《もさ》揃いだった。

「よく報《しら》せてくれた、サンキュー」

チャーリーはそう云うなり、踊りの輪の中をかいくぐり、脱兎《だっと》の如く、外へ飛び出した。

それから数分後、入口に異様な叫び声がした。

「止めろ！　祖国日本が一丸となって、戦っている時に、何ちゅうざまだ！」

池島努が、ジャンパー姿で仁王だちになった。その途端、灯りが消えた。池島たちのグループが電線を切ったのだった。

「どいつも、こいつもインフォメーションのイヌどもに骨抜きにされおって！　イヌども、話がある、出て来い！」

暗闇の中で、池島の声がどすを含んで響き渡り、女たちはただならぬ気配に、悲鳴を上げた。

「あんたたち、何しに来たんだ、女性を脅かすのは野蛮だよ」

天羽勇が、間近にいて、抗議した。

「何、女だと？　それが白人かぶれというんだ、祖国日本の女は、出征する兵隊のために千人針を作り、モンペ姿で勤労奉仕してるんだぞ！」

勇に摑みかからんばかりに云い、

「大本営発表では、帝国海軍はガダルカナル島の米航空基地を爆撃し、帝国陸軍はビルマからさらにインドへ進攻し、英軍と激烈な戦闘の上、ボンベイを陥《おと》した、大東亜の日本支配は間もないぞ！」

大声でぶち上げると、

「そんなの全部、嘘だ！　アメリカの新聞やラジオでは、六月のミッドウェー海戦以来、日本は敗け続け、ガダルカナルも陥ちたと伝えている、これこそ正しい報道だ」

勇が云い返すと、周りのハイティーンたちも同調した。

「きさまら、ガキのくせに知ったかぶりをするな！　いくら毛唐《けとう》になりたがっても、きさまらの体の中に流れている

のは日本民族の血なんだぞ！」

「僕らは生れた時から今まで、星条旗に忠誠を誓って育ったアメリカ人だ、戦争だって日本が勝つより、アメリカが勝って貰いたい！」

「アメリカ人が、聞いて呆れる、それなら、なんでこんな風に家畜扱いされ、その上、食糧のピンハネまでされるんだ、ええっ、ホワイト・ジャップ！」

「何を！　そんなに日本がいいなら、こそこそしないで、このマンザナール収容所に日の丸を掲げてみろ、意気地ないのはそっちの方だ」

勇が大声で云い返した途端、がつんと殴打され、床に叩きのめされた。それを潮に、

「やったな！」

「こん畜生……」

そこここに怒声が上り、乱闘になった。

天羽賢治は、暗がりの中で弟の勇の声を聞いた時、エミーの止めるのもきかず、声の方へ走ったが、混乱しきった会場をうまくくぐり抜けることが出来なかった。ようやく勇の姿が見えるところまで来た時、入口と窓に強烈なサーチライトが一斉に照射され、十数名のMPが入って来た。

サーチライトは、乱闘の中心にいる者たちの顔を舐めるように照らし続けたが、一つのサーチライトが賢治の周辺に停まったかと思うと、さらに左右からもライトが重なった。MPの隊長が四、五人を従え、サーチライトの真っただ中にいる賢治の方に進んで来た。だが、賢治に一瞥《いちべつ》もくれず、横を通りすぎた。その方を見ると、床の上にジャンパーの袖をひきちぎられた池島が、鼻と唇から血を流し、荒い息をしていた。

「ツトム・イケジマだな、逮捕する！」

隊長が云うなり、両脇のMPが池島の腕を捻《ね》じ上げて、うしろ手錠をかけた。

「何をする！　放せ！」

池島は猛然と抵抗し、仲間が、体当りで池島を助けにかかったが、屈強な憲兵に蹴散らされ、床に押し倒された。

「待って貰いたい！」

賢治は、隊長の前にたちはだかった。

「私はこのダンスパーティの主催者であるインフォメーションン・セクションのアモウだ、この程度のトラブルで手錠とはどういうことか」

隊長は、じろりと賢治を見、

「ツトム・イケジマの逮捕は、インフォメーション・セクションからの要請だ」

「そんなことは断じてない、インフォメーションのスタッフは皆、ここにいる！」

と云い切ったが、マイケル城山とチャーリー田宮の姿は、いつの間にかいなくなっている。もしやMP隊長の云う通りかもしれないという一抹の疑惑が頭をかすめた。

「天羽、お前の正体を見たぞ！　WRAの本部へ出したわ

れわれの告発状をチェックしたのもやっぱりきさまら、イヌどもだったのか！　ちくしょう！　忘れんぞ！」

池島はうしろ手に手錠をかけられ、MPにピストルをつきつけられたまま、軍用ジープに乗せられ、真っ暗な夜の砂漠の中を護送されて行った。

天羽賢治は、マイケル城山、チャーリー田宮らを前に、激怒していた。

「なぜ、MPが出動し、池島を検挙するという事態になったんだ！　MPに通報したのは誰なんだ！」

日頃、もの静かな賢治が、太い眉をぐいと寄せ、部屋中に響き渡るような声を出した。

「まあ、そう昂奮するなよ、僕らはみなダンスパーティに行っていたから、MPと接触する暇などないじゃないか」

あまりの激しさに、チャーリー田宮は、いささかあわて気味に宥《なだ》めた。

「それなら、MPが会場になだれ込んで来た時、どうして君たちはいなかったんだ！　その上、池島は連行されながら、WRA長官に出した告発書を握り潰され、まんまとハメられたと歯ぎしりしていた、あれは一体、どういうことなんだ」

チャーリーが張本人とは気付かなかったが、賢治はインフォメーション・セクションの中に、当局と深く通じ合い、郵便物のチェックをしている者がいると直感したから、その語調はさらに厳しさを増した。チャーリーは平然としていたが、リーダー格のマイケルは、端正な顔を紅潮させ、

「失敬なことを云うな！　あのダンスパーティのごたごたの際、MPの方へ出て行こうにも、まっ暗な人混みの中で、出られなかっただけじゃないか」

「あんなに強烈なライトが当てられてもか！」

賢治の畳みかける問いに、マイケルが口ごもると、突然、オフィスの扉が大きな音をたてて開いた。

「あんたら、息子を、努を返しておくれや！」

池島努の母であった。白髪《しらが》頭を振り乱し、皺だらけの顔をひき吊《つ》らせながらも、漁師の妻であっただけに、気丈だった。そしてその背後に、同じターミナル島の漁師仲間らしい男が十数人、随いている。マイケル城山はただならぬ様子を感じ取り、

「いきなり返せといわれても、われわれが池島君をどうこうしたわけではありませんからね、今、その有効な対策を考えているところなんです」

歯ぎれの悪い返答をすると、池島の母は欠《か》けた前歯をむき出し、

「たいさくやてぇ、努を当局に売ったのはおまはんらやろ、努は今、どこにおるのや！」

むしゃぶりつかんばかりに云った。マイケルはたじたじとし、

「それを今、調べているのです、何しろＭＰが引っ張って行ったことですから――、当局にかけ合い、極力、行先を探してお知らせしますから、落ち着いて下さい」

「母一人、子一人の息子を引っ張られて、落ち着けとは何ちゅう云い草や、ぐずぐずしてんと、早よ努を探して、返しておくれ！　あの子がどんな悪さをしたというのや、幼《ちい》い時から曲ったことの出来ん子やった！」

老母の瞼に涙が滲んだ。賢治は傍に寄り、

「お母さんの気持は、僕たちも同じです、これからすぐカミング所長のところへ行って、身柄を返して貰《もら》うように申し入れますから、バラックで待っていて下さい」

と云うと、

「あんたやな、この間、道の真ん中で努を殴ったんは」

皺だらけの顔に、憎悪の眼を光らせた。

「あの時は、あんたの母さんが謝りに来て、ええ人やったから堪忍《かんにん》したけど、もし努が今日中に帰って来んかったら、わしは収容所に火ぃつけたる！　うちのとうちゃんは、ターミナル島の漁師やったというだけでＦＢＩに逮捕され、司法収容所たらいうところへぶち込まれて、ショックで、死んでしもうた、この上、また息子の身に何かあったら、わしはもう狂うてしまう」

と叫ぶなり、大声を放って泣いた。

「今日中に池島を、バラックへ返せ！　返さんかったらわしらも黙ってへん」

随いて来た漁師たちも、外で成り行きを見守っている人たちも怒声を上げた。

三時間後、管理本部の所長室で、賢治たちインフォメーション・セクションの主だったメンバーは、池島の身柄返還についてカミング所長と話し合っていた。

「そんな要求には断じて応じられない、騒ぐ住民は放っておけ、ジャップは熱しやすく、さめやすいから、明日になれば、シカタガナイと諦めるにきまっている」

カミング所長は、たかを括《くく》るように拒否した。

「所長、事態はそんなイージーなものではありません、副所長の食糧横流しを告発した池島努が、ＭＰに捕えられたことで、収容者たちの気持に火がついているのです」

賢治が喰い下ると、

「それならその火を消すのが、君たちの仕事だ、大体、今度の事件の直接の原因は、君らが主催したダンスパーティにある、君らが不穏な空気を一掃するためにと申し入れて来たので、私は許可した、だが、何が懐柔策だ！　それどころか、皆、図に乗って、この有様だ！　間違って手綱《たづな》を緩めた君らが、責任をもって締めることだ」

カミングは、厳重に命令した。マイケルは蒼ざめた顔で、

「その点は、私たちのミスで申しわけありません、しかし、住民たちは、ケーンが説明しましたように、池島の身柄の返還を強く要求し、もはやわれわれの力ではどうすること

も出来ません、一時的な鎮静処置だけでも、所長にお願いしたいのです」

と切り出した。

「たとえば、どうしてほしいというのだ」

「実際にはどうあれ、池島を返す声明を出して戴きたいのです、そうすれば住民の現在の昂奮は抑えられるでしょう、時間稼ぎをして、次善の策を考えます」

智恵者らしい案を出した。

「マイケル、それはおかしい、池島君の身柄を収容所へ返し、副所長の食糧横流しの有無を問い糺《ただ》すのが、本筋だ、われわれはそのためにも、この席に副所長のミスター・トーランに同席して貰いたかったのに、拒絶されたのは心外だ」

賢治が、その場しのぎの対応策を批判すると、カミングは、

「君らに、当局の内部のことを言及する権限はない！　しかもトーラン副所長は、全面的に疑惑を否定し、逆に、食糧を胡魔化《ごまか》し不当に溜め込んでいるのは料理人組合の幹部だと反論している、事実、池島のバラックの下には地下壕が掘られ、そこに密造酒のセット、米などが隠されていた、のみならず、厳禁しているショートウェーヴ・ラジオ、ガリ版一式、十一月二十九日から昨日までの大本営発表のコピィまであり、すべて押収した、こんな反動分子を、住民のいいなりになって返還する理由などない」


物証をあげ、ぴしゃりと一同の発言を封じた。

同じ時刻、第十ブロックの食堂で、ケニー松原が熱っぽい弁舌をふるっていた。第一次世界大戦で出征した時の米軍の古ぼけた軍服を着、義眼の左眼を光らせ、拳を振り上げながら、話している。二百二、三十人で満席の食堂に四百名以上が詰めかけていた。

「皆さん、ご承知のように、池島努君は、われわれの食事改善のため、当局側の食糧横流しを敢然と告発し、そのために昨夜、ダンスパーティ会場で逮捕されました、われわれは彼に対する感謝の気持を決して忘れてはなりません、彼は、われわれの誰もが出来なかったことをしてくれたのです。

皆さん、池島努君は犯罪者ではありません、彼は当局の食糧横流しを告発した正義の人であり、勇気ある日本人であります、その彼がインフォメーション・セクションの卑劣なイヌどもに仕かけられた罠《わな》にはまって逮捕され、MPに連行されてしまい今、無事でいるかどうか、その安否さえ気遣われているのです。

皆さん、こんな非道が許されていいものでしょうか、われわれは今や、当局側の暴挙を許すか、池島を救うか、二つに一つの選択を迫られています、今まで通り、屈辱を耐え忍ぶか、誇り高い日本民族の血の団結をもって、このマンザナール収容所に池島を取り戻すために闘うか！」

ケニー松原の言葉は、人々の心を搏《う》った。

最前列に坐っている池島努の母は、ケニー松原の一言、一言に涙を流し、池島とともにダンスパーティに殴り込みをかけた料理人組合のメンバーや、食堂料理長の大野も、そうだ！　そうだ！　と相槌をうち、はじめは物見高いやじ馬も、ケニー松原の日本民族の血、大和魂を鼓舞する演説に惹き入れられていった。

「わしらの犠牲になってくれた青年を見殺しにすることは出来ん、直ちに釈放するよう、当局に要求しよう」

「池島が収容所に戻って来るまで、われわれは、収容所内の仕事は一切、サボタージュしよう！　毛唐の尻を舐めて、屈辱に耐えるのはもうごめんだ！」

同調の声があちこちに湧き上り、女たちも拍手した。

ケニー松原は大きく手を振り、

「皆さん、これから各自のブロックへ帰り、一人でも多くの人に、ことの真相を話し、池島を見殺しにするなと伝えてほしい、そして当局側と交渉する委員を各ブロックから選び、マンザナール収容所の全収容者の声として、当局へぶっつけるのだ！」

「よし、やろう！」

食堂内に鬨《とき》の声が上った。


翌日、収容所の中は朝から不気味なほど静まりかえり、通りには殆んど人影がなかった。

井本椰子は、早目に家を出、所内のハイスクールに向ったが、いつも途中で出会う生徒たちも見かけない。両側のバラックを見ると、窓にシーツや手製のカーテンを張り、時々、その隙間から外を覗く人影がし、異様な気配を孕《はら》んでいる。

昨夜、遅くまで集会を開き、騒いでいた人々がぴたりと静まり、父が朝早くから、どこかへこっそり出かけて行ったことが気になったが、椰子はまっすぐ、学校へ向った。

授業開始の時間になっても、生徒たちは登校して来ず、他の日系人教師たちも姿を見せず、学校内は妙に森閑としている、尋常でない事態が収容所内に確実に起りつつあるようだ。

足音がし、白人の校長が入って来た。椰子と顔を合せると、

「ナギコ、イケジマのことで、何か大変なことが起りそうだ、危いからすぐ帰りなさい」

「でも、今日は生徒たちが楽しみにしていた教科書が届く日ですから」

長く不自由していた教科書が、外部の慈善団体から大量に寄贈されて来る日であった。

「そんなことより早く家へ帰ることだ、私が送ってあげたいが、白人と歩いているというだけでも、危険な気配だ」

「池島事件と学校の授業とは、全く別の問題です、それに

生徒が来て、先生がいなかったら、どうするのです」

と応えていると、ジャケットを着た生徒が二人入って来た。やがて三人、四人と登校して来たが、他の教師は出て来なかった。椰子は全部で二十名ほどの生徒を一室に集めて、授業をはじめた。

突然、荒々しく扉が開き、MPが二人、入って来た、生徒たちは怯えた。

「ミス・ナギコ・イモトは、あなたか」

「そうです、何かご用事ですか」

「住民に集会禁止のビラを配るので、日本語のタイプを至急、うたねばならぬから同行して貰いたい」

「管理本部のタイピストの中には、邦文タイプをうてる人がいます」

「彼女らは、今日はオフィスを休んでいる」

「他にも、何人かいるはずです」

「それらのバラックを探し出すのは、困難だ、あなたに同行願いたい」

MPたちは、一万人の日系人が住み、不気味に静まりかえっているバラックへ行くことを怖《おそ》れ、管理本部近くの学校にいる椰子をあてにしていることが明らかであった。

「お断りします、私は目下、授業中です」

椰子はきっぱりと断り、授業を続けた。

だが、数時間後、日本語でタイプされた集会禁止ビラが、各ブロックに貼り出された。

布　告

一、今後、収容者たちによるすべての集会を禁止する。
一、煽動《せんどう》ビラを作成し、配布することを禁止する。
一、以上の禁止条項を破った者は直ちに逮捕する。

人々はビラの前に群り、騒ぎ出した。

「こんなタイプを云われるままにうった奴を、探し出して叩き殺せ！」

「集会禁止より、池島釈放が先だ！」

「池島を見殺しにするな！」

口々に云い、ビラを引き破った。


夕方になるにつれ、群衆は次第に膨《ふく》れ上り、騒めきが高まって行った。

賢治は、カミング所長に、群衆の代表であるケニー松原と交渉することを勧《すす》めた。マイケル城山とチャーリー田宮は、そんなことをすれば、群衆に舐められ、つけ上らせるだけだと、あくまで反対したが、賢治は強引に押しきった。

「カミング所長、冷静にこの窓の外の群衆を見て下さい、このままでは収拾がつかなくなります、彼らの代表者と話し合いをするべきです」

「ノウ、話し合いの必要などない、これ以上騒げば、実力行使する！」

顔を真っ赤にして怒った。

「しかし、一万人の収容者たちが蜂起した場合、どうするのです、監視塔の機関銃で全員、射殺するとでもおっしゃるのですか、そんなことになれば、アメリカ合衆国は、国際的な非難を浴びます、一刻も早く、交渉の場を持つべきです、事態は重大です」

必死に説得した。カミングはようやく事態の深刻さを悟り、交渉に応じることを納得した。

賢治は直ちにスピーカーで、ケニー松原を呼び出した。ケニー松原は、臆《おく》することなく一人、所長室へ現われた。賢治は、調停役の立場にたち、カミング所長とケニー松原とが向い合った。

「池島努は、無事にいますか」

真っ先に、池島の安否を聞いた。

「無事だ」

「どこの監獄に入れられているのか」

「それは云えない、まず群衆を解散させることだ」

「そのためには、池島の身柄を返して貰いたい」

「ノウ、彼の取調べはまだ終っていない」

「では今晩だけでも、池島をこの収容所へ返してほしい、そうすれば人々の昂奮は、少しは静まるだろう」

「ノウ、そんなことをすれば君たち、ファシストのグループは、池島を逃してしまうに違いない、断じて駄目だ！」

カミングは強く突っ撥ね、交渉は忽ち決裂しかけた。賢治は、間に入った。

「この監視下で池島を逃すことなど不可能なことです、もし逃げたとしても、日本人だと気付かれずにどこまで逃げられるか、どの町に辿《たど》りつくにしても、砂漠の中を何十マイルも行かねばならず、たとえ辿り着いたとしても、待っているのは逮捕だけではないですか、池島の逃亡はあり得ない、ケニー松原の中入れのように今晩だけでも池島の身柄を返すことしか、群衆を静める方法はないと思います」

「ケーン、君は群衆サイドにたって、意見を云うのか！」

カミングは、テーブルを叩いた。

「いいえ、客観的にみて、もはや池島の身柄を返さなければ、一万人の収容者たちの不満と怒りが爆発し、流血の惨を見かねないと、憂慮されるからです」

冷静な声で云うと、ケニー松原は、

「はっきり云って、池島を返してくれるか、十人ばかりの犠牲者を出すか、どちらかしかない」

交渉の止《とど》めを刺した。カミングの顔に狼狽の色が奔《はし》り、

「池島の身柄については、収容所長である私の一存ではいかない、ＦＢＩや軍当局とも話し合わねばならないのだ」

交渉を引き延ばすように云うと、賢治は、

「所長、もはや、流血の惨を回避する方法は一つだけです」

訴えるように云うと、カミングは躊躇《ためら》いながらも、蒼ざめた顔で机の上の電話機を取った。

その夜、午後八時過ぎ、池島努は、手錠をかけられたまま、軍用トラックに乗せられ、十数名のMPに周りをかためられて、マンザナール収容所のゲートを入って来た。

鉄条網の内側で待ち構えていた群衆が、喚声を上げて、軍用トラックに近づきかけると、トラックから飛び降りたMPたちが銃を突きつけて、人垣をつくった。暗がりと人垣で、池島の姿は見えない。

「ほんとに池島か、われわれに顔を見せろ!」

「池島、元気か、答えろ!」

大声で叫ぶと、監視塔のサーチライトが、MPに囲まれた池島の顔を照らした。眩ゆいライトの中に憔悴《しょうすい》し、紫色の打撲傷が残っている池島の顔が一瞬、浮かび上った。

「池島、仲間が迎えに来ているぞ! おっかさんも来てるぞォ!」

「努! おっかさんだよ、しっかりしな!」

池島の母親が気丈に叫ぶと、わっと声にならないどよめきがたち、MPと共にバラックの方へ歩いて来ると思われた池島の体が突如、くるりと方向を変えた。何事が起ったのか、群衆があっ気に取られている間に、池島の身柄はMPに取り囲まれたまま、管理本部の横の営倉へ監禁されてしまった。

「畜生! 騙《だま》しやがったな、池島を返せ!」

「約束が違う、池島を家へ返せ!」

返せ、返せと叫ぶ群衆が、怒濤《どとう》のように営倉の方へ押し寄せ、営倉を遠巻きにした。

時間がたつにつれ、群衆は寒さと緊張のためにじっとしていられず、あちこちで足踏みをしたり、焚火《たきび》をたいたりし出した。

「畜生! 帰すと云うて、騙し討ちにして! ケニー松原も、所長室で逮捕されてやせんじゃろか」

「交渉に行った人間を捕まえるなど許せん! 見に行こうか」

口々に、云った。第十ブロックの料理長の大野は年長者らしく、

「そんなことをしたら、MPを刺激し、かえって松原さんに迷惑がかかる、もう少し待つのだ」

と制したが、身の丈を越す大きな炎がめらめらと燃えたち、ぱちぱちと火の粉がはぜると、若者たちの激昂は、抑えようがなかった。

「こんなことになったのも、もとはといえば、インフォメーションのイヌどものせいだ」

「そうだ、いまだに交渉がまとまらず、池島が寒い営倉にぶち込まれたままというのは許せん! 今からイヌ狩りをし、連中を人質に取って、ケニー松原の交渉をバック・アップしようじゃないか」

「そいつはいい、人質にとる奴は昨日、地下壕で作ったデ

ス・リストにあがっているマイケル城山、チャーリー田宮、ケーン天羽の三人だ、ブラック・リストの奴も、うろうろしていたら引っ張って来るのだ！」

「よし、皆、手分けして復讐戦《ふくしゅう》だ！」

憎悪を剝《む》き出しにし、焚火の中からひき出した棒切れを地面に叩きつけて火を消すと、それを持って四方に散って行ったが、大野はもう止めなかった。


チャーリー田宮は誰もいない共同浴室で、シャワーを浴びていた。三十人が使えるシャワー室に一人では寒かったから、五、六箇のシャワーを全開にし、湯煙に包まれて、体を洗った。鋼《はがね》のように強靭なチャーリーの筋肉は、降りそそぐ湯を小気味よいほどよく弾《はじ》いた。

正面ゲート近くの広場から、遠いこの共同浴室までは、群衆の騒ぎも聞えて来ない。あの馬鹿者どもが！　とチャーリーは、口に入った湯を、ぺっと吐き出し、嘲笑した。プロ・ジャパンの連中がいくら騒ごうが、マンザナール収容所の事態は、すでに西部沿岸地区防衛司令官のデヴィッド中将のもとに知らされ、いつでも鎮圧出来る軍隊が、ローンパインの駅に待機しているのだった。それを知っているのは、カミング所長ら数人の幹部以外には、ＦＢＩと繫《つな》がりを持っているチャーリーだけだった。

それにしても、昨日のダンスパーティで、池島一人を逮捕したのは、判官《ほうがん》びいきに走る日本人の性格を知らなさすぎた。ケニー松原も、料理人組合の帰米二世らも一網打尽にしておけば、事態はここまでこじれなかったのだ。この俺の提案した通りの一斉検挙をやらなかったからだ——、チャーリーはそう毒づき、シャワーを止めようとした時、頭上の換気口のあたりから、

「やはり、おるぞ、シャワーの音がする」

「しかし、一人じゃなさそうだ、どうする」

シャワーは全開のままで、外の声は明瞭に聞えなかったが、プロ・ジャパンの連中の殺気だった様子が、手に取るように感じ取れた。しまったと思うと同時に、袋叩きはおろか、殺されるかもしれないという恐怖に襲われた。逃げようにも出入口は塞《ふさ》がれているにちがいない。

チャーリーは、シャワーをそのまま全開にしておき、バスローブに手を通すと、爪先《つまさき》だって出口の扉に体を寄せた。一枚の扉を隔てて、複数の男がおし入るチャンスを狙っている気配が、はっきり伝ってくる。チャーリーは、肚《はら》をきめるや、自分の方からぱっと扉を開け、二人の男の顎《あご》や腹に強烈なパンチを喰わせると、暗闇の中を病院目がけてまっしぐらに駈け抜けた。

一キロ程の道を、心臓も破れんばかりに疾走した。あんな奴らに殺されてたまるかという一念だった。

病院の裏手に廻り、チャーリーは解剖室に駈け込んだ。誰もいないと思っていた解剖室に、天羽乙七とジョー北

川がいて、死人に装束《しょうぞく》を着せているところだった。

「チャーリー……ど、どうしたんですか」

ジョーは、驚愕のあまり、死人の片足を取り落した。バスローブに裸足、濡《ぬ》れた髪から雫《しずく》を滴《したた》らせた凄じい形相のチャーリーに胆《きも》を潰した。

「プロ・ジャパンの連中に追われている、匿《かくま》ってくれ」

「じゃあ、この棺桶の中に——」

死人が入っていた棺桶を指した。

「そんなところはすぐバレる、あそこがいい」

「えっ、死体を入れるアイスボックスに——」

ジョーは啞然《あぜん》とし、

「さすがチャーリーさんと云いたいけど、駄目です」

「なぜだ、全部、満員なのか」

「いえ、そんな濡れた体で入ったら忽《たちま》ち冷凍になり、あの世行きですよ」

「電源を切って、アイスボックスの引き出しを開けておけ、奴らがここまで追いかけて来る気配がしたらすぐ入る、天羽さん、頼みますよ」

チャーリーは、自分の姿を一瞥《いちべつ》しただけで、黙々と死人のネクタイを結んでいる天羽乙七に声をかけた。乙七は、チャーリーの声が聞えなかったように、ネクタイの次に、スーツのボタンをかけはじめた。

アイスボックスの電源を切り、外の様子を窺《うかが》っていたジョーは、

「来ますよ、早く……」

と合図し、チャーリーがアイスボックスの引き出しに入ると、すぐ閉《し》めた。

解剖室の扉が開かれたが、ジョーは何事もなかったように乙七と向い合い、死人の足を持ち上げて、ズボンを履かせにかかった。

闖入《ちんにゅう》して来た二、三人の男たちは、その光景に足を止めた。

「困りますね、ここは立入禁止ですよ」

ジョーは、緊張のあまり、膝頭《ひざがしら》を震わせていたが、平静を装って云った。

「チャーリーが来ただろう、あいつの隠れそうな場所だし、お前はチャーリーの腰ぎんちゃくだしな」

「知りませんよ、ともかく出て行って下さい、仏さんにご無礼です」

ジョーはそう云い、震える手で持ち上げた死人の足をステンレスの台に落した。

ウワァーン、ウワァーン……、不気味な音が、四方の壁に響《ひび》いた。男たちはぶるっと、後ずさりしたが、一人が棺桶に目をつけ、ずかずかと寄って来、それが、空《から》と知ると、アイスボックスに目をとめた。

「この中だろう、おい、天羽賢治のお父《とう》つぁんよ、お前、開けてみせろ！」

大声で、命じた。乙七はゆっくり顔を上げ、

「仏さんが寝てござるが、確めたいなら、おはんらでやればよかろう」

あとは何を云われても口を閉し、最後の仕上げに、死人の薄い頭髪を撫でるように丁寧に櫛を入れはじめた。男たちは気味悪げに、

「冷凍になるアイスボックスに、隠れるはずはない、ともかく他を探そう」

と云い、蒼惶《そうこう》と出て行った。


群衆と兵隊の間は、依然として膠着《こうちゃく》状態が続いていたが、管理本部の所長室では、憲兵隊長が、ケニー松原を詰問していた。

「池島の身柄は約束通り郡監獄から収容所へ返した、それでも群衆が解散しないのは何故だ、お前たちが煽動しているからだろう」

猜疑心をむき出しにして、きめつけた。

「当局側は、約束を履行していない、池島は正当な要求をして、逮捕されたのだ、その身柄を営倉から釈放して彼の家へ帰さない限り、群衆は去るどころか、ますます数を増すだろう」

ケニー松原は、臆《おく》せずに答えた。

「池島の行為が正当か、否かは、裁判で黒白《こくびゃく》をつけることだ、お前たちのほんとうの狙いは、パールハーバー一周年を記念し、反米感情を煽ろうというのだろう」

「それは全くの誤解だ」

同席していた天羽賢治が、言葉を挟んだ。

「群衆の要求はあくまで池島釈放にあると思います、この事態を読み間違えると、収拾のつかないことになるでしょう」

と云うと、憲兵隊長は、

「それは脅しか、私がやって来たのは、西部沿岸地区防衛司令官のデヴィッド中将の指示によるものだ、十一万七千人の日系人を収容したキャンプで万一、暴動が起り、流血騒ぎが起った場合、アメリカ合衆国は、収容所の在り方について、世界各国から指弾されるだろう、同時に、合衆国内の七州十カ所にある日系人収容所に動揺を与えて、連鎖反応を起すことになれば由々《ゆゆ》しい事態になる、直ちに解散しろ」

高圧的に命令した時、窓の外から群衆の歌声が聞えて来た。日本の国歌であった。

君が代は　千代に八千代に
さざれ石の巌《いわお》となりて……

澎湃《ほうはい》として湧《わ》き上る群衆の歌声は、夜空を貫き、人々の心を鼓舞するように響き渡った。

「君が代を歌うことを止めさせろ！　中止せよ」

「日本人が、日本の国歌を歌うことが、なぜ悪いのか、正当な理由なくして禁止できない」

　ケニー松原は、決然と云った。憲兵隊長は表情を険《けわ》しくして、

「今ここに増援されている兵隊は、たまたま、ガダルカナルで日本軍と闘って来た兵隊が多いから、彼らは君が代と万歳を一番怖《おそ》れている、最悪の事態を招く危険がある」

　と云うなり、たち上って窓の下を指した。営倉の周りに土嚢を積み、小型軽機関銃、ショットガン、ライフルなどの武器を持った兵隊が二百人近く配置され、

「パールハーバーを忘れるな、ガダルカナルを忘れるな！」

　口々に叫ぶ声が聞える。

「これは、一体どういうことなんだ！」

　ケニー松原は、憲兵隊長に迫った。

「群衆を解散させなければ、武力で鎮《しず》める場合もあるということだ、その時は、ケニー松原、お前も逮捕する」

「カミング所長、あなたは収容所の責任者として、こんな状態を許していいのですか！」

　賢治は、たまりかねて云った。カミング所長は顔面蒼白で、

「もはや、収容所の管理は、軍の手に移っている」

　と応えた。憲兵隊長は起ち上り、

「群衆の数は二千人ほどに膨れ上っている、これ以上待てない、即刻解散させろ！」

　と云い放った。

「ケニー、残念だが、今は流血の惨を避けることが第一です」

「うむ、群衆を鎮めよう、交渉はそれからだ」

　賢治とケニー松原は、群衆に向って駈け出した。

　既に夜の九時に近かったが、二千人の群衆は、機関銃まで持ち込んだ兵隊に対し、怒り狂っていた。

　人波の中で、ケニー松原とはぐれた賢治は、最前列に出るために必死に人をかき分けていた。群衆が武器を構えた兵隊に挑発されることだけは、何としても避けねばならない。

　ようやく最前列まで来た時、空《から》の小型トラックが、営倉をかためている兵隊に向って、押し出された。正門に向って緩い勾配《こうばい》になっている地面を無人トラックが、ガタガタと走って行った。群衆は喚声を上げ、百メートルほど前方の兵隊たちの間に動揺が起ったかと思うと、トラック目がけて、ライフルを撃った。忽ちトラックは横転し、ガソリンに引火して燃え上った。

「やりやがったな！」

　トラックの炎上が、群衆の怒りに油を注《そそ》ぎ、後方の群衆は事態が解らないだけに一層、いきりたった。

「止《や》めるんだ、兵隊に挑発されるな！」

　賢治は、じりじりと前進して来る群衆に向って叫んだが、

声はかき消され、体も人波に呑《の》み込まれてしまった。

ケニー松原は、賢治の声を聞き、振り返ろうとしたが、うしろから来る人の力に押されて、どうすることも出来ない。ケニー松原もまた、昂奮しきった二千人の群衆を制止することは出来なかった。

営倉を取り巻く兵隊との距離は、五十メートル、三十メートルと、次第に縮まって行く。後方から小石が投げられ、焚火の棒切れが火の粉を散らして飛んで来る。

監視塔のサーチライトが、めまぐるしく交錯し、営倉を守る兵隊たちの顔が照らし出された。まだ二十歳そこその兵隊たちは、ガダルカナルの激戦を思い出すかのように顔をひき吊《つ》らせ、銃を持つ手がわなわなと震えているのが、はっきり見て取れた。それが最前列にたつ若者たちを勢いづけた。

不意に、催涙弾が投げつけられた。白い煙がたちのぼり、ケニー松原は強烈な匂《にお》いに鼻を衝《つ》かれ、涙を噴き出し、咳《せき》こみながら、後《あと》ずさりしたが、二千人のうねるような力で、前へ前へと押し出された。

「止まれ！　撃つぞ！」

憲兵隊長の顔が、サーチライトの中に浮かんだ。ちくしょうめ！　ケニーは歯ぎしりし、

「逃げろ、ほんとうに撃たれるぞ！」

咽喉が破れんばかりに大声で叫び、うしろを向いて、群衆を制し、一旦、潮が退《ひ》くようにうしろへ引き退りかけた時、
ダッダッダッダッ……

機関銃やショットガンが、一斉に火を噴いた。忽ち恐怖と悲鳴の声が渦巻き、群衆の列が四分五裂になり、地面に転び、這《は》い、争って逃げようとする背中に、銃弾を浴びせかけた。

「武器を持たぬ者を撃つのか、殺人は止《や》めろ！」

ケニー松原は、意外な近さのところにいる憲兵隊長に迫ろうとすると、足もとに弾がはじけた。思わず、体を翻して逃げかけた時、下半身に灼けるような激痛が貫き、意識を失った。

「おい、ケニー、しっかりしろ」

一瞬、薄れかけた意識が戻り、大野がケニーを背負って逃げようとした途端、大野も倒れた。

ダッダッダッダッ……

銃声が耳を劈《つんざ》き、サーチライトが逃げまどう群衆を照らし、なおも容赦なく撃って来た。賢治は、体を地面に伏せた。その瞬間、頭上を弾がかすめ、すぐ横で、体をまるめた少年が、蜂の巣のように撃ち抜かれ、血に染った。

「少年が撃たれたぞ！」

周りの人波がどっと崩れた。人が倒れ、踏んづけられ、呻き、逃げまどい、混乱した。

銃弾と催涙弾の中をくぐって、群衆はようやく、ちりぢりに逃げ去ったが、白い硝煙がたち籠める地面に、多くの

人間が血を流していた。

ようやく銃声がやみ、悲鳴が消えると、夜の闇の中にけたたましい救急車のサイレンが鳴り響き、赤いランプが幾つもの光の線を描いて、収容所の奥にある病院へ向った。

小さな病院は、二十人、三十人とふくれ上る負傷者で廊下まで一杯となり、砂まみれの引き裂けた上衣や、血に染ったズボンのまま、呻いていた。

十七歳の少年の即死が、急を聞いて駈けつけた負傷者の家族の気持を昂らせ、切羽《せっぱ》詰《つま》ったものにしていた。

「あんた、しっかりして！」

「兄ちゃん、死んだらいけん」

家族は狂気のように取りすがり、医者や看護婦を求めた。すべての医者、看護婦に非常召集がかけられていたが、手が廻りきらなかった。

賢治は、ごった返している人の間を縫い、催涙弾で真っ赤に充血した眼で、ケニー松原を探していた。次々と運び込まれる負傷者の中にも、ケニー松原の姿は見当らない。第一次大戦で武勲をたてた彼のことだから、うまく群衆の混乱から脱出し、バラックで手当てをしているのかもしれないと思い踵を返しかけると、二人の息子に抱えられた大野保の姿が見えた。

「大野さん、大丈夫ですか」

「大丈夫、足をやられただけだ、それよりケニーに付き添ってやってくれ、私は息子たちがいるから」

ハワイから米本土の収容所へ単身で送られて来ているケニー松原の身を按じた。

「ケニーは、どこをやられたんです」

「途中ではぐれたんだが、相当、深傷《ふかで》だった、早く行ってやってくれ」

大野は促した。賢治は、負傷者の間をかき分けて、急いだ。

赤ランプが点いている手術室の前まで来ると、ちょうどケニー松原を乗せた移送車《ストレッチャー》が手術室へ運び込まれようとしていた。

「ケニー！　解りますか、天羽です」

耳もとに口を近づけると、服を血に染めたケニーは、片腕をだらりと下げて、苦しげに息を切らせながら、

「犠牲者は？」

薄く眼を開け、聞いた。

「まだはっきりしたことは解りませんが、即死者一名と負傷者二、三十名ぐらい」

「即死者の名前は？」

「十七歳の大沢守《まもる》少年です、私のすぐ横で——まさか武器を持たない群衆に、軍隊が発砲するなど考えられないことだ」

「池島君の身柄は、どうなった……事態を収拾して、早く彼を釈放してやってくれ……」

唇が紫色に変って来た。

「それ以上、喋っちゃいかん！」

振り向くと、元ロサンゼルス郡立病院《カウンティ・ホスピタル》の外科医の内藤ドクターであった。手術衣と帽子をつけて、移送車を運び込むように命じた。

「先生、助かりますか」

「重体だから、血圧と呼吸を維持してからでないと、手術は出来ない、すぐ輸血を行う」

手術室の扉が、閉《し》められた。賢治は、じっと廊下で待った。

不意に、賢治の横を慌しく駈けぬけて行く人影があった。ジャンパーの衿をたて、防寒帽を目深《まぶか》にかぶっていたが、チャーリーであることはすぐわかった。

「おい、チャーリー」

呼び止めると、ぎくっとして振り返り、

「何をぐずぐずしているんだ、早く行こう」

「どこへ行くんだ」

チャーリーは、賢治を廊下の暗がりに手招きした。

「インフォメーション・セクションのメンバーは、当局の計らいで、収容所外の安全な場所に保護されることになった、このままではデス・リストを持った気狂いどもに殺されてしまう、現に、マイケルは半殺しの目に遭い、俺ももう少しでやられるところだった、マイケルも、ダンも皆、病院の裏口に集っている、救急車に乗って、秘かに脱出するんだ、君も一緒に逃げろ」

「だが、こんなに犠牲者が出ているし、ケニー松原は、生死の瀬戸際なんだ」

「それはあいつが悪いんだ、ここでもし、あいつが死んだら、君に憎しみが集まり、よけいに危険だぜ」

「仕方がない――、インフォメーションの力が足りなかったことに責任を感じている」

「そんなこと云ってる場合じゃないぜ、一緒に来ないと、後悔するぞ」

チャーリーは、急《せ》かせた。

「いや、俺は残る――」

「じゃあ、せいぜい、命を大事にしろよ」

捨台詞《すてぜりふ》のように云い、一目散に病院の裏口へ駈けて行った。やがてマイケルやチャーリーをはじめ、インフォメーション・セクションの主だったメンバーを乗せた救急車が、サイレンの音を鳴らして走り去って行った。賢治は、それを窓ガラス越しに見送った。

看護婦が、賢治の名を呼び、すぐ手術室へ入るように告げた。

無影燈《むえいとう》の煌《こう》々とした光に照らされた手術室の中は、手術台の他に、負傷者を乗せた移送車が何台も列び、内藤ドクターが、インターンのダニエル長谷《はせ》と、五人の看護婦を使って、次々と応急処置にあたっている。負傷者の呻き声や器具の金属音、緊迫した人の動きで、野戦病院のような凄

じさであった。

賢治は、ケニー松原のそばにつき添った。輸血が行われているが、依然として血の気はなく、呼吸が次第に苦しげになっている。内藤ドクターは、血圧計を見た。血圧はどんどん下り、六十を割り、脈搏が結滞しはじめた。

「先生、何の術《て》もないのですか、このままでは酷《こく》です」

「だが、こんな時、手術することは、殺してしまうようなものだ」

厳しい表情で首を振った。遂にケニー松原の心臓は停まった。

その眼は、もはや開かれない。第一次世界大戦に、アメリカ陸軍の兵士として、戦場の弾をくぐって生き残ったハワイ二世の彼が、アメリカ兵の銃弾を受けて生命を失おうとは——。アメリカの市民権を持つ二世であろうと、ヨーロッパ戦線で合衆国のために戦おうと、所詮《しょせん》、ジャップはジャップであるのだ。それなればこそ、憲兵隊長は、逃げまどう群衆のうしろから発砲することを止めなかったのだ。賢治の胸に、ふつふつと憤《いきどお》りがこみ上げて来た。

二世である内藤ドクターも、同じ思いらしく、ロイド眼鏡の下からきっとした眼《まな》ざしを、賢治に向けた。

「天羽君、君は元新聞記者だ、今夜の事件を、誰よりも正確に見、知り、いつの日か、君のペンによって明らかにすべきだ、それが犠牲者に対するせめてもの供養であり、生き残った者の義務だと思う、私は医師として解剖を行い、銃弾を何発、どのように浴び、死に至ったかの詳細な記録をとどめる、ケニー松原の解剖は、今夜行う、君も立ち合っていいよ」

内藤ドクターの言葉の中に、銃弾を背後から浴びせかけた者に対する押さえきれない怒りが籠《こも》っていた。

天羽賢治は、解剖室へ入った。よほどの変死体でもない限りは、殆んど使われることがなく普段は、乙七らの働く死体管理室になっていたが、今、内藤ドクターやインターンのダニエル長谷、そして内科のドクターも集まり、ケニー松原の解剖に立ち合っていた。

血に染った衣服をすべて取り去り、清拭《せいしき》された遺体を、内藤ドクターはまず正面から外表《がいひょう》検査した。

顔面や手足に多くの擦過傷《さっかしょう》があるのは、兵隊が発砲した際、逃げまどう人々に揉まれ、自らも射たれて地面にころがり、踏みつけられたのにちがいない。右の耳たぶに火傷があるのは、弾が耳をかすめて飛んで行った時のこげ目であり、左足関節がぶらりと曲っているのは骨折しているためであった。

ケニー松原を血染めにした銃創は、胸部と腹部にあった。左胸下部が赤く、その一部に小さな突起が見られる。腹部から大腿部のつけ根にかけては、菊花状に肉片が飛び出した直径三、四ミリの貫通創が四個ある。

死体がうしろ向きにされた。背骨より左、胸廓《きょうかく》背後に当

る位置に一個、腰部に十六個、いずれも周辺に楕円形の窪みを持った銃創が認められた。ことに腰部に蜂の巣のように集中的に射ち込まれているのは、無惨であった。

内藤ドクターは、銃創の一つ一つを仔細《しさい》に見、

「死体前面、後面とも、すべて散弾銃独特の射入口《しゃにゅうこう》であり、射出口だ、しかも三、四メートルの近距離から撃たれている」

外表検査の所見を述べ、傍らで内科医が、剖検記録を記述していった。

射入口が背面で、射出口が前面ということは、ケニー松原が背後から撃たれたことの明らかな証拠であった。

賢治は解剖の様子と、内藤ドクターの言葉を、新聞記者の冷静な眼と耳で克明にメモし続けていた。

外表検査が終ると、内景検査《ないけいけんさ》に移った。

内藤ドクターは、左右の鎖骨下に解剖刀を入れ、胸部中央から下腹部恥骨上際に向ってY字形に切開した。左右に開いた体腔《たいくう》から一筋、どろりとした血が流れ出た。腹腔《ふっくう》内に溜っていた血であった。ダニエル長谷がその血を容器に受けた。

「弾の破片が混っているかもしれないから、血液は篩《ふるい》にかけてくれ」

内藤ドクターの指示に従い、ダニエルは、ガーゼを臨時の篩に使い、別の容器に移し変えると、赤く染ったガーゼに一ミリほどの鉛の破片が残った。銃殺死体の解剖に慣れていない立ち合いの医師たちは、内藤ドクターの緻密《ちみつ》さに、驚きの視線を向けた。

剖検は、まず胸腔からはじめられた。肋骨の上の胸鎖関節《きょうさかんせつ》に走っている血管が切れ、銀色に丸く光るものが見えた。内藤ドクターは、ゴム手袋をはめた指先で慎重に摘出した。一部欠けていたが、直径四・五ミリ程の散弾であった。解剖前の外表検査で、ケニー松原の左胸下部にあった小さな突起は、撃たれた弾が心臓、肺臓を突き破り、肋骨の間隙を飛び出し、皮膚一枚のところでかろうじて止まったものであった。弾の射入から射出までの射創管を検索するための剖検は、肋軟骨を切断する作業から進められた。

肋骨鋏《ばさみ》を入れ、ポキッ、ポキッと切り取られて行く。賢治にとって、耳を塞ぎたい音だが、後日のためにしっかりと聴き止めておかねばならぬ音であった。

左肺下葉《かよう》、心嚢《しんのう》にも血の塊がべったりと付着し、小鉗子《かんし》をそっとかけておし開くと、射入口からやや左の角度を持って、心臓、肺を射ち抜き、皮膚一枚のところで止まった弾の射創経路が、見てとれた。約四ミリの小さな穴であったが、ケニー松原を、短時間に死に至らしめた盲管《もうかん》銃創だった。

心嚢から心臓を取り出し、さらに心臓各室を切開して、血管、弁膜の損傷を記録にとどめ、肺臓の検索を終了すると、蜂の巣のように集中的に弾が撃ち込まれている腹腔の剖検に入った。

肝臓、脾臓、腎臓と、腹腔内の臓器を取り出し、ダニエルに手伝わせてどんな小さな弾の破片でも見逃がさないように開いていった。腰部に集中的にあった射入口は十六個、体内を貫通し、腹部から出て行った射出口は四個であったから、腹腔内に残存している弾は十二個のはずであった。

「ひどい、全くひどいやられ方だ——」

若いダニエルは十二指腸から二つ、三つと弾を取り出しながら、呻いた。内藤ドクターも長い小腸をたぐり出し、一メートルずつ切断し、柔らかいゴム管をしごくような手つきで小腸をしごき、固いものに触れると切開し、弾を取り出した。

腹腔剖検で計九個の弾が、摘出された。

「おかしいですね、あとの三発はどこへ行ったのだろう」

記録を取っていた内科医が、首をかしげた。

「三大体腔の頭、胸、腹のうち、まだ頭が残っている、結論を急いではいけない」

内藤ドクターはそう云い、頭頂部と左右の耳の上を結合する直線に解剖刀を入れ、頭皮を前後にめくった。ケニーの顔が毛髪ごと前面頭皮に掩《おお》われ、蠟黄《ろうおう》色の頭蓋骨が剝き出しになったが、損傷箇所は見当らず、頭蓋内の検査に進んだ。

頭蓋骨切断用鋸《のこぎり》で、眼窩《がんか》の一横指上《おうし》を水平輪《すいへいわ》状に切り進むと、ギシッ、ギシッという不気味な音がし、摩擦熱で骨が焦《こ》げ、嘔吐しそうな匂いがたちのぼった。

頭蓋をはずし、脳膜、脳漿《のうしょう》、そして頭蓋底と入念な検索が行われたが、損傷はなく、脳出血、脳梗塞の所見もなかった。

三大体腔の剖検により、ケニー松原の死は、外因死であることが明確に証明された。しかし、残る三個の弾の所在は依然として、不明であった。

「一体、どこへ消えたのでしょう」

「この死体に必ず残っている、以前、カリフォルニア大学の法医学教授から聞いた話だが、頭に撃ち込まれたピストルの弾が、脊椎《せきつい》の内の脊髄腔《せきずいくう》を下り、仙骨《せんこつ》部から発見されたという例がある」

「頭から入った弾が、そんな下の骨盤近くまで行くなど、まさか……」

ダニエルは、信じ難そうに云った。

「銃弾は、固いものに当ると、全く思いもかけない方向へ進展して行くことがある、三個の弾はもしかして前立腺や、骨盤腔に入っているかもしれないし、結腸の糞の中へすっぽり埋もれているかもしれん、しかし何時間かかろうと、徹底的に検索し、どんな小さな破片でも見つけ、死の因果関係を完璧に立証するのだ」

内藤ドクターには、武器を持たぬ収容者を撃ったアメリカ側の非道を、解剖所見という動かぬ事実をもって弾劾《だんがい》する強い意志が漲《みなぎ》っていた。

賢治のペンにも、一段と力がこもった。

翌々日の午後になり、病院内はようやく平静を取り戻した。重傷者は回復室に、軽傷者は一般病室に収容されたが、一名は出血多量で意識不明のまま、ロサンゼルスの郡立《カウンティ》病院《ホスピタル》へ送られた。

賢治は、一般病室に収容されている大野保を見舞いに行った。大野は、左大腿部に三発の散弾を受けたが、運よくすべて摘出され、生気を取り戻していた。

「ケニーの死体は、解剖後もまだアイスボックスの中というのは、ほんとうなんですか」

自分の傷よりも大野は、ケニー松原のことを気にするように云った。

「そう、ハワイに住んでいる遺族にも、まだ死亡通知が出されていないのです」

「どうして？　何か問題でもあるのですか」

大野は、痛みをこらえ、ベッドから身を乗り出した。

「彼の解剖に関して、内藤ドクターと、当局との間で問題が起っているらしいのです、しかしドクターに会って、真偽のほどを確めたくても、何故か会えない、これからまた、様子を見に行って来ます、お大事に」

賢治は、病室を出、外科の内藤ドクターの部屋へ足を向けた。

廊下や診察室には、増員された見習い看護婦が、普段着に白いエプロンをつけて、忙しく行き来している。

内藤ドクターの部屋をノックし、扉を少し開けて、はっとした。

「われわれ国防省は、ドクターの解剖所見に納得し難い重大な疑問を持っている」

東部訛《なま》りの威圧的な声が、聞えた。賢治は、白い衝立《ついたて》の陰から、内を窺った。軍服のうしろ姿が見え、ワシントンから飛来した高級将校が、内藤ドクターとただならぬ気配で対峙《たいじ》している。八時間に及ぶあの仔細な解剖所見のどこに重大な疑問があるというのだろうか——。賢治は、その場に釘づけにされた。

「ドクターが有能な外科医であることは、このマンザナール収容所へ入る前に勤務していたロサンゼルスの郡立《カウンティ》病院《ホスピタル》の考課表を見て、解《わか》っている、だが、あなたがいかに優れた外科医であっても、法医学者でも検屍官《コロナー》でもなく、法医学上の死体解剖については専門外である、したがってこの解剖所見は通常の思慮に欠け、信頼度を欠くので、法務官である私が直接、調査に来たのだ」

いかにも軍人らしい権威を嵩《かさ》にきた口調で云った。内藤ドクターは、

「私が法医専門であろうと、なかろうと、真実は一つです、法務官、もう一度、じっくりお目通し下さい」

毅然として、解剖所見を法務官の方へ押し返した。

AUTOPSY REPORT（解剖所見）
I performed an autopsy on
the body of →
ケニー松原、♂、44歳、日系米人
直接死因　失血死
死因の理由　心臓、肺臓破壊、腹部大動脈破裂等、外因による死
解剖の主要所見
I外表検査
a.頭毛に、後頭上部より斜め右前下に向けて幅一センチの帯状の焦毛を生じ、右耳朶《じだ》に焦暈《しょううん》および砂粒大の火薬しみが認められる。これは発射された銃弾が、後頭部の間近を右耳朶に向って通過した際の燃焼火薬による火傷である。
b.人体背面に十七個の損傷が認められる。このうち一個は、背面上部、十六個は腰部より左大腿部にかけての約三五センチ径に集簇《しゅうぞく》している。
　十七個の損傷はいずれも、直径三ミリ乃至四ミリで、周辺に楕円形の皮膚組織の陥没が見られる。これはショットガン発砲による典型的な射入口である。
なお、弾の展開角度が狭く、腰部中心部の射入口にフエルト状のワッド（薬莢《やっきょう》の充塡《じゅうてん》物）がうかがえる点から見て、発砲は人体背後三メートル乃至四メートルの至近距離より行われたものと推定される。
c.人体前面胸骨下《か》縁部《えんぶ》やや右よりの皮下に内出血があり、直径一ミリの突起が一個認められる。その部位から推定して、背面から射入した散弾が、心臓、肺下葉《かよう》を貫通し、皮膚下で止《と》まった盲管と思われる。
下腹部から大腿部までの左三分の二には、直径三・五ミリ乃至四・五ミリ、周辺に菊花形の突起を呈する損傷が四個認められる。これらはいずれもショットガン特有の射出口で、背面下部に集簇した十六個のうちの四個であり、九個は摘出、残り三個は体内に残存していると思われる――

　ケニー松原の解剖所見は、その後《あと》に続く内景検査、顕微鏡検査を含め、十六頁にわたる詳細なもので、死の因果関係が明確に示されていた。

　法務官は、分厚い所見の中から、射入口と射出口を図解した人体付図を取り出し、

「私がこの所見を見て、遺憾に思うことは、暴動の状況に注意が払われていない点である、兵隊は、この人体図のように静止した人間を撃ったのではなく、二千人の暴徒化した群衆を解散させるために、威嚇《いかく》発砲し、それが、たまたま、後からの群衆に押されて転んだ一人のハワイ二世と、十七歳の少年に当っただけだ、二人の死はアクシデントで

はないのか」

　内藤ドクターにイエスという答えを強いるように迫ったが、内藤は首を振った。

「群衆は発砲に驚き、逃げようとしたにもかかわらず、兵隊はさらにその群衆を目がけて発砲したのです、単なる威嚇発砲なら、銃口は上空に向けられているはずです」

「そこに君の誤解がある、威嚇発砲は、上空のみならず、足もとの場合もある、日系人の身長はアメリカ人より二、三十センチ低く、足もと目がけて発砲した弾が、不幸にして、波状デモを繰り返していた暴徒の下半身に当ったことも考えられる」

「法務官、私は死体が語っている真実を、解剖によって、伝えたまでです、ケニー松原も、大沢少年も、必死に逃れようとして撃たれたそのことは、死体が物語っています、背面に射入口が十七もあるのは、何よりの証拠です」

「一つや二つは、前面にあったのではないのか、見落しということもあり得る」

「射入口と射出口は、医学生でも見分けがつくものです」

「たまたま、人体に当らなかっただけかもしれないが、着衣前面に焦げ跡はなかったかね」

「法務官、ワシントンは射入口と射出口を入れ替え、解剖所見を改竄《かいざん》しろとおっしゃるのですか」

「そうはいっていない、ただ、こうした暴動では偶発的な事故が起る、それを所見に客観的に記述すべきだというのだ、発砲距離にしても、ケニー松原の場合は三、四メートルとある、ピストルならともかく、銃身の長いショットガンで三、四メートルとは考えられない」

「散弾の直径と、弾の展開角度で推定した距離ですが、法務官は何メートルに直せとおっしゃりたいのですか」

　内藤ドクターは、もはや怒りを抑えることが出来ぬように云った。

「六、七メートルでも、考えられないことはない」

「ショットガンで射距離が四メートル以上あれば、散弾が入っている薬莢の中のつめもののワッドは途中でふっ飛び、体内に喰《く》い込むことはあり得ません」

「君は日系人だから、銃のことはよく知らないのだ、銃のトラブルには予測しがたいことが、実に多いのだ」

「私はロサンゼルスの郡立病院《カウンティ・ホスピタル》の外科で、七年間に二百例以上の銃器殺傷患者を診《み》て来ました、その経験で云っています」

　一歩もひかぬ気構えで、反論した。

「では、ワッドの件は、解剖所見で触れないで貰おう、君もアメリカ合衆国からメディカル・ドクターの資格を与えられた限り、所見の一行ぐらい、ワシントンに協力してもいいだろう」

　傲然と云い放ったが、内藤ドクターは、

「私はドクターになる時、〝医の父〟であるヒポクラテスの人命の尊厳を説いた言葉に宣誓しました、私の答えは、

これですべてです」

揺がぬ口調で応えた。

「そうか、残念だ――」

中佐の衿章をつけた法務官は、不気味な一言を残し、診察室を出て行った。


戒厳令が布かれている収容所内は、事件から五日経っても、ものものしい重圧感から解放されなかった。今までは監視塔の上で居眠りしていた兵隊が、二十四時間、機関銃をバラックの方へ向けて監視し、鉄条網の外をパトロールする兵隊の数も増えている。

天羽賢治は、インフォメーション・セクションの部屋でぼんやりしていた。五日前までマイケルやチャーリーたちと一緒に働いていた室内には、人影もなく、タイプライターの音も絶え、がらんとしている。

扉の開く音がした。井本椰子であった。ベージュの厚いコートにスカーフを結び、片手に新聞の束を抱えている。

「ケーン、やはりここだったのね、管理本部へ行ったら、ちょうど新聞が来ていたの、この間の事件、センセーショナルに書きたてているわ」

「事件以来、ぷっつり新聞が来なくなって、どうなったかと思っていたところだよ」

賢治は早速、十二月七日付けのロサンゼルス・タイムスを広げた。

マンザナール暴動鎮圧に軍隊導入
真珠湾急襲一周年記念で日系人暴動

十二月六日夜、マンザナール収容所において、日系人四千名による大暴動が起った。この暴動は五日夜から起り、収容者は所内を騒ぎ廻り、所長命令で一旦、解散したが、六日夜、以前から計画されていた模様らしく再集合し、プロ・アメリカンの日系人を襲撃したり、管理本部を包囲し、真珠湾急襲一周年を記念して気勢を上げた。状況は危機的となり、カミング所長の判断によって、憲兵隊に連絡し、軍隊を導入するに至った。軍隊は直ちに戒厳令を布き、催涙弾で鎮圧しようとしたが、暴徒は投石、投棒を行い、憲兵隊長の度重なる禁止命令も無視したので、軍隊は遂にやむなく発砲するに至った。死者二名、負傷者十一名。


翌日の社説欄でも、事件はひき続き大きく取り上げられている。

マンザナール暴動によって、西海岸地域から、日系人を強制立退《たちのき》させたデヴィッド中将の政策の正しさが証明された。戦時下、一般米国市民が、耐乏生活をしてい

る時、彼らは、いまだ曾《かつ》て経験したことのない良い生活をし、米国の寛大な温情に浴しながら、真珠湾急襲の一周年を記念して暴動を起した。もし彼らが収容所に入っていなかったら、いかに危険であったたか。われわれアメリカ人は、日系人の強制収容を断行したデヴィッド中将の英断に、多大の賞讃と感謝を寄せるべきである。

事実を歪曲し、二千人の群衆の数を四千人と記している。賢治は思わず、新聞を鷲摑みした。

「ひどいわ、ロサンゼルス・タイムスでもこれなら、排日感情の強いハースト系の新聞はどんなにひどいかしら、当局の食糧横流しを糾弾したことに端を発していることは一行も書かず、単なる日系人の暴動として扱っているのね」

「新聞記者は誰一人、取材に来ず、一方的な軍の発表をもとにして書き、武器なき群衆に、兵隊が発砲したことを完全に正当化している、怖しいことだ」

賢治は、ワシントンから飛来した法務官が、内藤ドクターに向って、死亡者の解剖所見を書き直すように迫った光景が思い起させられた。

椰子は、大きな瞳で賢治を見詰め、

「同じ二世でも、いろんな生き方があるのね、池島さんのように父祖の国日本に殉《じゅん》じるような生き方もあれば、マイケルやチャーリーのようにアメリカ人として生きようとする人、そしてあなたのように、絶えず日系二世としてのアイデンティティ(自己意識)を模索し、苦悩しながら生きる人、ほんとにさまざまなのね」

「チャーリーからは、何か便りがあった?」

「ええ、彼からの手紙は、管理本部から直接、手渡されるの、死の谷《デスバレー》の山小屋で、皆、無事に過している様子よ、でも毎日、何もすることがなくて、気が狂いそうだと、こぼしているわ、でも近々、法の特別措置を受けて、収容所の外で入植する自由が与えられそうだから、そうなれば、どんな仕事でもいい、東部へ出たいと、書いて来ているわ」

賢治の顔が硬《こわば》った。当局の食糧不正を糾弾した池島たちは、いずことも知れぬ処へ監禁されてしまい、チャーリーたちは、法の特別措置で自由を与えられようとしている——、あまりに不公平であった。

「ケーンは、チャーリーたちを許せないと、思っているのでしょう」

「はっきり云って、死傷者が出ているあの騒ぎの中を当局の保護を受けて逃げ出すことは、無責任で、卑怯《ひきょう》だと思っている、しかし、それと同時に、騒ぎを起した二千人の収容者たちにしても、あれほど騒いでおいて、戒厳令が布かれると、俄《にわ》かにこそこそと首をすくめ、何一つ主張しなくなってしまった、あの付和雷同性、意気地《いくじ》のなさには怒りを持つ」

ぐっと濃い眉を寄せると、棚子は、やや躊躇《ためら》いながら、

「実はチャーリーから、婚約者として当局の出所許可を取って、こちらへ来てくれと云って来たの」

「じゃあ、行くのかい」

「迷っているの、行きたいという気持と、皆が打ちひしがれている時、ここを出て行くうしろめたさがあるの、考えがきまったら、あなたには話すわ」

と云い、棚子は帰って行った。賢治は、机の上の新聞を取り、内藤ドクターに見せるために病院へ向った。

外科の診察室へ行くと、いつも時間をかまわず、遅くまで患者の診療をしている内藤ドクターの姿が見えない。病室の方も探してみたが、見当らない。インターンのダニエル長谷に聞くと、

「おかしいな、午前の診察には、ちゃんといたんだけどな、今日は手術もないし――」

と首をかしげた。賢治は、胸騒ぎを覚え、内藤ドクターのバラックへ走ったが、そこにもいない。すぐに管理本部へ引っ返した。池島努にしろ、内藤ドクターにしろ、誰も知らないうちに姿を消して行くことを、カミング所長に問い糺《ただ》すためであった。

カミング所長の部屋をノックしかけると、背後から白人の職員が、

「ミスター・カミングは、更迭《こうてつ》された」

と告げた。賢治は、背筋が凍りつくような怖しさを覚えた。そして戒厳令下におかれた日系人収容所は、今後、どのような情況に追い込まれて行くのだろうか、と考えた。

五章　人間テスト

長い試練の日々が、過ぎた。

マンザナール事件で、大きな代償を払った日系人は、年が一九四三年に改まり、春めいた陽ざしが躍るようになって、ようやく過去の苦渋からたち直ったが、鉄条網の中の平穏には、どこか陰湿なものがあった。

天羽乙七は、以前にもまして人間嫌いになり、葬儀がない日は、一日中、バラックに閉じ籠り、じっと物思いにふけるか、五十年も前に寺小屋で習った孔子や孟子の言葉を書き連ねたりして、時を過していた。そんな夫をテルは、一人にしておくにしのびなく、アイロンがけの仕事を早々にきりあげ、家族で揃って夕食が出来るように、気配りしていた。食堂で食べることがきまりの収容所で、そうした自由がきくのは、ストーヴが使える期間だけであったが、それが家父長である乙七をたて、子供たちに家族の絆《きずな》を忘れさせないことだと、テルは信じていた。

「何《ない》やら、よか匂いがするね」

トントンと庖丁《ほうちょう》の音をたて、ストーヴの上に鍋をかけて、いそいそとたち働いているテルに、乙七はぼそっと言葉をかけた。

「解りやしたか、薩摩汁《さつまじる》を作っておるんですよ」

「ほう、薩摩汁――」

乙七の顔が、久しぶりに穏やかに綻《ほころ》んだ。

「若鶏の骨つきのあまりを食堂でわけて貰《もろ》うたら、ちょうど共同農園で作った大根やごぼうの安売りがあったんで、思いついたとです、こんにゃくもありますよ」

鍋の蓋を浮かすと、薩摩汁の匂いが、湯気と一緒にたちのぼった。

「ほんのこつ、よか匂いじゃ、なあ、テル、桜島は今も火い噴いちょっとじゃろか」

郷里を偲《しの》ぶように、しみじみと云った。乙七が、鹿児島県加治木を出る時、桜島はまだ噴火していなかった。

扉が開き、珍しく畑中万作夫婦が訪れた。

「おや、この匂いは薩摩汁、やってはりまんな」

万作は開口一番、鼻をぴくつかせた。

「よかったら、夕食、ご一緒にどうな？」

テルが勧めると、万作より背の高い定代が、

「今日伺《うかご》うたんは、二女の美智《ミッチー》の結婚話のことですのん、あの娘《こ》ももう二十歳《はたち》過ぎましたんでなあ」

フォックス眼鏡に手をやりながら、切り出した。

「まあ、美智ちゃんがねぇ、収容所へ入った時は、まだうちん春子ん少し上ぐらいと思ってましたとに、で、お相手は」

テルは感慨深げに眼もとを細めたが、妻にかわって万作

は得意満面に、

「それが、あんたらもよう知ってのアジア商会の三男の勝利君ですのん」

と云った。アジア商会はリトル・トーキョーで食糧品から日用雑貨まで扱う大きな商店だった。

「そや、またとなかご良縁でようござした、ねぇ、お父さん」

「おめでとうごあす」

乙七は姿勢を正して、祝った。

「おおきに、式は来月の第一週のサンデーですよって、その日は死人の臭いなどさせんと来て下さいや、それに、くどいようやが、そろそろ、あの仕事はやめて貰えんやろか、人と喋《しゃべ》りとうない仕事なら、風呂焚きかてありますやないか」

大真面目な顔で勧めかけた時、ブロック長がつるりとした禿げ頭をのぞかせた。

「こりゃあ、お揃いで――、これ、当局から廻って来た書類です、天羽さんの家族は十七歳以上というと、男三人に、女二人でしたな」

両手に提げた袋の中から、五枚の用紙をテルに渡した。

「いつもお世話さまです、これは、あの、何の書類で？」

英文の書類を見て、聞いた。氏名、出生年月日にはじまって、テルには解らない四十以上の項目の英文が用紙の表と裏にびっしり印刷され、各項目の下は書込み用の空欄になっていた。

「説明してあげたいけど、何しろこのブロックの全世帯に配らんといかんので、賢治さんが帰ってきたら、訳して貰うて下さらんか、失うたり、汚したりせんように、よろしゅう頼みます」

忙しそうに出て行った。乙七は訝しげに英文の用紙に見入ったが、万作はそんなものに目もくれず、

「それで結婚式やがね、勝利君のお父さんは山梨県の県人会会長をしていたから、ＦＢＩに連行され、遠いユタ州の司法省キャンプにいて、出席出来んが、お母さんは仕舞《しまい》や鼓《つづみ》が趣味の高尚なお人やし、それに長男は農園やってたなかなかの財産家から嫁さんを貰うてるので、エミーの舅《しゅうと》のあんたも、世間体を考えて下さらんことには――」

さっきの話を、執拗にしかかったが、乙七は、

「万作さんとこいも、こん用紙が来もしたか」

と聞いた。

「そんなもん、あとでよろしいが」

「いや、万作さん、こりゃあ、ちいと妙じゃなかね、近い親類が日本に住んでいるかとか、開戦前にアメリカ以外に旅行したのはどこの国かとか、ようわからんが、外国の銀行にいくら預金があるかとか……」

指先で、知っている単語をつないで読んで行くと、万作は飛び上った。

「そんな財産調べまであるのかいな」

俄かに、乙七の用紙を覗き込んだ。強制立退《たちのき》で、リトル・トーキョーが混乱しきっていた時期でも、いち早く生命保険や、ローカルバンクの定期の解約をし、政府の公債《ボンド》を買って、財産保全につとめていた万作は、金銭には敏感だった。

「海外投資の次は、何かのクラブのメンバーだったか、という質問やな、こんなもん、わてには関係ない」

「万作さん、やっぱり妙じゃ、こん27番目の質問は、どうも、アメリカのアーミーの兵隊として戦うか、というような意味らしか、28番目は……ここんとこ、わかりやすか？」

と示した。万作は面倒くさそうであったが、乙七のいつにない関心の強さに負け、

「28でっか、ウイル　ユー　スエアー　アンク……何とか……ツー　ユナイテッド　ステイツ　オブ　アメリカ　アンド　フォース……ええいっ、もう解りまへんわ、勇や春ちゃんはおらへんのか」

八つ当りした。

「まあ、落ち着いて――、次の行にツー　ザ　ジャパニーズ　エンペラーとあるとでしょうが、わしはよう解らんが、アメリカに忠誠を誓い、日本の天皇陛下にはそむくかという質問ではなかとか」

「……そうらしいな、こんなことを聞くというのは、もしや……」

「もしや、何ですのん」

定代が、顔をひき吊らせた。

「ひょっとしたら、日本がいよいよアメリカ本土に攻めて来るので、その時のわしらの気持を今のうちに調べておこうというのではないやろか」

「そいなら、私らはいけん答えたらよかとです？」

テルが震え声で聞いた。

「さあ、そこや、そこが問題や、乙七さん、何の目的でアメリカがこんな質問書をつきつけて来たか、それが解るまで、うかうか、馬鹿正直に答えたらあきまへんで、わし、すぐ調べて来まっさ」

「頼む、だが、今さら何でこげんことを、わしらに――」

乙七は、二つの項目に見入った。

賢治は、新任の収容所長であるモーレーの机の上に、四十二項目からなる忠誠テストの質問用紙を置き、

「各ブロック長から、なぜこのようなテストが行われるのかという問い合せが、どっと来ているので、お答え戴きたいのです」

と云った。モーレー所長は、白くなった頭髪に、学校の校長のような生真面目な顔付きをしていた。前任のカミング所長と異り、戦前、日系人と接した経験を持ち、日系人に対する理解もあった。

「収容所内における一種の居住登録と考え、あまり難しく

考えず、気軽に答えて貰いたい」

「日系人として気軽に答えられる性格のものではありませんでしょう」

「君たちの戸惑いの気持は解るが、各人のこれまでの経歴と合衆国に対する心情を偽らずに記入すればいいだけだ」

「それなら、われわれを収容所に入れる前に、アメリカ国籍のない一世だけを対象として行うべきで、アメリカ市民権をもつ二世まで対象にしているのは納得出来ません」

「その点については、私もいささか不自然さを感じるが、ワシントンは十七歳以上の収容者全員の回答を求めているから、皆に協力を呼びかけてほしい」

モーレー所長は、穏かに云った。

「ですが、この四十二項目の質問の中で、多くの日系人が答えることの難しい質問が二つあります、NO《ナンバー》・27、あなたは命令されれば、どこであっても、米陸軍兵士として戦闘任務につくか、NO・28、あなたは合衆国に無条件の忠誠を誓い、日本の天皇、その他外国政府、組織に対する忠誠と服従を拒否するか、という質問です、開戦と同時に、すべての日系人を敵性外国人として収容所に放り込みながら、今になって、何故、このような質問が発せられるのか、当局の意図を疑わざるを得ません」

「どのような疑いを持つというのかね」

「質問27、28は、米陸軍の兵役とかかわるものではないかという疑いを持ちますが、この点はいかがでしょうか」


賢治は、ひたと所長を見た。

「国防省において、日系二世の募兵《ぼへい》が検討されていることは事実だが、これはまだ㊙事項だ」

賢治は、強いショックを受けた。もし募兵が実行されることになれば、収容所内に十二月の騒動以上の嵐が吹き荒れかねない。

「今、所長が話されたことをまとめて、今週のマンザナール・ニュースに載せたいのですが」

と云った。『マンザナール・ニュース』は、新所長の許可を得、管理本部からの通達事項と所内の動静を伝える記事を中心にし、冠婚葬祭、演芸会、趣味の会の紹介、投稿欄も設けたタブロイド判の週刊新聞であった。

「それは、どうしても必要なことなのかね」

「収容者側にとって、非常に重要なことです」

「じゃあ、OKだ、但し㊙事項は厳守してくれ、原稿は私がチェックする」

モーレー所長は躊躇《ためら》いを見せながらも、承諾した。賢治は、所長室を出ると、インフォメーション・セクションへ戻った。

インフォメーション・セクションは、ジョー北川をはじめ六人の新しいメンバーによって運営され、賢治がリーダーとなっていた。元カメラマンでありながら、仏教開教師の息子ということで、葬儀補助者をさせられていたジョー北川は、葬儀屋の丸井の病気が回復したのを機に、インフ

ォメーション・セクションに入り、他のメンバーは、賢治を信頼して集った若い二世たちであった。

　ジョー北川は、

「今週のニュース写真、これで行きませんか」

　と、手製のウエディング・ドレスの裾をたくし上げて砂道を歩く花嫁の写真を見せた。

「なんだい、これは？」

「マンザナール花嫁よ、歩いて行け！　ですよ、つまり今までは、一マイル四方の収容所の端《はし》っこのバラックから、ゲート横の教会まで行く時、花嫁は当局の自動車を借りられたのが、ガソリン節約のため使用禁止になったので、それを写真で伝えようというわけです、来週結婚する女性を使って撮ったんですよ」

　ユーモアのあるしゃれた写真であり、戦時下のガソリン事情を物語る写真であった。

「うむ、なかなか面白い、写真はこれで行くが、記事は全面組みかえだ」

「どうしてです、ブロック長を統括する区長五名を選挙する記事は重要ですよ、やっと収容所生活に馴れ、戦争が終る日まで何年か暮さなければならぬ覚悟をきめ、この一万人が住むマンザナール収容所を一つの町として捉え、秩序ある生活を目指していこうというニュースは大切じゃないですか」

　それを取材しているトム赤星が、突っかかるように云った。

「だが、われわれに配られた忠誠テストに関する記事の方が緊急なんだ、モーレー所長の話をまとめ、それを中心にした紙面にするから、君たちは出来るだけ多くの人の声を集めてくれ、もちろん、区長選挙の記事も入れる」

　賢治がそう云うと、スタッフは、すぐ手分けして取材にかかった。

　談話原稿をまとめていると、モーレー所長が入って来た。

「ケーン、さっきの私の談話は取り消しだ」

「どうしてです？　理由をおっしゃって下さい」

「実は明日、国防省のスティムソン長官が、日系二世の募兵を公表し、近くワシントンから二世の志願兵を募るチームがここへ来ることになったからだ」

　賢治は、茫然《ぼうぜん》とした。


　その夜、乙七の云いつけで、一家は一つのテーブルを囲んだ。

「ほかでんなか、こん質問書の答えについてじゃ、日本の親戚や、日本に行ったのはいつかという質問はともかく、こん二十七と二十八について、皆がいけな気持でおるか、聞いておきたかったのじゃ」

「父さんも、これが単なる意識調査のようなものでないと思われるんですね」

賢治の言葉に、乙七は頷いた。

テルは細面《ほそおもて》を心配げにかしげ、

「どこい行ってん、皆、声をひそめて忠誠、忠誠と云うておいやるが、こんな鉄条網の中へおし込めておいて、なぜ、こげな質問しやるのか」

と訝《いぶか》った。

「この質問書は、日系人をアメリカに対する忠誠組と不忠誠組の二つに色分けすることが狙いなんです、というのは、当局はこの先、住いも、仕事も、すべてこの忠誠、不忠誠をもとに決めるつもりらしい」

と話すと、エミーは薬指の結婚指環を撫でながら、

「ということは、近い将来、日系人収容所の再編成があるってことなのね」

と聞いた。

「そうだ、今までは一世も二世も一律に敵性外国人として、強制収容所へ入れられていたが、開戦以来、一年三カ月近くたち、アメリカも財政的に十一万七千人の日系人をまる抱えして行くことが出来なくなったらしい、といって、合衆国の議会、市民の間には依然として強い排日感情があるから、忠誠度によって区別し、忠誠組を徐々に収容所から再転住させようという考えだと思う、その第一弾として近々、募兵チームが来るそうだ」

「兄さん、募兵チームって、どういうことなんだい」

勇《いさむ》が聞いた。

「つまり、この質問書の中のNO《ナンバー》・27とNO・28の両方にイエスと答えた者の中から、アメリカ陸軍の兵隊に志願する者を、募集するチームのことだ」

「27と28か——」

勇は、テーブルの上にのっている五人分の用紙の一枚を手に取った。

質問27　あなたは命令されれば、どこであろうと、米陸軍兵士として、戦闘任務につきますか

（女性には「もし機会があれば、陸軍看護部隊を志願しますか」）

質問28　あなたは米合衆国に無条件の忠誠を誓い、外国または国内勢力によるいかなる攻撃からも、米国を忠実に守り、日本の天皇に対していかなる形の忠誠や服従をも拒否しますか

姓名から生年月日にはじまり、全部で四十二項目ある質問事項の中で、この二十七と二十八の質問だけが、異物のように不自然であった。最も合衆国政府が知りたがっているのは、この二つの質問に対するイエスかノウの答えであることは明白であった。

やがて、エミーが口を開いた。

「私は、27も28も、イエス、イエスだわ、だって、私は日

本へ行ったことなんかないから、何の愛着も持たないし、アメリカ市民として生れ、育って来たのだから、アメリカの不利になるようなことは一切、したくないわ」

「そんなエミーのようにはっきり割り切れるもんじゃろか、あなた方はアメリカの市民権があるのに、こんな扱いを受けておるのですよ」

テルが、珍しく気色ばんだ。

「じゃあ、お姑《かあ》さん、私たちは日本の政府に何をして貰ったって云うの？　日本の大使にしろ、領事にしろ、私たちを、移民、移民ってさげすんで、戦争になったら、私たちがどうなっているかも考えず、交換船で真っ先に帰ってしまった！　私はアメリカの人種差別より、日本をもっと憎むわ、十一万七千人の日系人がいることなどこれっぽちも考えず、いきなりパールハーバー・アタックを仕掛けた日本になんか、絶対、忠誠心を持てないわ、天皇なんて何よ！」

唾棄《だき》するように、云い捨てた。

「まあ、何ちゅう怖しことを……」

テルは、身を震わせ、皺《しわ》だらけの眼に涙をためた。乙七はエミーを無視し、

「勇、お前はいけん思うか」

と聞いた。

「僕は、日本のエンペラーや、ガバメントのことなど考えたことがないから、エミーのような恨みはない、それに皆、日本と同じ枢軸《すうじく》国のイタリーやドイツ系は収容所に入れられないで、日系人だけ入れるのは、不平等だ、ジャップを見下げていると怒ってるけど、日系人の歴史はパパたちの時代から始まったばかりで、アメリカに住んで市民としての義務を、まだ充分、果していないからだと思うんだ、僕ら日系人も、優秀なアメリカ市民であることを示せば、合衆国は、法律通り認めてくれるよ」

そう云い、父のおし黙った顔を、ちらっと上目遣《うわめづか》いに見、

「だから、僕はそういうチャンスがほしい、イタ公やゲルマンより、僕らはもっと優秀であることを示したいんだ！」

「勇、まさか、募兵チームが来たら、志願するというのじゃないだろうな」

賢治は思わず、聞いた。

「それは、よく説明を聞いた上でなければ、何とも云えないよ、いくら軍隊といっても、掃除や道路作りばかりの労働部隊じゃ意味ないからね」

「志願することは、おいが許さん！　どげなことがあってん許さん」

乙七は咽喉が破れんばかりの声で云い、

「賢治、お前の答えはどうや」

賢治の瞬き一つ、見落すまいとする厳しい眼で、促した。

＊

　ワシントンから派遣されて来た志願兵を募る〝募兵チーム〟の説明会は、収容所内の集合所で行われた。

　募兵に関心を持つ十七歳以上の若い二世たちが集り、天羽勇は、前から三列目の椅子に陣取っていた。畑中万作の息子のトムも、その隣りに坐り、十二月騒動で左足を負傷した料理長の大野保の息子も来ていた。

　募兵チームは、一人の白人将校と、開戦前から徴兵され、開戦後も一部残された二世下士官三名で編成されていた。

　将校は、見るからにウエスト・ポイント（米陸軍士官学校）出身らしい毛並の良さを誇る二十六、七歳の中尉であった。

　中尉は、壇上にたつと、ぐっと胸をそらせて、一同を見廻し、

「ルーズベルト大統領閣下は、『忠誠な合衆国市民は、何人《なんぴと》もその祖先のいかんを問わず、市民としての責任を行使する民主的権利を否定さるべきでない』という宣言をされた、この宣言に基づいて、国防省は、日本人を祖先に持ち合衆国に忠誠な日系二世からなる戦闘部隊を組織することを決定した、これは君たちのアメリカ市民としての民主的権利と名誉が回復されたことにほかならない、今こそ、諸君は米陸軍に志願し、身をもって合衆国への忠誠を証明する時である」

　呼びかけると、多くの二世たちは緊張した面持で、中尉の顔を見詰めたが、母親がＦＢＩ監獄で自殺した大野保の上の息子は、すぐたち上った。

「われわれは、アメリカの市民権を持つ二世でありながら、おとなしく強制収容所へ入り、さまざまな制約を課せられた生活を耐え忍んで来たことによって、合衆国に対する忠誠は既に充分、示したと思います、どこの国に自分の政府によって、強制収容され、何の文句も反抗運動も起さない人種がいるでしょうか、その上、収容され自由が束縛されている環境の中で、軍隊へ志願するなど、民主的権利の回復どころか、耐え難い侮辱だと思います」

　臆することなく、はっきりと云うと、どっと拍手が湧いた。

「われわれの民主的権利とは、弾に撃たれて死ぬ権利か！」

「大統領命令九〇六六号で、日本人を祖先に持つすべての者は、収容所へ入れと命じたのは誰だ！」

　辛辣《しんらつ》な弥次が飛び、一人の二世が発言した。

「真珠湾攻撃のその翌日、既に入隊していたわれわれ五千人のうちの約半分を、４―Ｃ（徴兵不能）のランクに落して除隊し、収容所へぶち込んでしまい、残った半分は、銃を取り上げられて兵舎の掃除や残飯捨て、道路のごみ拾いなどの屈辱的な仕事を与えたのは、なぜか」

「それらは決して君たちを疑い、侮辱したのではない、開

戦と同時に、君たちのおかれる複雑で苦しい立場を考慮して、半数は兵役解除、残った半数は戦闘部隊からはずして、サービス部隊に入れたのである」

「われわれはなぜ、陸軍のみに限り、海軍へ志願することを認めないのか」

「それについては、残念ながら、私は答える立場にない」

　と中尉は逃げたが、勇は、兄の賢治から、洋上の艦船の中では、一人の裏切りによって反乱が起り、艦を沈めることができるから、米海軍はまだ日系兵を信頼せず、採用しないということを聞いていた。

　勇は、勢いよく起ち上り、

「われわれが陸軍で勲功をたてれば、ウエスト・ポイントに入って、将校になれるチャンスがありますか、それとも、そこにおられる軍曹殿のように二世兵は皆、軍曹止まりですか」

　と質問した。白人の中尉より年長者である二世の軍曹は、勇たちにとって、合衆国陸軍の人種的差別のシンボルのように見えた。軍曹は、にやにやと笑ったが、中尉は困惑の色を押し隠し、

「今、戦時下で、ウエスト・ポイントに入りたい者が沢山いるが、誰の場合も合衆国の上下両院いずれかの議員の推薦を必要としている、したがって君たちも、その推薦状さえあれば、入るチャンスはある」

「じゃあ、日系人の議員は誰か、教えて下さい」

皆が、げらげらと笑い出した。日系人の議員が、ただの一人もいないことを知っての上での質問であったからだった。哄笑の中で質問が続いた。勇と同じブロックで、カリフォルニア大学を中退している二世が、

「私は、医学部課程の学生で、収容所へ入れられたが、もし、私が志願すれば、除隊後、医学部課程を終了する特典が与えられますか」

「おそらく、与えられると思う、勤務年数によってはGI奨学資金が与えられるだろう」

　GI奨学資金という言葉は、そこに集っている学業半ばの向学心に燃える若者の心を捉《とら》えた。

　また一人の二世がたち上った。

「大事なことを一つ聞かせてほしい、僕らが募兵に応じた場合、戦うのは、ヨーロッパ戦線ですか、それとも太平洋戦線なのですか」

「それは軍事上の機密に関するから、答えられない」

「では、なぜ、われわれを白人兵と同じチームに入れず、日系兵だけの戦闘部隊を組織しようとするのですか」

「何百万かのアメリカ人の兵隊の中で、少数の日系兵が分散すると、せっかく勲功をたてても見分けがつかない、それより日系二世ばかりが団結して、劇的な忠誠心を証明することの方が効果的であると考えるからだ」

　中尉がテーブルを叩《たた》き、士気を鼓舞するように云うと、

「よし、われわれの大和魂を見せてやるぞ！」

と呼応する声と別に、

「日系兵を大砲の餌食にするのか！」

という怒号が渦巻いた途端、さっき、にやにや笑った日系の軍曹が壇上にたった。

「この志願は、われわれ二世が、将来、アメリカのメインストリートを歩くか、それとも今《か》まで通りの差別に甘んじるか、われわれ自身の生命を賭けて決めねばならんのだ、このまま収容所で年寄り臭くくすぶっているか、志願してわれわれ日系二世の忠誠を証明するか、二つに一つだ」

勇は再びたち上った。

「では、われわれが志願したら、両親たちは、収容所から出ることが出来るか」

若い二世たちにとって両親や弟妹、結婚している者は妻子のことが何よりも気懸りだった。中尉は頷いた。

「諸君が志願し、忠誠を示すことによって、世論がおさまり、日系人が外部へ出ても安全だと判断された時、希望の処へ出られるだろう、だが、今はまだまだ反日感情が強いから、陸軍としては、息子が入隊した家庭は、収容所内で充分に面倒をみることを約束する」

「だが、われわれの両親である一世の平均年齢は五十六歳で、仕事と家を奪われ、精神的にも肉体的にも、もはややり直しがきかない、これから一家の稼ぎ手になる息子がいなくなったら、生活が苦しくなり、家族が離散してしまいかねない」

三十近い二世が、はじめて発言した。会場が一瞬、しーんと静まりかえった。中尉は、

「君たちの気持はよく解る、しかし、家族の離別は、決して君たちの場合だけでなく、アメリカ国内において、戦場へ出ているアメリカ兵の多くの家庭で起っている、合衆国は、今、戦時中だ」

二世たちの気持に訴えるように云った。勇が体を乗り出しかけると、隣りに坐っているエミーの弟の畑中トムは、にきび面を近寄せ、

「イサム、よせ、うちのパパの話では、志願するなど損だ、もう少しすれば東部の学校へ行けるようになりそうだから、大学で会計学を勉強して、会計士のライセンスを取っておくと、将来、得だと云っていたよ」

と止めたが、勇は、自分が志願することによって、両親がいささかでも優遇され、合衆国に対して忠誠が証明されるのなら、戦場へ出て、血の証《あか》しをたてようという思いに駆られた。

賢治は、まだ少年の匂いが残っている十八歳の弟の顔をまじまじと見詰め、

「志願する？　本気かい」

と聞き返した。父の乙七は各バラックの家長《かちょう》の集会に出かけ、母たちもいなかったから、バラックの中は二人きり

だった。

「兄さん、いろいろ考えた上で、僕は志願することに決めたんだよ」

思いつめたような真剣さが、籠《こ》もっていた。

「お前、まさか、自分が志願すれば、両親が優遇されるというような期待をもって、決めたんじゃないだろうな」

昨日の募兵チームの説明会で、それらしいことがほのめかされたが、それは親の苦労を見て育ち、孝行者の多い二世たちに、アピールするための方便にすぎないことを、賢治は見抜いていた。

「そりゃあ、その期待もあるさ、だけど、それだけじゃない、来る日も、来る日も、こんな鉄条網の中に閉じこめられていると、やりきれなくなるんだ、明日への夢がなさすぎるよ」

若者らしい血気を見せたが、賢治は濃い眉と眼を顰《しか》めた。

「こんな扱いを受けながら、忠誠を誓って、その上、戦場へ行くことが、お前の夢なのか」

「じゃあ、兄さんは忠誠を誓わないというのかい」

「そうじゃない、僕もアメリカ市民として兵役義務を課せられ、徴兵されれば、考え方も変るだろう、だが、自ら志願してまで軍隊に入る気持は解らん」

賢治は、徴兵と志願が違うことを、諭《さと》すように云った。

「解ってるさ、だけど、いつまでもこんなところに閉じこめられていたくない、そのためには、俺たちはジャップではなく、ジャパニーズ・アメリカンであることを示さなくてはならない、合衆国に忠誠を誓い、銃を取って、勇敢に戦ってみせるんだ」

「勇、銃を取って戦うということは、血を流すこともあり得る、ということだよ」

「いいとも、僕らのことをほんとうにアメリカンとして認めてくれるなら、祖国のために血を流してでも戦う、アメリカンとしての血の証《あか》しをたてるチャンスじゃないか」

「勇――」

賢治は、返す言葉がなかった。アメリカの国籍を持つ日系アメリカ人が、アメリカ合衆国への忠誠を証明するために、血の証しをたてねばならないとは――。

「だが、日本には忠《ただし》が残っている、おそらく軍隊へ徴兵されているだろう、もし戦場で忠と会うことになればどうするんだ、お前の兄なんだよ」

「――仕方がない、僕にとって祖国はアメリカだから」

と応えた。賢治は、アリゾナの軍キャンプのヒヤリング(審問)で、「お前が日本軍にいる弟と出会ったらどうするか」と聞かれ、「もし撃たれても、私は弟を撃てない」と答えた自分の言葉を思いうかべた。

「兄さん、パパの説得を頼むよ、パパは頑固一徹だから、到底、僕の気持を解って貰えないと思うんだ、それに……」

「そう、お前のやろうとしていることは、父さんを一番悲しませることだ、それだけ解っていて、なお、志願する、

というのだな」

念を押すと、勇は、強い意志を漲らせて頷《うなず》いた。

それ以上は、交す言葉もなく、向い合っていると、間もなく乙七がむっつりとした表情で帰って来た。

「早かったですね」

「うむ、皆、忠誠登録の二十七と二十八の質問のイエス、ノウのことばっかい、わいわい云うちょっが、おいの考えはきまっておっから、帰っ来たとじゃ」

乙七はそう云い、疲れたようにズック靴を脱いで、ベッドの上に坐りかけた。

「父さん、折り入ってお話があるのですが」

思いきって、賢治はきり出した。

「ないか、えらい改まってから」

「勇が、米陸軍に志願したいと云っています」

みるみる乙七の顔色が変った。

「勇、正気で云うとか――」

「パパ、よく考えて決めたんです」

はっきりと告げた。

「勇、戦場へ征《い》くちゅうことは、どげなことか解っおるのか、戦場へ征くことは死にに行くことじゃ、死んためには信念がなければ死ねん、お前はどげな信念を持っておるとか」

「僕は合衆国のために、りっぱに戦い、生きて帰って来るよ」

「アメリカでは、生きて帰ることを教えておるとか」

「そうだよ、自分の任務を果して、生きて帰れと、学校で教えられて来たよ」

「じゃが、どこん戦場へ行くと思うとか」

「そんなことは、行ってみないと解らないじゃないか」

「もしヨーロッパ戦線でなく、太平洋戦線へ廻されたら、どげんするとか、お前は天皇陛下に向って、銃を向ける気か」

乙七は、拳を握りしめた。勇は体を後退《あとずさ》らせながら、

「パパ、僕は幼《ちい》さい時から、パパが天皇《エンペラー》の写真の前で最敬礼するのを見て来たよ、だけど僕はエンペラーを見たことも、彼の声を聞いたこともないんだ、僕にとって偉いのは、日本のエンペラーよりルーズベルト大統領なんだ」

と云った途端、乙七のアイロンだこの手が、凄じい勢いで勇の頰に飛んだ。

「こん不忠者！　不忠義者奴《い》が！」

乙七は狂ったように勇を殴りつけた。勇は床に転び、唇から血が流れた。

「父さん！」

賢治は、なおも殴りかかろうとする父を後《うしろ》から羽交《はがい》じめにし、ひき離した。涙は見せなかったが、はあはあ、肩で息をし、息子を睨み据えている老いた乙七は、体ごと慟哭《どうこく》していた。

翌日、天羽テルは、家族の洗濯ものを抱えて、共同洗濯

場へ行った。

殺風景なバラックの中に、細長いセメントの洗い場が設けられ、四角に区切った水槽に向って、何人もが、ずらりとならんで洗濯するのだった。一日中、砂埃《すなぼこり》を浴びる砂漠の中の生活であったから、主婦たちは洗濯ものが絶えなかった。

テルは、一番端《はし》の水槽で、膝頭が裂けた勇のズボンを洗いながら、涙ぐんだ。夫と二人の息子は何も云わなかったが、外から帰って来た時、手製のテーブルと椅子が倒れ、勇のズボンが裂けているのを見て、よほどのことがあったのだろうと思い、何も聞かなかった。だが、忠誠登録のことで争ったらしいことは、想像出来た。わが家だけでなく、どこの家でもイエス、ノウをめぐって、親子、兄弟が云い争い、通りを歩いていても、あちこちから罵《ののし》り合う声が、薄い壁を通して聞えて来る。テルはズボンに石鹼をこすりつけながら、勇を戦争に行かせないためには、どうしたらいいか、考えた。

人の気配がした。池島よねが、洗濯ものを抱えて、テルを見据え、他の主婦たちも、白い眼を向けていた。よねの息子の池島努は、十二月の騒動でどこかの監獄へ移されたきり、いまだに戻って来ていない。

「あんたとこの息子は、志願するそうやな」

よねは、いきなり喰ってかかった。

「いや、まだ、はっきりいと決まってません」

口ごもると、隣家の主婦が、

「嘘《うそ》つき！　昨日、イサムが志願すると云って、親子で大喧嘩になったのを、この耳で聞いたわ、なにしろ、つつぬけで聞える壁だから」

と云った。池島よねは皺だらけの窪んだ眼を光らせ、

「あんた、わしのこの白髪頭を見てみぃ、母一人、子一人のうちの息子は、収容所へ入れられた日本人のために闘うて、監獄へぶち込まれてるのや！　それなのにあんたところの息子は、アメリカの軍隊に志願するとは！　それでも日本人かい」

と罵倒した。周りの女たちも、

「ジャップといわれながら、白人の兵隊の尻にくっついて行くなんて、よほどの腰抜けよ」

「大体、家の教育がなってないのよ、恥ずかしくないのかしら」

口々に、云い募った。一人一人は、人のいい主婦たちも、忠誠登録で神経が苛だち、異様に昂奮しているのだった。

よねは、洗濯ものを水槽に放り込むと、テルの傍へ寄り、

「あんた、日本の母なら、何としても息子の志願を止めるものじゃ、そんな息子を出して、先祖の位牌に、何と申し開きしなはるんや」

テルは、応えられなかった。天皇陛下をエンペラーと何の憚《はばか》りもなく口にする息子に、どう諭《さと》せば、思い止まらせることが出来るのだろうか。

「何で黙ってるんや！　あんた、息子をアメリカへさし出して、何ぞええ目でもできるんか」

「池島さん、いくら何《なん》でん、あんまい失礼なことは云わんで下さい」

　テルは、芯《しん》の強いきっとした眼をよねに向けた。

「ほんなら、思い止まらせることや、それでこそ日本の母、軍国の母や、監獄に入れられているうちの息子は、アメリカにへつろうたら早よう出られるのに、日本男児の意地をおし通してる、昨日、来た手紙は検閲で、あちこち切り取られて、詳しいことはわからんけど、アメリカの国籍を捨て、日本へ帰る戦時送還船が出るのを待っているから、おっ母《か》さんもその心づもりをしていてほしいと書いて来た、これが日本の母と子や、あんたがほんまに、日本の母なら、息子を止められるはずや、止められんのやったら、これで自決して、日本へお詫びしなはれ！」

　と罵るなり、洗濯物干し場のロープをテルに投げつけた。テルは怖しさと口惜しさに震えながら、賢治がイヌ呼ばわりされた十二月の騒動の時以上に、自分たち一家が険しい立場に置かれていることを知った。

＊

　忠誠テストの回答期限が、間近に迫った頃に、一台のジープが砂埃を巻き上げて入って来た。中から降りたったのは、米陸軍の制服を着た背の高い男だった。収容所を一わたり見渡すと、肩をそびやかすようにして、管理本部の建物に入りかけ、にやりとした顔でたち止まった。自分から声をかけなくとも、相手が気付くのが当然のような態度だった。

　天羽賢治は、副所長と話しながら玄関へ出て来、わが眼を疑った。

「チャーリーじゃないか」

　声をかけると、チャーリー田宮は、いつの間に身につけたのか、粋な挙手の仕種をしてみせ、

「久しぶりだな、所長は？」

「いるよ、だが……」

　軍服姿を見て、問いかけると、

「新所長への挨拶はすぐ終る、待っていてくれ」

　一方的に云い、大股な足取りで、勝手知った所長室へ消えた。

　賢治は、チャーリーの突然の出現をどう考えていいのか、理解に苦しんだ。マンザナール事件で、日の丸組の襲撃を怖れ、所長の手びきで、混乱にまぎれて、救急車で収容所の外へ逃れたのだった。そのチャーリーがいかに親米派とはいえ、三カ月たつか、たたずで、米陸軍の制服を着て、平然とやって来る神経が疑われた。

　五分とたたないうちに、チャーリーは姿を現わした。

「やあ、待たせたね、ケーンは相変らず、熱心な仕事ぶり

だそうじゃないか、今度の所長も、えらく君を頼りにしている様子だったよ」

「君は、どんな用件で来たんだ」

「こんなところで、たち話は出来ないし、といって、インフォメーション・セクションでもまずいし、ジープで一廻りしようじゃないか」

「だが、君はいいのかい」

「何が?」

「収容所内で、そんな恰好を見られたら、プロ・ジャパンの連中がうるさいぞ」

「プロ・ジャパンといっても、池島らの過激分子は全部、ひっぱられたんだから、なんてことないさ、今の俺に手出しすることは、米陸軍に手向うことになるからな」

不遜な云い方をし、ジープに乗った。

バラックの人々は、軍服姿のドライバーが、チャーリー田宮だと知ると、

「バナナ野郎! よくもおめおめと来《こ》れたもんだ、その上、軍服など着込んで、何の真似《まね》だ!」

「厚顔無恥《こうがんむち》とは、あいつのことだ!」

口々に罵ったが、車の前に飛び出して罵倒するほどの勇気ある者はいなかった。人々の脳裡には、去年の十二月六日の軍隊の発砲事件が、まだ生々しく残っていた。

チャーリーは、暖かそうな陽だまりにジープを停めた。近くの小川にはシエラネバダ山脈の雪解け水が膨れ上って音たてて流れ、叢《くさむら》にも、小花が咲いていた。

「鉄条網はあっても、やはりカリフォルニアの砂漠だな」

懐しそうに云った。

「今、どこにいるんだ」

「ミネアポリスだ」

チャーリーの口から、思いもかけない地名が出た。ミネアポリスは、アメリカの中東部北方の五大湖の一つ、スペリオル湖に接するミネソタ州の州都だった。

「出て来る時、まだ雪が一メートル以上も積って、毎日、零下十度ぐらいの寒さだ、あれには参るよ」

煙草の煙を吐き出しながら話した。さっきまでの虚勢は消え、砂漠の春の小花を眺めている。

「ミネアポリスで、一体、何をしているんだい」

チャーリーの性格からして、戦線へ出るための兵隊として、トレーニングを受けているとは思えなかった。

「陸軍情報部の日本語学校の教官さ」

「日本語学校? どうしてそんなものがあるんだ」

チャーリーは、声をひそめ、

「軍の情報に関することだから、詳しくは云えないが、そこで対日情報戦に必要な、日本語の堪能な語学兵を養成している」

「ほう、その語学兵をどういう風に使おうとしているんだ」

「そこまでは話せないよ、軍の機密だ、ともかくアメリカ

にとって、日本語というのは難解過ぎる言葉だから、白人を特訓しても、間に合わない、それで日本語の読み書きが出来る二世を生徒として、秘かに募集中なんだ」

　賢治は、愕然《がくぜん》とした。陸軍の募兵チームがやって来たばかりなのに、情報戦の兵力として、日本語が出来る二世をも物色しているとは。

「鉄条網の中にいると、やはり情報不足になるんだな、他の収容所では、日本語学校の教官が回って、読み書きのテストや面接をしているというのに」

「そうだったのか、全く知らなかった」

「もっとも、このマンザナールと、もう少し北のツールレークの収容所は、プロ・ジャパンの連中が多く、何かというと、当局の政策に反対するから、できるだけ伏せているんだろう、そういう俺も、日本語学校が、戦争勃発の五週間前に極秘裡に作られていたことなど知らなかったのだから、僕たちのインフォメーション・セクションも、お粗末なものだったというわけだな」

　と云い、煙草のすい殻をぽいと捨て、

「ところで話はかわるが、忠誠テストのNO・27、NO・28について、収容所内の各家庭では、親子兄弟の意見が別れて、大へんなんだってな、君のところも、さぞかし、もめているだろう」

「うむ――」

「イサムがイエス、イエスで、募兵に応募するんだって?」

「よく知ってるな」

「所長から、君んところの家の事情は聞いたさ、それで君自身、NO・27とNO・28の項目についてどう答えるのだ」

　賢治の心の中に、踏み込むように聞いた。

「それを君に答えることはないだろう、自由を奪われた収容所の中で、合衆国に対して忠誠か、不忠誠かを答えさせるなど、残酷極まる人間テストだ、おそらく、これまでの世界史の中でも滅多にないことだろう、君には到底、理解できない家族ぐるみの苦しみだ」

「人間テストか――、君らしい手厳しい表現だな、しかも、この忠誠テストのイエス、ノウの答えは、ワシントンの某所に保管され、アメリカに住んでいる限り、一生ついて廻り、その生涯を左右する記録《レコード》になる、ケーンはおそらく、こんな人間テストなど受けたくないと考えているだろう、それなら、受けずにすませる方法があるんだ」

「そんなことは出来るはずがない、当局は、十七歳以上の男女全員の回答を命じている」

「いや、一つだけ方法があるのだ、力を貸してやってもいいんだぜ」

　チャーリーは、誘い込むように顔を寄せ、

「さっき云った日本語学校のことだが、教官に来る気持はないか、忠誠テストがすんだ後、この収容所にも、日本語学校から生徒を募集に来、日本語のテストが行われるだろう、だが、ケーンほどの抜群の日本語の能力なら、そんな

テストを必要としない、君さえOKなら、即刻ミネアポリスの日本語学校の教官になる手続きをとる、そうすれば、忠誠テストを免れられるんだ」

「君はそのために、来たのか」

「残念ながら、それほどの親切心はないよ、ここへ来たのは、ナギコに正式にプロポーズして、ミネアポリスでスイートホームを持つためだよ」

チャーリーは、鼻先でふんと笑うように賢治の視線をはぐらかせ、ジープのエンジンをかけ、井本梛子の住いへ向った。

チャーリーは、井本虎造夫婦の前に厚手のウールのコートや靴、缶詰類を山と積み上げ、

「戦時中なので、お土産といっても、気がきいたものがないし、不便な収容所生活では、こういう実用品がいいのじゃないかと思いましてね」

相手が喜ぶのを見越すように、分厚な唇に、にっこり笑いを見せた。収容所で贈って喜ばれるものは、一に着るもの、二に履《は》くもの、そして食べるものの順であることを、チャーリーは知っていたから、品薄《しなうす》のPX（兵隊用購買所）で苦労して手に入れてきたのだった。

ガーデナーの虎造は、目の前に積まれた品々と、チャーリーの軍服姿とを見比べ、

「どこの土産か知らんけど、わしらは、こんな大そうなものを貰《もら》う義理はない思うんじゃがねぇ」

突《つ》っけんどんに、云った。妻のせきも、チャーリーが勧めたパンプスを見、

「私はこんなハイカラな靴を履くことなどありませんし……、梛子にでもやって下さい」

困惑顔で固辞すると、

「もちろんナギコには用意して来てます、これをお納め下さい」

胸ポケットから、分厚い封筒をさし出した。

「何でしょうか、梛子は五時過ぎには学校から戻って来ますので、コーヒーでも飲んで待っていて下さい」

「そりゃあ、待たせて戴きますが、これはナギコに持ってきたんじゃありません、ご両親にお渡しするために用意したものですので、お納め下さい」

「あの……これは……」

チャーリーは、やや改まった口調で云った。

「ま、ともかく――、どうかお納め願います」

虎造の方へ、ずいと封筒をおし進めた。虎造は、さっきまで苗木をいじっていた、土のついた節《ふし》くれだった手で封筒を開き、中を見て、驚いた。十ドル紙幣がぎっしり詰っていた。

「これはどういう金ですかいの」

「ナギコを戴きたいのです、これは日本でいう結納金のようなものです」

チャーリーは、何のてらいもなく、ずばりと結婚を申し込んだ。井本夫婦は暫しあっ気に取られたが、虎造は金包みをつっ返し、

「梛子は、あんたにはやれんです」

にべもなく、断った。

「どうしてです？　この僕に不足があるのですか、ナギコとは、僕が貧乏学生で、虎造さんのヘルパーとして、よくアルバイトさせて貰っていた時からの長い付き合いですよ、あの頃、虎造さんのところへ広島菜の入った日の丸弁当を届けに来たナギコを一目見て、僕は将来、ワイフにするのは彼女だと決めたんです、その気持がずっと変らず今日まで来たのは、ご両親だって、お察しのはずです、第一、僕は同じ広島県人ですよ」

「あんたの口から、広島県人いう言葉が出るとは思わんかった、あんたは日本嫌いの白人崇拝主義者で、県人会の青年部にも登録しとらん人じゃ、広島県人いうのは皆、情が深《ふこ》うて、郷土愛が強うて、団結心が他所《よそ》より数倍強いのが美徳じゃが、あんたが広島県人なら、よっぽど珍種の広島人よのお」

浪曲狂で、人一倍、義理人情に厚い虎造は、むかむかするように吐捨てた。

「これは随分なお言葉ですね、しかし本人が、ＯＫすればいいんでしょう」

「じゃが、梛子は日本へ帰る」

「え、日本へ？　じゃあ、おたくは戦時交換船で、帰るのですか」

チャーリーは、愕《おどろ》いた。

「そうじゃ、わしらを敵性外国人扱いしといて、アメリカに忠誠か、不忠誠かを一枚の紙切れで答えぇいうんは、何事かい、わしは隠れキリシタンの踏み絵みたいなことをさせるアメリカに愛想《あいそ》がつきたわい」

虎造は、忿懣《ふんまん》やるかたない声で云った。それはそのままアメリカの軍服を着ているチャーリーに対する憤りでもあった。

「アメリカには、アメリカの事情というものがありますよ、それより今さら日本へ帰ってどうするんです？　しっかりした基盤がなければ、日本の生活こそ、もっと大へんですよ」

行先を按ずるようにチャーリーは云った。

「わしの郷里の五日《いつか》市《いち》には、弟に譲った田畑がある、うちの娘らも大きゅうなって、嫁に出すだけじゃけん、食うことぐらいは出来る、故郷に錦を飾れるまでは、広島の土を踏むまいと固う心に誓うて来たんじゃが、こんな目に遭わされては、面子《メンツ》も何もないけんの」

虎造は、念願を果せぬことに未練を残しつつも、日本帰還の気持は揺がないようだった。

「虎造さんはそれでいいとしても、ナギコやヒロコは、可哀そうですよ、どれだけ田畑があるかしらないけど、田舎

へ帰って、カリフォルニア大学を出たナギコに鍬《くわ》を持たせるんですか、そんなのは父親のエゴですよ」

声を高めて云った時、梛子が帰って来た。

「まあ、チャーリー、やっぱり来ていたのね」

「ナギコ！　久しぶりだね、元気かい」

「ええ、途中でケーンに会って、あなたが来ていることを知らせてくれたの、その軍服はどういうこと？　手紙に何も書いてなかったじゃないの」

チャーリーの軍服姿に眼を見張った。

「事情はあとで話すよ、実は今――」

チャーリーが云うと、梛子は固い表情の両親に気付き、

「どうしたの」

問いかけると、

「話がある、ちょっと来てくれ」

チャーリーは、梛子の背を押してジープに乗せ、曾て自分が住んでいた独身者用のバラックへ、強引に連れて行った。

バラックで、一人、カメラの手入れをしていたジョー北川は、椅子《いす》から、飛び上らんばかりに驚いた。

「チャーリー！」

「久しぶりだね、ナギコとちょっと話があるんだが、はずしてくれないか」

「いいですとも、でもその恰好は、まさか陸軍に志願して戦線へ出て行くのでは……」

「あとで話すよ、野暮なこと云わず、ともかく、ちょっと出てくれよ」

「OK、三十分でも一時間でも――」

ジョー北川は、狐につままれたように出て行った。

二人だけになると、

「ナギコ――」

抱き寄せかけたが、梛子は腕をはずし、

「待って、その前にパパとママに何を話したのか教えて、二人があんな顔をしているなんて、おかしいわ」

「ナギコとの結婚を認めてもらいに来たんだ、君はいいんだろう」

チャーリーは、きらりと光る眼を、梛子に注いだ。

「考えさせて――」

梛子はかすかな声で応えた。

「何をこれ以上、考えることがあるんだ」

「パパが、日本へ帰ると云い出したの」

「さっき、聞いた、しかし一緒に随《つ》いて帰るなんて、本気で考えているのかい」

「いいえ――」

梛子は悲しげに首を振った。

「じゃ、問題ないじゃないか、今まで手紙には書かなかったけど、俺はミネソタ州にある陸軍情報部所属の日本語学校の教官をしている、このマンザナール収容所も、忠誠テストでイエス、イエスと答えた者は、収容所外の自分の希

望する仕事についたり、東部へ出られるようになるのだ、両親がどうしても日本へ帰るというのなら、君としてもこの際、ふんぎりがつきやすいじゃないか」

「だけど、父は一家揃って、広島へ帰りたがっているの」

「無謀だよ、そんな考えは――、ヒロコなど日本語もろくに喋《しゃべ》れないのに、どうするのだ」

「父は、理屈では解っているのよ、だから私たちに、自由な道を選べと口では云うわ、でもこんな戦争の中で、家族が別れ別れになって、また会える機会があるかしら」

「君らしくもない考えだな、戦争はアメリカの勝利で、ここ二、三年、いや、一、二年で終るだろう、そしたらまた呼び戻せばいいじゃないか」

　チャーリーは、こともなげに云った。

「家族って、あなたが考えるように、そう簡単にいかないものよ」

「そうかな、俺はもう日本の肉親のことは忘れた――というより忘れざるを得ない人生を歩いて来た、俺のプロポーズ、受けてくれるね」

「もう少し待って――、父が自由にしていいと云えば云うほど、迷うのよ」

「ヒロコは、どうすると云ってるんだ」

「彼女は、東部の大学へ行きたいらしいけど、内気な子だからいざとなったら、泣く泣くパパたちと帰るかもしれない」

「ナギコ、決心するんだ、俺はもう待てないよ」

　力ずくでも、同意させるように迫った。椰子はチャーリーの蒸せ返るような匂いと力のこもった腕の中で、一枚の忠誠テストさえなければ、父も俄かに日本へ帰るといい出すようなことはなく、一家が離れ離れになることはないのにと、涙が溢れた。

「ナギコ、心配するな、もうこれからは俺に任せるんだ」

　チャーリーは、椰子の涙を拭《ぬぐ》い取るように囁いた。

*

　天羽勇《あもういさむ》が米陸軍に志願して、明朝、出て行くことになった。

　テルは、真っ赤に泣きはらした眼で、

「勇、今からでん遅うはなかから、志願を取りやめてくれんね」

　縋《すが》りつくように云った。

「ママ、僕は忠誠テストに、イエス、イエスと答え、体格検査をすませ、志願の宣誓もしてしまったんだ、心配しなくても、合衆国のために勇敢に戦って、手柄をたてるよ」

「あとに残った父さんや母さんのことを考えてくれんのね、父さんと二人で長か間、口で云えん苦労をしてから、やっと築いた家も仕事も奪《と》られてしもた上、またお前《まい》まで奪られ、もしも、お前に万一のことがあったなら、母さんはも

う……」

かき口説《くど》くように云いかけると、乙七《おとしち》は、

「テル、これ以上、めそめそ愚痴《ぐち》ッな、もう決まってしもたこっじゃ、男が一度、決めたからには、それなりん考えも、覚悟もあってのこっじゃろ」

「しかし、勇は十八歳で、まだ未成年です」

「十八歳なら、りっぱな大人よ、昔なら十四、五歳で元服しちょっ、一人前ん男子が、天皇に弓をひき、血を分けた兄に銃を向けてでん戦うというとじゃから、何《ない》を云うてんはじまらん」

骨肉の情を断《た》ち切るように云った。賢治《けんじ》は、

「父さん、いくら何でも、そんな云い方は酷ですよ」

弟を庇《かば》った。

「何《ない》が酷じゃ、陽《ひ》がのぼらん午前五時出発ちゅうとは、人眼に隠れて発《た》つためじゃろ、日本なら日の丸の旗を振って、万歳の声に送られて出征する、そいを人眼をしのんでこっそい征《い》くなど恥じゃ」

堪え難そうに云うと、勇は、

「パパ、何もこそこそ、隠れて行くんじゃないよ、ノウノウ組の中に、志願する奴を実力行使で阻止しようという動きがあるから、トラブルを避けるために、正面ゲートに、午前五時に集れという指示があっただけのことだよ」

と説明すると、妹の春子は、

「パパ、これ以上、イサム兄さんを怒らないで！　アメリカ市民が、アメリカ合衆国のために戦うのは当り前のことじゃないの、兄さん、軍隊へ入ったら、PXで美味《おい》しいキャンディを沢山買って、送ってね」

十五歳の無邪気さで云った。エミーも、昨日から風邪気味のアーサーをあやしながら、

「イサム、元気で行ってらっしゃいね、実家《さと》のトムは、東部の大学へ進学するつもりらしいけど、もしかして徴兵にひっかかって、あとから行くかもしれないわ」

「有難う、義姉《ねえ》さん、アーサーは体が弱くて、よく風邪をひくから大切にね」

満九カ月のアーサーの熱っぽい頬を撫でた。賢治はそんな心やさしい弟を見詰め、

「勇、お前たち若い志願兵は、訓練が終ったらすぐ戦場に出されるだろう、いくらアメリカの教育で、兵は任務を果して生きて帰ることだと教えられていても、戦争はそんな甘いものじゃない、自分の生命を大切にするんだよ、家族全員がお前の無事を祈っているのだからな」

静かに諭すように云った。勇は頷《うなず》き、

「兄さん、家のこと、パパとママのこと頼むよ」

両親の言葉に背きながらも、齢老いた父母の身を按じた。

「うむ、父さんと母さんのことは心配するな、お前の分まで孝行しておくよ、だが、僕だって、忠誠テストの『天皇に銃を向けるか』の質問にはノウと答えたが、『アメリカの市民としての義務を果すか』には、イエスと答えたから、

三十歳の僕でも合衆国から徴兵令が来れば、その時は応じなければならない――」

重い口調でそう云った時、バラックの扉が開いた。

大野保であった。十二月の軍隊発砲事件で左足を撃たれ、いまだにひきずっていたが、もとの十ブロックの料理長に戻っていた。

「こんな遅くに申しわけないが、おたくの勇君に話がある」

何事か、異様に昂奮しきっている。

「勇が、どうかしたんですか」

賢治が訝《いぶか》ると、

「こともあろうに、うちのサブローが、今夜になって突然、明日、志願して出て行くんだと云い出した、母親がFBI監獄で自殺し、この私がアメリカ兵に足を撃たれたのに、それでも志願するのかと責めたら、イサムに誘われて一緒に行く約束をしたと云ってきかない、上の兄二人の説得にも耳をかさないので、何としても止めて貰いたい」

勇を見る眼が、血奔《ちばし》っていた。

「勇、お前が誘ったのか」

「ノウ、僕は絶対、誘ったりしない、サブローは、FBI監獄で自殺したママの汚名をそそぐために志願して、忠誠の証《あかし》しをたてるんだと、云ったんだ」

「母親の汚名をそそぐために……」

大野保は、絶句した。その葬儀に列席した乙七、賢治も暫し、押し黙った。

「大野さん、汚名をきるべきは母親ではなく、開戦当時、ろくに調べもせず、乱暴極まる逮捕をした当時のFBI関係者だということを、よくサブローに話してあげて下さい、そんなことで志願されては、亡くなった奥さんが浮かばれませんでしょう」

賢治がやっとそう云うと、勇は、

「云ったって無駄だよ、サブローは、ママの汚名をそそぐためには、死んでもいいと、決心しているんだから」

と云うと、大野の首ががくりと前へ折れ、くっくっと咽喉が鳴った。母の汚名をそそぐために、死を決している息子の心情に泣くと同時に、アメリカのために妻を失い、今また息子にも去られようとしている大野の哀しみが、乙七や賢治たちにも痛いほど伝った。

夜明け前のシエラネバダ山脈は、淡い陰影を見せて、まだ暗闇の中に眠り、山頂の万年雪だけが、かすかにほの白く輝いていた。吹き下して来る冷気が肌を刺した。

収容所も、まだ寝静まっている。そのバラックを抜け出して、十七歳から二十二、三歳の若者たちが、二人、三人、四人と白い息を吐き、薄あかりの中を、正面ゲートの前に集った。総勢二十名であった。ジャケット姿やスーツ姿で、洗面道具だけ入れた小さなバッグを提げ、各々の家族が見送りに来ていた。

大野保も昨夜、一睡もしなかったような憔悴《しょうすい》しきった顔で、一家総出で見送りに来ていた。固い表情で何も喋らなかったが、発って行く息子に暖かそうな自分のマフラーをとって、かけてやっていた。

勇は、コール天のズボンに、ダッフルコートを着、母、兄とエミー、妹に見送られていた。

「じゃあ、元気で行って来るよ」

母親似の色白の顔に、快活な笑いをうかべた。

「向うへ着いたら、何をおいてん、すぐに手紙を出してくれやんせよ」

テルが念を押すと、勇は、

「OK、真っ先にパパとママに出すよ」

と云いながら、父が最後まで志願を許さず、見送りにも来ないことを気にしているようであった。

「勇、父さんのことは心配するな、あとで僕からよく話しておくからな」

賢治が、弟の気持を慮《おもんぱか》ると、

「パパは、ほんとうに心から怒っているんだな」

淋しげに云い、やがて来た軍用バスに乗り込んだ。二十名の若者を乗せたバスは、肉親たちを鉄条網の中に残して、遠ざかって行った。

乙七は一人、ゲートに近いバラックの陰にたち、涙でくぐもる眼で、志願兵として遂に出発してしまった息子を見送っていた。

勇が軍隊に志願して去った天羽一家は、俄《にわ》かに寂しくなった。家族の心をなごませるベビーのアーサーは、風邪をこじらせ、気管支炎で小児病棟へ入院していた。

食後、乙七とテル、賢治、春子の親子は、ストーヴのまわりに集っていた。エミーは実家《さと》の畑中のバラックへ出かけ、ストーヴの上のケトルだけが、しゅんしゅんと煮えたち、湯気をあげていた。

春子は、読んでいた少女小説の表紙をぱたんと閉じた。

「勇兄さん、もうトレーニング・キャンプに着いているのかしら」

繕《つくろ》いものをしていたテルは、老眼鏡をはずし、

「あん子は、今頃、後悔しとるとじゃなかかねぇ」

按ずるように、呟いた。

「そんなことないわ、私は地図に、これから勇兄さんの行く先々のトレーニング・キャンプや戦場を書き込んでいくことにしたのよ、向うに着いたら手紙を出すから、それまでは秘密だって、教えてくれなかったけど、どのあたりかしら、賢《けん》兄さん知っている？」

「よく知らん、忠誠テストのノウノウ組の不穏な動きを察して、当局は発表しなかったからね」

「あら、インフォメーション・セクションにいるのに知らないなんて——、ほんとは知ってるんでしょ、畑中のト

ムのような意気地《いくじ》なしなんかには絶対、喋らないから教えて！」

春子は、賢治の腕を揺ぶった。

「そうだな、東部の五大湖近くかな」

と云ったが、賢治は、志願した二世たちが送られて行く先はウィスコンシン州のキャンプ・マッコイで、そこでは既にハワイから志願して本土へ送られて来た二世たちがトレーニングを受けていることを、モーレー所長から極秘に聞き出していたのだった。春子は地図を持って来、

「五大湖の近くだと、きっと一面、雪ね、勇兄さん、寒がりだけど、陸軍の軍服を着て気取っているでしょうね」

兄の兵隊姿を思い描くように、はしゃいだ。賢治は、春子のヤンキー娘のような屈託のなさに呆れながらも、丸印をつけたすぐ西隣りのミネソタ州に視線が移った。その州都ミネアポリスに、チャーリー田宮から誘いを受けた陸軍情報部の日本語学校があるのだった。

「春子、よか加減にせんか！」

乙七の機嫌の悪い声が、とんだ。

「パパは、勇兄さんのこと、まだ許していないの？　忠誠の証しをたてるために、真っ先に名のりをあげて出て行った兄さんのこと、私たちの仲間はヒーローだって賞《ほ》めているわ」

「馬鹿者奴《もんめ》が！　天皇陛下に銃を向ける息子なんか、オイの息子じゃなか」

乙七は、勇の出発をもの陰からひそかに見送ったことなど噯《おくび》にも出さずに云った。

＊

天羽勇たち、カリフォルニアとアリゾナの収容所から志願した百十三人の二世は、列車でロッキー山脈をこえ、広漠としたアメリカ中西部を三日がかりで横断して、北はカナダ国境、東はミシガン湖に接したウィスコンシン州の小さな駅についた。

針葉樹に氷の花が咲き、建物の庇《ひさし》から柱のようなつらら《ヽヽ》が下った見渡す限りの銀世界を、勇たちは身震《ぶる》いしながらも、好奇の眼を輝やかせ、軍用バスに乗り継《つ》いだ。

「とうとう着いたという感じだな、バスの順番を待っている僅か五、六分の間に、俺の髪の毛はこちこちに凍ってしまうんじゃないかと思ったよ」

「俺は顔が痛くて、耳がちぎれそうだった、ハイスクールで習った北部の冬の寒さってのは、このことなんだな」

未知の世界に一歩、足を踏み入れた西海岸育ちの二世たちは口々に云い、バスの外に果てしなく広がる雪原を、驚嘆して眺め入った。収容所の鉄条網の中から一年ぶりに解放され、だぶだぶだが、カーキ色のアメリカ陸軍の軍服とコートを身につけた二世たちは、家族のことなど頭になく、何を見、何を聞いても、昂奮していた。

だが、軍用バスがトレーニング基地であるキャンプ・マッコイに到着した時、勇たちは少し落胆した。若者なりに描いていた軍の基地には、バラックのような建物が並んでいた。堆《うずたか》く積った雪を除けば、今までの収容所とほとんど変りがなかった。

やがて、鉄ベッドが両サイドに四十ずらりと並んだバラックに落ち着き、白人将校から「志願した君たちは、一〇〇パーセント、アメリカ人であることを認める」と云われた時、再び気を取り直した。

勇は、割当てられたほぼ中央のベッドの頭上の棚に、洗面用具と、母が編んでくれたセーターを放り込み、胸ポケットから家族の写真を取り出して、どこに貼ろうかと躊躇《ためら》った。マンザナール収容所を出る時、兄の賢治から渡された一枚の写真であった。

それはすぐ上の兄の忠が、ハイスクール半ばにして、日本の教育を受けるために、ロサンゼルスを発つ前、リトル・トーキョーのアモウ・ランドリーの前で撮《と》った五年前の写真だった。

父は相変らず頑固一徹な顔をし、母は面長《おもなが》の顔にやさしい笑みをうかべている。その両親の前に当時、十歳の春子が頭に大きなリボンを結んだ可憐な姿でうつっており、父の隣りには賢兄《けんあに》が、母の隣りには忠兄《ただしあに》と自分が並んでいた。忠兄はハイスクールで二年連続、トップの成績をとって、生徒会長に選ばれながら、ジャップはノウだと白人の父兄から反対され、憤然として日本へ行くことを決意した熱血漢らしい凛々《りり》しさが剣道着姿に溢れている。それに比べ、自分は当時まだ十三歳の少年だったが、フットボールのユニフォームを着、嬉しそうに笑っている。これでは所詮、父に理解して貰えないなと、諦めの気持で見入っていると、

「全員、第五メスホール(食堂)へ集合!」

という号令が、響《ひび》き渡った。急いで写真を胸ポケットにしまい、白人伍長の引率でメスホールへ駈《か》け込むと、

「ウエルカム　ツー　キャンプ・マッコイ」

「ナイス　ツー　ミー　チュー」

歓迎の声に迎えられた。皆、自分たちと同じ皮膚、顔形をした二世だったが、総体的に齢上《としうえ》のようだった。

「われわれはハワイ二世だ、メインランド(米本土)二世と会うのは、はじめてなんだ、よろしく」

あちこちから、気さくに手がさしのべられた。

「え、ハワイから? ハワイからこんな遠いところまで来たんですか」

握手しながら、勇たちは信じられないように、聞き返した。

「そうだ、僕らは昨年の一九四二年六月にホノルル港を出発し、サンフランシスコに着いて、そこから大陸横断鉄道でやって来た君たちの先輩だ」

胸を張って、説明した。

「トレーニングだけで、ここに十カ月もいたというわ

け？」

　すぐにも戦場へ行けると思っていた勇たちは、がっかりして聞くと、

「その通り、だが、もうここでのトレーニングは終り、近々、ミシシッピ州のキャンプ・シェルビーへ移動し、さらに高度な訓練を受けるんだ」

　誇らしげに、云った。

「ここでは、どんなことを習うんです？」

「行軍、射撃、演習、ともかく戦争に必要なすべてだ、われわれの司令官が、いままでいろんな軍事訓練をしたが、ハワイ二世ほど熱心で、頑張り強いのは、めったにないと賞讃してくれたよ、君らメインランド二世も、僕らのせっかくの評価を落さないよう、ガッツを持ってやってくれよ！」

「ふうん、ガッツねぇ」

　勇たちは、たじたじとして顔を見合せた。ハワイ訛《なま》りの英語にいささか異和感を覚えたが、どの顔も自信に溢れ、堂々としていた。ハワイ二世は、歯痒《はがゆ》そうに、

「米本土の日系人はクワイエット・アメリカン（おとなしいアメリカ人）と聞いていたけど、その通りだな、第一、今度の志願にたった百人ばかりだなんて、信じられん」

「じゃ、ハワイからは何人、志願してきているんだ」

「千五百人さ、だけど募兵で応募したのはその五倍以上で、その中から十八歳から三十六歳までの健康で、優秀なわれわれが選び抜かれたんだ、われわれの二〇パーセントは大学卒業者なんだぜ」

　勇たちは、応じる言葉に窮した。

「僕らハワイ二世の忠誠心は、血肉の一部になっている、そういう祖国愛が肝腎のメインランドにおいて薄いというのは、理解に苦しむね」

「それは、置かれた生活環境が違うからだ」

　勇がむっとして、云い返すと、大学を開戦のため中途退学したもう一人も、

「ハワイでは、開戦で日系人社会のリーダーがFBIに連行されただけで、何事も起らなかったが、僕たち米本土の日系人は忠誠心を疑われて、いまだに収容所生活を強いられている上、忠誠テストまで受けて、イエスかノウか答えなければならなかったんだ、それが口惜しくて、僕は大学を諦め、パパやママに泣いて止《と》められても、振りきって志願したんだ、僕らの半分ぐらいは、激しい親子、兄弟喧嘩《げんか》をして来ているんだよ」

　話すうちに昂奮し、涙をにじませた。ハワイ二世たちは、しんと静まり、

「これは悪かった、僕らはハワイでは多数民族で、大手を振って生活して来れたが、メインランドでは日系人は少数民族で、差別がひどいということは、聞いていた、だが、僕ら日系二世が力を合わせてその優秀さ、忠誠心を示せば、収容所へ入れられている君らの家族はきっと早く出される

よ、そのためにもガッツで行こう！」

「ＯＫ、アメリカの軍隊の中で最も勇敢に闘い、手柄をたてるのは、日系人だということを示そう、たとえ戦場がどこであっても！」

　ハワイ二世とメインランド二世たちは、もう一度、しっかり手を握り合った。

＊

　小児病棟へ入院しているアーサーの容態が急に悪くなったという報《しら》せを受け、賢治は監視塔のサーチライトがぐるぐる廻っている中を、病院へ走った。

　病室へ飛び込むと、アーサーは高熱のため真っ赤に顔をほてらせ、咽喉に痰《たん》でも詰らせているのか、ぜいぜい苦しげに呼吸していた。付き添っているエミーは取り乱し、

「ベビーが死にそうなのに、遅くまで仕事で走り廻っているなんて！」

　と泣き出した。

「先生、そんなに悪いのですか……」

　枕もとで処置している若い医者に聞いた。

「四十度の高熱が、解熱剤でも下りません」

「何とか助けてやって下さい、ほかにドクターは？」

「院長がいても駄目です、ペニシリンを打つしか助かる方法はありません、それにはロサンゼルス郡立病院へ運ばなくては――、収容所長の許可を取り、急患として送る措置をとっています」

　救急車のサイレンが鳴り、玄関前で停った。

「間に合った、すぐ運びますから一緒に来て下さい」

　看護婦がアーサーを毛布にくるんで運び込み、賢治とエミーも車に乗り込んだ。

　深夜のＵＳハイウェイをとばし、四時間後、ようやくロサンゼルスの高台に聳《そび》えたった郡立病院に到着した。

　救急患者専用の入口を入ると、アーサーの小さな体は移送車《ストレッチャー》に移され、救急用診察室へ運び込まれた。

　四十そこそこの白人のドクターは、すぐアーサーの脈《パルス》をとりながら、

「ジャパニーズ？」

　まず人種を聞いた。その間にナースがベビー服を脱がせ、肛門《こうもん》に体温計をさし入れた。

「齢は？」

「満九カ月」

「今までの病気は？」

　ドクターは、この九カ月間の発育状態を次々と、母親のエミーに質問し、手早くカルテに書き込み、アーサーの胸に聴診器をあてるなり、

「すぐペニシリン二十万単位を注射――」

　ナースに命じたが、当直婦長は遮った。

「ドクター、戦時下、ペニシリンは軍用優先ですから、郡

立病院には限られた量しか割当てられていません」

「だから、緊急事態だと判断した患者に、用いるのだ」

「ですが、ロサンゼルス市民のための割当分が、それだけ不足します」

「だが、このベビーの生命を救うのには、ペニシリンを注射するしか方法がない、この子にとっては、ペニシリン一本が命の分れ目だ」

と云うと、エミーは婦長の傍へ駈け寄り、

「私たちもロサンゼルス市民です、ベビーを見殺しにしないで！　お願いです、ペニシリンをうってやって、たとえ一本の半分でも、三分の一でも」

と取り縋った。

「残念ですが、あなた方は、敵性外国人として強制収容所へ入っている人ですから、軍からの配給による医薬品は使えません」

冷然と云った。ドクターの碧《あお》い眼がぐっと婦長を睨《にら》んだ。

「婦長、君は今、敵性外国人と云ったね」

その語気の険しさに、婦長が口ごもると、

「敵性外国人の子供なるが故に、ペニシリンをうたずに、死なせてはならない、そのようなことがあっては、アメリカの人道主義はどうなるのだ――、医療に携わるわれわれにとって、人命の前には、敵も味方もない、いわんや、人種差別など存在しない、急いでペニシリンを持って来給え」

と厳命した。

ペニシリンのアンプルが運ばれて来ると、ドクターはすぐ封を切り、注射器をとって、アーサーの小さなお尻にうった。アーサーは泣き声さえ上げず、ぐったりしていた。

「さ、これで一命を取りとめることが出来ますよ、ペニシリンは肺炎の特効薬ですから、四、五時間もすれば、熱は下り、呼吸困難も柔ぎ、この病院で一週間、予後観察すれば、回復します、あなた方は収容所へ戻らねばならないでしょうが、完全看護ですから安心して下さい、私も充分に注意して診ますから」

賢治は、深々と頭を垂れ、

「有難うございました、どうかドクターのフル・ネームをお教え下さい」

と云うと、ドクターは、

「ビデル・ピーターソン、じゃあこれで」

爽やかに笑った。それは開戦以来、賢治がはじめてふれた人種差別のない温かな笑顔であった。ビデル・ピーターソン――、賢治は、その名前を心の奥に深く刻みつけた。

一週間後、賢治は、特別許可を受けて、エミーと共に、ロサンゼルスの郡立病院へアーサーを迎えに行った。

陽光の中に輝く郡立病院は、一九三二年に建てられた荘重な威容を持つ十七階建ての大病院で、玄関の正面に〝医の父〟ヒポクラテスをはじめ七人の医聖のレリーフが彫ら

れ、一歩、院内に入ると、廊下には、患者が迷わぬように各科をグリーン、ブルー、レッド、イエロー、ブラウンなどに色分けした線がひかれ、患者たちはそのカラーラインにそって歩きさえすれば、迷わずに自分の診察を受ける窓口まで辿《たど》りつけるようになっている。

広い廊下のところどころの椅子に大人や子供、老人たちが、病んだ体をやすめるように坐り、車椅子の患者も、往《ゆき》来《き》していたが、賢治とエミーの姿に気付くと、一斉に審《いぶか》しさと険しさの入り混った視線を向け、

「ジャップが来ている、ジャップでも診《み》て貰えるのか」

侮蔑の声が投げつけられ、中には身の危険を感じるほどの憎悪に満ちた視線が投げつけられた。

賢治たちは顔を俯《うつむ》け、隠すようにして、アーサーが入っているベビールームの前まで来ると、ばったり、ドクター・ピーターソンと出会った。

「この間は、ドクターのおかげで助けて戴きました、アーサーの様子はいかがでしょう」

「やはりペニシリンの効力は覿面《てきめん》で、すっかりよくなっていますよ」

先にたって、ベビールームへ入った。室内は適温に調節され、ベビーたちは揃って白い前掛けのような白衣を着せられ、授乳時間になったベビーは、看護婦が揺り椅子に坐って、哺乳瓶で人工授乳をしている。部屋の中ほどのアーサーのベッドへ近づくと、つぶらな瞳を上に向け、手足を無心に動かしていた。

「アーサー！」

エミーは駈け寄り、ベッドの柵《さく》ごしに、ほんのり赤味をさした頬にふれ、思わず、両腕の中に抱きしめた。

「ドクター、一生、ご恩にきますわ……」

涙ぐんで礼を云った。ドクターはアーサーを優しく見守り、

「今日、一緒に帰ってもよろしい、だが、帰るところが収容所ですね、この児《こ》は呼吸器が弱いから、これからも充分な注意が必要ですよ」

と云い、看護婦を呼んで、退院の手続きを命じた。

「ドクター、何と御礼申し上げてよいか、今の私たちには、何の御礼も出来ません」

賢治が詫《わ》びるように云うと、

「玄関ホールの天井をごらんになったでしょう、あそこに記されているように、この病院は、ロサンゼルス郡の市民によって建てられた施設で、ここの医者は、救急患者や病いに苦しんでいる人たちのために無料奉仕することを誇りにしているのです、あなたがそんなにわれわれに感謝の気持を持って下さるなら、今、不幸にして、あなた方を、収容所に入れているアメリカの非人道的な面だけを見ず、こうした人道的な心の在り方が、ほんとうのアメリカだということを忘れないで戴きたい」

「ドクター、今のあなたのお言葉は、私の心の中に深く刻

みつけられることでしょう」

「アーサーが成長する頃には、現在のような人種差別は、アメリカの恥部として反省されているはずです、ミスター・アモウ、あなたなら、今回の日系人収容所の出来事をアメリカの一つの誤りとして許し、三世のアーサーにりっぱなアメリカ人として生きることを教えられる人だと思う、私はそれを望みます」

ドクター・ピーターソンは、澄んだ眼でそう云い、次の患者のために、足早に去って行った。

＊

忠誠登録は、完了予定日の三月十七日を過ぎても、容易に登録が終らず、管理当局は繰返し、全員登録の義務があることを呼びかけていた。

天羽一家は、親子兄妹、それぞれ、異った答えではあったが、登録用紙の記入をすませ、肺炎で危篤状態だったアーサーも健康を回復し、一家にやっと明るさが戻りかけた時、米陸軍情報部日本語学校から、日本語のできる二世を募る募集班が、収容所へ派遣されて来た。

陸軍省の志願兵の募兵チームが来た時と異り、募集の対象は日本語の出来る二世に限られ、極秘裡に語学テストが行われることになった。

管理当局から事前に、日本語の出来る二世にテストに応じるようにという勧告が出た。インフォメーション・セクションで日本語版の『マンザナール・ニュース』を出しているスタッフたちには、まっ先に勧告が来、元《もと》加州新報記者の天羽賢治《けんじ》には、特に強い勧告が来た。

テストは、管理本部に近いバラックで行われた。軍曹の衿章をつけた二世の教官は、机に並んだ三十数名の二世たちの顔を見廻し、日本語で話した。

「米陸軍情報部日本語学校では、今、日本語特技兵の養成に力をそそいでいる、単に銃をもって戦うだけが戦争ではなく、敵の情報を収集し、弱点を察知する情報戦によってこそ、大きな戦果がもたらされるのだ、国防省は、その情報戦の重要性を認め、日本語特技兵の養成と今後の活躍に大きな期待を寄せている、その要請に基いて、今からテストを行う」

賢治は、複雑な思いでその言葉を聞いていた。周囲を見廻すと、同じインフォメーション・セクションのジョー北川をはじめ数人のメンバー、それに大野保の次男の顔も並んでいる。試験官は、

「まず今から配る日本語の新聞紙面の中で、赤線で囲った部分の英訳をしてもらう、それに合格した者は、明日、会話のテストを行うことになっている」

日本の新聞のコピーと答案用紙が配られた。昭和十六年十二月九日という日付が入っている日本の毎朝新聞であった。赤線で囲まれた記事は、

野村、来栖大使、米政府に通告
米長官無礼な言辞

という躍るような見出しがついている。

〔ワシントン特電七日発〕野村、来栖《くるす》両大使は七日午後一時四十分（日本時間午前三時四十分）国務省にハル国務長官を訪問、去月二十六日のハル覚書に対する日本政府の意思表示を行い、重大通告を手交した。これに対し、米国政府は次の如き通告を行った。

「ルーズベルト大統領は、野村、来栖両大使の手を通じ、米国政府に提示された日本政府の覚書は、言語道断なる虚偽と曲解に満ちていると声明した」

なお、ハル国務長官は、日本政府の覚書を読了するや否や、野村、来栖両大使に向い、「余は過去数箇月にわたる貴下とのあらゆる会談を通じて、いまだ一言も真実に反する言葉を発言しなかった、ということを申し上げねばならない」と無礼な言辞を両大使に使用したと伝えられている。

机に向う三十数名の二世は、鉛筆を握り、真剣な表情で英訳している。中には頭を抱える者もいる。賢治は日本語学校へ行く気持はなく、白紙のまま出した。

部屋を出ると、インフォメーション・セクションへ戻った。がらんとしたオフィスに米陸軍の制服を着た自分より五、六歳齢上の二世が一人、たっていた。

「天羽君だね、私はミネアポリスの日本語学校キャンプ・サベージから来た主任教官のオーソン相川だ、君を待っていた」

インフォメーション・セクションに賢治が戻って来るのを、まるで見越していたような口ぶりで、微笑をうかべ、手をさし出した。オーソン相川は、サンフランシスコで弁護士をし、多くの日系人の尊敬を集めている二世であった。

賢治は握手し、

「あなたのお名前はよく存じています、記者時代、サンフランシスコへ行ってあなたにインタビューを申し込んだことがありますが、その時、あなたはワシントンへ行っておられ、残念な思いをしました」

賢治は、初対面の人とは思えぬ親近感を覚え、椅子を勧めた。

「それで、ご用件は」

「天羽君、われわれは、君を日本語学校の生徒としてではなく、教官としての君を必要としている、陸軍は今、日本語の出来る語学兵の養成を急いでいるのだ」

オーソン相川も、加州新報の天羽賢治に以前から関心を抱いていたような打ちとけた表情で話した。

「日本語学校の存在については、先日、チャーリー田宮に

聞いてはじめて知りました、なかなか適当な人材が見つからないそうですね」

「その通り、二世の大多数は、アメリカの公立学校の教育を受けているから、家庭や、土、日の仏教会で開かれる日本語学校で無理に日本語を教えられながらも、完璧に読み書き出来るのは殆んどいない、開戦以来、面接した三千七百名のうち、日本語堪能な者は僅か二百五十名で、その中でも百名近くは相当のトレーニングを必要とする程度の実力なのだ、日系二世は全部、日本語が喋れるものだと思い込んでいた軍の上層部にとっては信じ難いことのようだったらしく、急遽《きゅうきょ》、日本語のできる〝語学兵〟を養成せよという命令が出されたのだ、そのためには、何よりも有能な教官が必要であり、君ほどその資格を備えている人物はほかにいない、是非、君に来て貰《もら》いたいのだ」

　率直に要請した。賢治は困惑し、すぐ応えられなかったが、

「僕は、たった今、白紙の答案を出して、出て来たばかりなのです、それが私の答えです」

　思いきって、云うと、オーソン相川の温和な表情は少し動いたが、すぐもとの静かな眼ざしに戻って、

「そうだったのか——、だが考え直してくれないか、チャーリーから、ケーンはおそらくノウという男だと聞いて、実はこうしてやって来たのだ、一人の優秀な教官を得ることは、五十人の生徒を得るのに等しい、貴重で緊急のことなのだ」

「なぜ、そんなに語学兵の養成を急ぐのです？」

「太平洋戦線はミッドウェー海戦以来、やや優勢になっているが、相変らず、熾烈《しれつ》を極めていることは君も承知しているだろう、その戦線で押収した日本側の作戦計画、部隊日誌などを翻訳することによって、日本軍の兵力、作戦を知ることが出来るからだ、日本側では、米英にとって難解極まる日本語は容易に解読できるはずがないと思っている節があるようだ、米軍はそこをついて、われわれ二世を情報戦の秘密兵器と考え、語学兵の増員を急いでいるのだ」

　オーソン相川は、法律家の冷静さで、秘密兵器、語学兵と云ったが、賢治は、その一語一語が、情報戦を得意とするいかにもアメリカらしい戦闘方法だと思った。

「ミスター相川、この日本語学校はいつ頃から出来ていたのですか」

「設立は開戦の五週間前だが、設立計画は、日米関係が悪化し開戦が避け難いと考えられた頃からだ、元駐日アメリカ大使館の武官をはじめ、少数の将校が二世の語学兵養成の必要を説いたが、軍の上層部では二世を信頼せず、ようやく、戦争勃発《ぼっぱつ》五週間前の一九四一年十一月、サンフランシスコのプレシディオ飛行場の格納庫を改造した校舎で、私と、アキオ小田、シグ木村が、オレンジの木箱を椅子替りにして、たった三人の教員会を開いて開校したわけだ、第一回の級《クラス》は、僅か四十五名だった」

オーソン相川は、その当時の苦労を偲《しの》ぶように云った。

「ですが、そうした努力、日本語の学習は、日本から見れば利敵行為のように思いますが」

「確かに君の云う通りだ、だが、天羽君、ここに二つのことを忘れてはならない、一つは、君はアメリカの市民権をもつ日系アメリカ人であるという厳然とした事実だ、もう一つは、語学兵の働きによって長びく戦争を一刻も早く終結し、両国の犠牲者を少くすることだ、日本語学校の教官になることは、決してゲリラやスパイを養成するためではない、今、日米両国語の出来る人間は、長びく戦争を早く終らせるために力を尽す——、それが日本とアメリカを祖国に持つ二世の使命だと、私は思う」

オーソン相川は、強い信念を以って語った。

「あなたは、アメリカに生れ、育ち、ハイスクールから大学までクム・ラウデ(優等)で通し、ハーバードで学位を取得して弁護士になり、日系二世のトップとして歩んで来られた人です、私はその点、小学校三年から大学予科二年までを日本で育ち、日本の教育を受けた帰米二世です、その私が米陸軍情報部の日本語学校の教官になって、日本で受けた教育を伝授したら、どうなりましょう、そんなことは出来ません」

賢治は、胸中に潜む明確に割りきれないものと闘いながら、ノウと答えた。相川はじっと賢治を見詰めていたが、

「チャーリーの懸念が解ったよ、だが、君は、帰米二世ではあるが、単純な日本愛国主義者ではない、それは、戦前の加州新報の記事を読んで知っている、この私だって人は二世のトップというが、心の中は理不尽な差別と偏見でずたずたに傷ついている、おそらくチャーリーだって同じだろう、われわれ二世は、苦悩する世代なのだ、だからといって、役にたつことが出来る者が、収容所の中でただ漫然と過していていいものだろうか、私は君の答えを待っている」

オーソン相川はそう云い、たち去った。


「はい、ミネアポリスから、またラブレターよ」

井本広子は、姉の梛子に、ミネソタ州の日本語学校からはるばる届いたチャーリーの白い封筒をさし出した。

「ありがとう、パパ、ちょっと手を離すわよ」

梛子はタータンチェックのブラウスに、ジーンズという恰好で、窓のカーテンレールを取り替える手伝いをしている手をとめ、チャーリーからの手紙の封を開きかけたが、さかさまに貼られた切手の下に、日本語で大きく『注意』と記してあるのに気付いた。

「あら、これ、パパの字ね」

と云うと、虎造は聞えぬ振りをして、カーテンレールのもう一方に、釘をとんとん打ちつけながら、好きな浪曲の『森の石松、三十石舟』を唸りはじめた。

広子は、そんな父を睨み、

「パパ、ごま化しても駄目、今、ポスト・オフィスの配達係の人と通りで出会ったの、そうしたら、せっかく配達した郵便物を、切手がさかさまに貼ってあるからって、またポストへ放り込まれては迷惑だ、持って帰ってほしいって、渡されたのよ、私、恥ずかしかったわ」

内気な広子は、頬をあからめた。母親のせきは、部屋の隅に積んだ荷物を整理していた手をとめた。

「お父さん、なんてことを、かりにも娘の婚約者《フィアンセ》から来た手紙ですよ、切手の貼り方が気に喰わないからって、ポストにつっ返すなど、非常識ですよ」

「フィアンセじゃ？　わしはまだ認めとらん、第一、切手の貼り方ぐらいというが、手紙にどんなええことが書いてあっても、こういうところに男の本性が現われとる」

チャーリーの手紙を一心に読んでいる椰子に、聞えよがしに云った。

「そんな大げさな――、いくらお父さんの気に染まないからって、遠いミネアポリスからわざわざ、私たちのところに正式に申し込みに来たんですよ、その気持は有難いと思わなくては――」

母親らしく、しみじみと云うと、椰子は手紙を読み終え、

「チャーリーは、一カ月以内に来てほしいと書いているわ、来々月《らいらい》になると、また新入の語学兵の授業が始まり、結婚式を挙げる暇もないぐらい忙しくなるんですって」

「じゃ、今日、何か二世のテストがあるとかひそひそ云っていたのは、次の日本語学校の生徒を集めるためのものというわけね、それにしても一カ月以内なんて早すぎるわ、姉さん、ほんとに行ってしまうの」

広子は、淋しそうに云った。漠然《ばくぜん》と予想していた別れが、チャーリーの手紙によって、俄かに現実のものとして、目前に迫って来たのだった。

「パパ、日本へ帰ること、もう一度、考え直せないの、忠誠テストの用紙が廻って来るまで、パパは日本へ帰るなどとは一度も口にしたことがなかったのに、そんなことをいい出したのは、テストに答えたくないからじゃないの」

事実、日本への送還希望者は、忠誠テストに答える義務がないということが解ると、親子の意見がまとまらず、一家離散しそうな家族は、いっそ、みんなで日本へ帰ろうという気運が急に高まって来ていた。虎造は、むっくり顔を上げ、

「わしは去年の秋、サンタフェの司法収容所に入れられとる南加ガーデナー協会の会長だった阿倍さんからの手紙で、ジュネーヴ協定に基いて戦時民間捕虜を交換するための交換船が出ることを知ったんじゃ、第一次は野村、来栖両大使をはじめとする外交官や、日本の銀行、商事会社、留学生らが殆んどで、第二次交換船には移民で来た者も希望すれば送還される、と書いてあったんじゃ、その時からわしも、第二次交換船が出る時にゃあ、お前たちを連れて日本

へ帰ろうと心に決めておった」

普段は、めったにこみ入った話をせず、浪花節ばかりうなっている虎造であったが、心の底では、家族の生き方を真剣に考えていたのだった。椰子は、そんな父に熱いものを感じながら、父の郷里の広島を思いうかべた。

学生時代、はじめて広島を訪れた時、叔父一家の大歓迎を受け、人情の細やかさに搏《う》たれ、父祖の国を愛する心は深いものになった。しかし、それは太平洋の彼方から来た訪問客であればこその歓迎で、今、自分たちが、叔父一家のところへ戻れば、僅かな田地《でんち》しか持たない叔父がどんな顔をするか、解りきっている。

「パパ、帰って、耕す土地があるの？」

父にとって、残酷すぎる問いであったが、椰子は、ひたと父の顔をみて云った。

「わしの田畑は、弟に譲ってしもうたけん、突然、帰ったら当惑するじゃろが、わしら四人が食べて行けるぐらいの融通《ゆうずう》はしてくれるはずじゃけん」

「パパ、それは甘いわ、叔父さん夫婦は、あれだけ私を歓待して下さったけど、それはパパの田畑をただ同然で譲って貰ったからだと、口さがない従兄弟たちが噂しているのをこの耳で聞いたわ」

「椰子、大丈夫じゃ、弟はわしが日本を出る時、ほんとに困った時は遠慮せんと帰って来《き》んさい云うてくれた、わしもどんなことで世話になるかもしれん思うて、ガーデナーになって余裕が出来てからは、ちょくちょく、広島へは送金しちょる」

不安をふっきるように云ったが、母のせきは、

「けど、私らこんな齢で無一文同然で帰って、邪魔者扱いにされるんでは……、せめて広子が嫁ぐまで、こっちで辛抱した方が……」

帰国をしぶるように云った。

「アメリカで裸一貫から叩き上げたわしじゃ、つつましゅうに生きる分には心配いらん、それより死ぬ時は、やっぱり日本の畳の上がええ、もうブレーッドの、コーヒーのという生活はいやになった、それともう一つわしは椰子がチャーリーと結婚するのが、何としても不安じゃ」

虎造は真底《しんそこ》、按じるように云った。

「チャーリーのどこが、そんなに不安なの、白人かぶれと云うのなら、パパの偏見よ、以前、インフォメーション・セクションにいたマイケル城山、ダン吉田だってそうだわ、一世と二世の考え方の違いを非難してもはじまらないわよ、私たち二世はアメリカ市民なんだから」

「いや、チャーリーは、マイケルとは違う、あれには男の節操いうもんが欠けておる、お前が今のように若うてきれいなうちはええが、何事かあったら……、つまり娘を安心して托《たく》せんところがある」

「じゃあ、パパはどんな人とならいいというの」

「誰いうても……、まあ、お前なら誰でも喜んで嫁に貰う

てくれる、わしは天羽賢治君が貰うてくれたらと思うとったが、あっちは鹿児島県の郷士《ごうし》出身で、こっちは広島のどん百姓で、よう切り出せんうちに、畑中万作が押しの一手で、あのエミーを賢治さんに嫁《かたづ》けてしもうた、それを知った時、わしにあれぐらいの厚かましさがあったらと、臍《ほぞ》を嚙《か》んだんじゃが、あとの祭じゃった」

「パパ、もうよしましょう」

梛子は、父の口からはじめて聞く繰《く》り言《ごと》を断《た》ちきった。

父が口を噤《つぐ》むと、梛子は自分でも解らぬ悲しみが胸をよぎった。チャーリー田宮とは、燃え上るような恋心を抱いて結婚するわけではなかった。恋うる思いで結婚する相手があったとしたら、それは父が口にした天羽賢治かもしれない。

梛子は、すぎ去った年の夏、サンフランシスコで賢治と出会い、霧の中のゴールデンゲートで一度だけ交した口づけを忘れてはいなかった。

乙七の鼾《いびき》が聞えるバラックで、賢治とエミーは一つのベッドに体を寄り添わせていた。部屋を二つに仕切ったカーテンのすぐ横には、アーサーがすやすやと眠っている。

「ロサンゼルス郡立病院《カウンティ・ホスピタル》で診て貰ってから、すっかり元気になったようだな」

「ええ、ペニシリンの効果って、素晴しいのね、あれ以来、アーサーの健康はめきめきよくなって、体力がついたみたい」

暗がりの中で、二人は眼を凝らすように、アーサーの寝顔を覗き込んだ。

「ねぇ、ケーン、何か話したいことがあるんでしょ」

エミーは、アーサーを眺める賢治の顔を両手で挟み、自分の方へ向けさせた。

「うむ、今日、日本語学校のテストがあった」

父たちの方を気遣いながら、低い声で云った。

「集会所の周辺で、ジョーや、ダンを見かけて、もしやと思ったけど、やはりテストだったのね、受けてくれて嬉しいわ、結果はどうだったの」

「うむ……」

「ケーンなら、難なくパスだわ、チャーリーが教官になっているぐらいだから、あなただって、最初から教官になれるはずよ」

「エミー、静かに——、このことは父さんにはまだ話していないのだから」

「解ってるわ、私たちにも、やっとここから出て行けるチャンスが来たのね、そうしたらアーサーだって、今よりもっと元気になるし、私の思い通りの育て方が出来るわ」

普段は外出好きで、アーサーの子守りを姑のテルや、実家《さと》の母親に任せては、お喋りやカードに興じているエミーは、いつになくしみじみと云った。

「だがエミー、テストの答案は白紙で出したんだ」

「なんですって、それ、本気なの」

柔かく賢治に委ねていたエミーの体が、ぴくりと動いた。

「ところが、そのあとで日本語学校の主任教官から、教官として来てほしいと要請されたんだ」

「まあ、そうなの、ケーンほどの人を放《ほ》っておくはずがないわよ、もちろんOKしたんでしょうね」

「いや、僕は――」

自分の考えを話そうとすると、

「断らないで、私、もう、どうしても収容所から出たいの、どうやら二番目のベビーが出来たらしいの」

「ほんとか、エミー」

賢治は驚いて聞き返した。

「診察はまだ受けてないけど、自分の体のことですもの、ほぼ間違いないわ、こんな辛い生活に耐えながら、またベビーに恵まれたのよ、喜んで、ケーン」

エミーはそう云い、賢治の手を誘《いざな》った。掌《たなごころ》にあたたかい腹部が触れた。ベビーらしい手ごたえは何もなかったが、熱いほどあたたかい丸みにじっと触れているうちに、新しい生命のぬくもりが伝って来るようで、賢治の心は微妙に揺れた。エミーは夫の手を強く握りしめ、

「お願いだから、その主任教官からの要請を受けて、私たちに自由な外の生活をさせて――、アーサーを産んだ時のようなあんなみじめなお産はしたくない」

その時のことを思い起し、胸にしがみついた。

「心配しなくていい、二度とあんな目にはあわせない」

賢治は、日本語学校教官の職を拒むつもりでいながらも、新たに自分たちの生命を宿したエミーへのいたわりと、アーサーの将来を思うと、妻子への情にずるずると引きずられて行きそうであった。


抜けるように青い空の下で、井本虎造は丹精こめて育てた木々の手入れをしていた。

マンザナール収容所へ来た時は、砂塵とセイジ・ブラシが舞う砂漠であったが、今では若木も育ち、つややかな若緑の葉を輝やかせている。第二次の戦時交換船が出る日は、まだ三カ月程先の様子だが、収容所を出発するその日まで、虎造は若木の一本、一本に眼を注《そそ》ぎ、大事に育ててやろうと心にきめていた。

ナイフや鋏《はさみ》をさし込んだ太いベルトを腰に巻き、長い柄の木鋏《きばさみ》でちょき、ちょきと小枝を払っていると、

「虎造さん、お精が出やすな」

背後で声がし、振り返ると、天羽乙七がやや背の曲った体で、たっていた。

「こりゃあ、乙七さん、昨日はまたご厄介をかけて――」

井本虎造たちのブロックで、身よりのない死者が出、葬儀補助係の乙七の手を煩わせたのだった。

「何の、仕事じゃって」

乙七は、当然のことのように云い、虎造の剪定《せんてい》ぶりをいつになく見惚《みと》れるように、つったっていた。畑中万作や大野保とは違って、容易に心を割って話をしようとしない乙七が苦手である虎造は、背後でじっと見られていると気が落ち着かない、

「忠誠テストは、もう提出しなさったか」

と話しかけると、

「わしらん家ではとっくい出しておっとじゃが、ブロックん中じゃまだ揉《も》めとる家族もあって、回収はもうちっと先いなっそうじゃ、虎造どんのとこは日本に帰っとじゃから、イエス、ノウで親子が諍《いさか》うこともなかじて、幸せじゃなあ」

「そげなことはありゃあせん、椰子はわしの反対も知らんげに、チャーリーと結婚するために近々、ミネソタ州へ行くし、下の娘の広子も、姉さんだけいい目していうて、わしらと一緒に帰るのをしぶっとるんです」

「ほう、あげな聡明な椰子さんが、チャーリーのところい……」

収容所で、目下、持ちきりの噂も、乙七にははじめての話だった。

「こういう時、息子の方がえぇですわい、その点、おたくは賢治さんがしっかり者じゃけん、何かにつけ心丈夫で、羨しい」

「じゃが、肝腎の忠誠テストの答えが、わしと賢治とは違うとじゃから、いずれ別れ別れにないもす」

乙七は、淋しげに応えた。

「ほう、賢治さんは昨年の十二月の事件以後も、一人、インフォメーションに残りんさったし、勇君が陸軍に志願した時も反対しとりんさったが、乙七さんと答えが違いますんか、やっぱり二世なんですのお」

意外そうに云い、

「畑中万作さんのところは、家族全員、イエス、イエスということじゃから、乙七さん夫婦だけが、ノウノウの不忠誠組ばっかりを集めるツールレークとかいう収容所へ隔離されるわけですか、お気の毒なことじゃな」

薩摩の変屈者と、頭からきめて、日頃、つき合わなかった乙七に、虎造は同情の念を覚えた。その気持が通じたのか、乙七は、

「虎造どん、オイは、日本に帰れるオハンが羨しか」

ぽつりと、本音を洩らした。

「わしとて、弟に家督を譲った田舎へ無一文で帰るんですけん、肩身が狭いわい、ま、日本が戦争に勝つことに一縷《いちる》の望みを賭けて、戦争が終るまで辛抱しようと思うとるんですよ」

日本が戦争に勝てば活路が開けるというのが、生来、楽観的な虎造の考えだった。

「乙七さん、あんたほどしっかりした日本精神の持主じゃ

ったら、ツールレークへいかんで、日本へ帰りんさったらどうです、今じゃったらまだ手続きが間に合うかもしれん」

「いいや、帰ろうにも七男坊のオイには、帰っとこがなかとじゃ」

「田畑がのうても、乙七さんはランドリーいう、手に職のある身じゃけん、戦《いく》さが終ったら、何とでもなりましょうが、その点、わしのようなガーデナーはアメリカでこそ通用するもんの、日本に帰ったらりっぱな専門職がおって役にもたたん、これは噂じゃけど、日本が勝ったら、アメリカ移民で帰った者には、戦時補償金が二千円とも、三千円とも出るいうことじゃ、その金でアメリカ仕込みのランドリー屋を出しんさい」

励ますように云った。

「いや、鹿児島の加治木《かじき》は、家族の洗濯もんも、男と女は別々の盥《たらい》を使う土地柄じゃ、そこでアメリカ式の洗濯屋をやるちゅうことは、オイに死ねというのと同じこっじゃ」

思い詰めたように応えた。

「な、なにもそんな意味で云うたんでない、ともかく、そう固苦しゅう自分を追い込むことはせんと、賢治さんや畑中万作さんと、もう一ぺん、よう相談しなさることじゃ」

虎造は痛ましい思いで、こんこんと云った。

「ご親切、忝《かたじけ》ない、日本に帰ったら一つ、お願いごとがあっとじゃが」

乙七は、俄かにしゃんとして云った。

「何なりと、わしで出来ることなら」

「実は日本には、忠という息子がおいもす、応召されてどこかん戦地へ行っているかもしれんが、何とかしてわしらが無事なことだけ伝えてほしかとです」

「そうじゃったか、お気持はごもっともじゃ、しかと承りましたけん」

虎造は、男の約束を交すように大きく頷き、鹿児島の住所のメモを受け取った。


数日後、語学テストを受けて合格した十人の二世が、マンザナール収容所を出て行った。

その日、天羽賢治は、収容所長から呼び出しを受け、管理本部の所長室へ行くと、モーレー所長は、

「ケーン、陸軍情報部から君に面接したいと云って来ている、われわれWRAの管轄外のことだから直接、話してくれ給え」

隣室を眼で指した。賢治は、陸軍情報部と聞いた途端、この間の語学テストに、白紙答案を出したことで、何か問題が起ったのかと思い、隣室の扉を押すと、背が高く、がっしりした体軀の軍服姿が、賢治の前にたちはだかった。

「アモウ、久しぶりだ——」

賢治は、息を呑んだ。アリゾナ砂漠の軍キャンプで賢治

のヒヤリング（審問）を担当した審問官であり、サンタアニタ競馬場の仮集合センターに姿を現わし、ワシントンで日本からの対米暗号の解読をするように勧《すす》めた軍人であった。

「アモウ、久しぶりだな、私はあの時のポプキンズ中佐だ、サンタアニタで、君がワシントンでの仕事を断った時、われわれは、今後も君に関心を持ち続けるだろうと、云ったのを忘れたのかね」

忘れているどころか、その不気味な言葉は心の奥深くに残っていた。

「あの時の答えは、今もって変りません」

賢治は、はっきりと云った。

「今日は、別の件で来たのだ、まず君の忠誠テストの答えを聞きたい」

「アメリカ市民としての義務を尽すかという質問に対しては、イエス、天皇が組織する軍隊と戦うかには、ノウです、この答えは、軍キャンプのヒヤリングでの私の答えと一貫しています、そして、あの時、私は次のように云ったはずです、忠誠を疑われたり、試されたりすることなく、一つの国、一つの旗に忠誠を尽すことが出来れば、どんなに倖せかと――、ところが、自由を奪われたこの収容所の中で、十七歳以上の日系人男女が、すべて忠誠テストを受けさせられました」

賢治は、やっと平静を取り戻して、応えた。

「日本語学校の教官になることを断った理由は？」

「ワシントンでの仕事を断ったのと同じ理由です、弟や私の友がいる日本に利敵行為を行いたくないという気持です」

「アモウ、その気持は解る、だが、君は現実にアメリカの市民権を持つ日系アメリカ人であり、今、君と君の家族がいるところはアメリカ合衆国である以上、合衆国政府からアメリカ市民としての義務を課せられたら、それを拒むことは出来ない、それでもなお、われわれの要求する日本語学校の教官になることを拒絶するならば、残念ながら君を徴兵せざるを得ないだろう」

「徴兵……」

思わず、問い返した。合衆国の徴兵年齢は、二十一歳から三十六歳までだった。

「そうだ、君は徴兵されて、戦場に出て銃を持って日本軍と戦うか、それともミネアポリスの日本語学校の教官をするか、二つに一つしかない」

咽喉もとに刃《やいば》をつきつけるように云った。

「アモウ、私は決して君を脅《おど》しているのではない、君が安心して話せるもう一人の人物を混えて相談しようと思っていたが、彼の到着が遅れているのだ」

「誰ですか、その人物？」

賢治が、安心して話せるような相手は、米陸軍にいるはずがなかった。

「間もなく、来るだろう」

中佐はそう云い、ゆっくり煙草を喫いはじめた。賢治は、やがて現われる人物の見当がつかず、不安を覚えていると、慌しい靴音がし、扉が開いた。日本語学校の主任教官であるオーソン相川であった。

「中佐、遅れて申しわけありません、雪のためミネアポリスで飛行機の出発が遅れたのです」

と云い、賢治の斜め向いに坐った。

「天羽君に是非、協力して貰いたいことがあって来たんだ」

「この間のお話なら、あの時、お返事したはずです」

「解っている、だが、太平洋戦線において、語学兵の必要がさらに急を告げて来たんだ、というのは、戦線で捕虜になった日本兵の扱いと尋問という困難な仕事が、語学兵に要求されたのだ、何しろ日本の兵隊は『生キテ虜囚《りょしゅう》ノ辱メヲ受ケズ』と徹底的に教育されている、ジュネーヴ協定で、戦闘中の捕虜は、氏名、階級、所属部隊の他《ほか》は何も云わなくても保護されることも知らされていないから、捕虜になっても自決したり、口を閉《とざ》して答えない、そんな時、日本人の心情や風習を熟知し、たとえば、鹿児島出身者には鹿児島弁で、広島出身者には広島弁の方言を使って問いかければ、ふと心が解けて話すかもしれない、そこまで高度なことを教えられるのは、君をおいて他にない」

賢治の脳裡に、アリゾナの軍キャンプで見た日本の捕虜第一号、真珠湾攻撃で捕われた酒巻少尉が自らの顔を煙草の火で焼き、民間捕虜として収容されていた賢治たちの呼びかけに対しても、恥じるように顔をそむけ、いささかも心を開かなかった姿がありありと、思い出された。

オーソン相川は、さらに言葉を継《つ》いだ。

「天羽君、自分自身のことだけでなく、少しは家族のことも考えるべきだよ、忠誠テストの答えはもちろん、日本語学校の教官になるか、ならぬかについても、すべて記録《レコード》されて、その記録は何をするにも今後ずっとついて廻り、君の生涯《しょうがい》を左右しかねない、君には既に三世のアーサーがいる、合衆国を祖国として生れ、アメリカ人として生きる三世の将来をも充分に考えて、行動すべきだと思う」

二世の先輩として諭すように云った。賢治の胸に、アーサーと、あらたに生れ出ずる子供のことがうかんだ。同時に、ツールレークの隔離収容所へ送られることを承知の上で、忠誠登録にノウノウと記した父の姿が瞼にうかんだ。

中佐が、つかつかと賢治の前にたった。

「アモウ、君が日本語学校の教官になる決心をするなら、兵隊でなく、シビリアンとして教壇にたってもよい」

最後の切り札をきるように云った。オーソン相川は、

「君も、これ以上、拒否すれば、徴兵されて、ヨーロッパ戦線でなく、太平洋戦線へ廻され、銃を持って日本軍と戦わねばならないかもしれない、それより日本語学校の教官になって、語学兵を養成し、一刻も早く戦争を終らせ、双

方の犠牲を少くすることに力を尽すことの方が、まだしも意味のあることだと思う」

賢治は、もはや、自分の前に二つの門しかないことを知った。一つは戦場へ狩り出されて行く絶望の門、もう一つは、日本語学校の教官になり、日本人の精神形成、風俗、風習を含めた日本人の心を理解させるために日本語を教えるという門であった。後者には、いささかの救いがあるといえるかもしれない。

賢治は、ようやく心を決めた。

「では、シビリアンとして、日本語学校の教師になります」

「そうか、よく決心してくれた——」

オーソン相川は、賢治の肩を叩いた。ポプキンズ中佐は、

「アモウ、アリゾナの軍キャンプで、初めて会って以来、もう一年経ち、その後も多くの二世たちに会ったが、その中で、君は最もすばらしい二世の一人だ、活躍を祈る」

その大きな手で、賢治の手を強く握った。

賢治は、父を待っていた。つい先程まで、死人をのせていたステンレスの解剖台が、裸電球の下で何事もなかったように鈍く光っている。死体を保存するためのアイスボックスのモーターが、時折、ビューンと薄気味悪い唸りを発した。

扉が開き、棺を運び出した乙七が、戻って来た。

「待たせたな、家じゃ話せん折り入ってん相談ちゅうとは、何《ない》じゃ」

乙七は、死体用の防腐剤の匂いを漂わせて、小さな丸椅子に腰を下した。

「先週、日本語学校の生徒募集のためのテストがあったことは知っているでしょう」

賢治は、重い口を開いた。

「ああ、知っちょっ」

「実は、僕もそのテストを受けました、しかし、その時は思うところがあり、白紙で提出したんです、ところが、そのあと生徒でなく、教官として赴任してほしいという誘いを受け、今日まで答えを保留して来ました」

「そいも知っちょっ——」

乙七は、無表情にぽつりと、云った。賢治の方が驚いた。

「父さん、どうしてそれを？」

「お前《まい》がそん試験を受けたちゅう日、別だん聞くつもりはなかったが、夜中い眼を醒《さ》ましたら、エミーと話しちょる声が聞えたとよ」

賢治は狼狽し、口を噤《つぐ》んだ。乙七もそれ以上、何も云おうとしない。

ビューンと、アイスボックスのモーターが鳴った。

「知っていたのですか、エミーにだけ話して、今まで父さんに伝えなかったのは——」

「そげんこっ、どうでんよか、で、賢治、断ったとじゃ

ね」

　乙七の眼が、賢治を捉えた。

「いえ、承諾しました」

「何じゃ？　エミーに泣きつかれて、心を曲げたとか」

「もちろん、エミーのこと、子供の将来のことも考えました、しかし最後は、自身の信ずるところによって、決めたのです」

「忠誠登録の質問の二十七と二十八に対して、お前《ま》やイエス、ノウと答えたな、二十八は、天皇の軍隊と戦うかという質問じゃっど、そいにお前《まい》はノウと答えておいて、陸軍情報部の日本語学校ん教官に行くとは、おかしかなかか」

　乙七は、体の底に眠っていた薩摩の郷士《ごうし》の血が呼び醒まされたような気魄で迫った。

「父さん、先刻、僕に日本語学校の教官を勧めに来たのは、アリゾナの軍キャンプで僕を審問し、その後、サンタアニタの仮集合所にも来て、ワシントンで働かないかと勧めた情報将校なんです、その将校の話では、戦争の長期化に備え、近々、十七歳以上、三十六歳までの日系二世は徴兵され、日本軍と南方で戦うこともありうるというんです、僕は太平洋戦線へは出たくない、その点、日本語学校の教官ならずっとミネアポリスにいられるのだから、日本軍と撃ち合うことはない」

「そいは屁理屈じゃ、お前や、天皇の軍隊に弓を引く以上にもっと卑怯なことをしようとしちょる、オイは自分の息子をスパイに育てた覚えはなか」

「スパイなんて、そんな！」

「うんにゃ、そうじゃ、日本人の顔をしていることを利用し、白人と一緒になって日本軍を欺くなど、オイは許さん、そいなら勇の方がまだしもまっとうじゃ、堂々と正面から闘うとじゃからな」

「父さん、そう一方的にきめつけず、僕の考えも聞いてくれ、僕はこの戦争で、日本は敗けるだろうと思っている」

「なんじゃと――」

　乙七は、眉をさかだてた。

「十年間、日本にいた僕にはアメリカと日本の比較が出来る、物資の点で日本は問題にならない、日本人は不屈の大和魂を持っているから、簡単には手を上げないだろう、それだけに長びけば長びくほど、日本は壊滅的な敗け方をしそうな気がする」

「お前、ようもそげな畏《おそ》れ多か、不謹慎なこっが云えるね」

「父さんだから云えるんだよ、僕はアメリカ市民として、理においてはアメリカが勝つことを望むが、情においては日本が無惨な敗け方をして貰いたくない、アメリカの陸軍情報部日本語学校の教官に、どれだけのことが出来るかしれないけれど、収容所の中でじっとしていられなくなったことだけは確かなんだ」

　賢治はそう弁明しながら、日本語学校の教官を応諾した

のは、白人の中佐や主任教官のオーソン相川に説得されたからではなく、日米戦争という歴史の歯車の中で、帰米二世として果すべき何かを自ら模索《もさく》していたからだと、自分自身に云いきかせた。

「父さん、日本語学校の教官として、戦場へ出て行く日系兵士に、日本と日本人というものをよく理解させ、日本の悲劇を少しでも喰い止めることが、二世の本分だと思います」

覚悟のほどを語る賢治の声は、解剖室の冷たい壁に、強く響《ひび》いた。

「――話はそいだけか」

ややあって、乙七は云った。

「そうです、父さん、お願いします、許して下さい」

「許さん！　何としてん行くなら、親子の縁を切って行け」

「父さん――」

「お前という人間を、オイは見損《みそこの》うた、オイとテル、春子は、いずれノウノウ組ばっかい入れられるツールレークの隔離収容所へ送られるじゃろう、エミーはお前が連れて行くか、実家《さと》の畑中のところで預って貰うとじゃな」

乙七はそう云い、もはや賢治の言葉を受けつけなかった。

賢治は、ミネアポリス行きの列車に乗っていた。戦時下で軍の輸送が優先し、ガソリンも不足しているせいか、平時はさほど混まない列車が満員である。賢治がスーツケースを提げて通路の人をよけながら入って行くと、一斉に探るような険しい視線が集中した。

通路にたちながら、賢治は去年の七月、アリゾナの軍キャンプから釈放され、一人、列車でロサンゼルスに帰った時のことを思い出した。あの時、「ジャップが乗っている、叩き出せ！」と乗客が騒ぎ、「自分は日系二世で、軍キャンプから釈放されたのだ」と説明すると、「軍が釈放しても、息子をパールハーバーで殺されたわれわれ市民は許さんぞ！」という叫び声が上がり、五、六人の男が、座席に坐っている賢治の首をひっ摑《つか》み、危うく私刑《リンチ》に遭いそうになったのだった。

今、オーバーコートのポケットの中には、米陸軍情報部発行の特別通行証が入っていたが、乗客の一人が、ジャップだ、叩きのめせ！　と、騒ぎたてれば、忽《たちま》ち乗客は憎悪をむき出し、通行証など何の役にもたたなくなるだろう。八カ月ぶりに、はじめて外界に接する賢治は、時がたつにつれ、自分に注がれる視線に恐怖を覚え、じっとり脂汗が滲んできた時、車掌が検札に来た。切符に添えて、特別通行証を示すと、

「お前の座席は向うだ、前の三輛が軍専用列車になってる、そこへ行け」

横柄《おうへい》な口のきき方をした。賢治はむっとしたが、周囲の

視線を感じ、スーツケースを持ち、通路の客の間を縫い、前から三輛目に辿り着いた。若い兵隊たちが一杯乗っていたが、日系兵の姿は見当らなかった。

どこかの戦線から還って来たらしく、カーキ色の背嚢を棚の上に放り上げ、日灼けした髭面《ひげづら》で、ポーカーをしたり、大声で陽気に騒いでいる。賢治は、扉を入ったすぐ横の隅の席が空いているのを見つけ、そこに坐ると、一カ月前に志願し、入隊して行った勇のことを思った。

入営地に着いたら、すぐ便りを寄越すと云って出たが、いまだに何の便りもない。おそらく今頃は、どこかの演習場で、戦線へ出るための猛訓練を受けているのに違いなかった。ハイスクールでフットボールのキャプテンをやり、積極的に合衆国に忠誠を誓った勇のことだから、この列車にいる白人の兵隊たちと一緒になっても、りっぱにやって行けるに違いなかった。

列車は、果てしなく続くネバダ砂漠の中を走っていた。四月初めというのに砂漠には、太陽が熱く燦《きらめ》いている。だが、やがてユタ州を過ぎ、ロッキー山脈を越えると、森林地帯になり、急に寒くなる。ワイオミング州、ミネソタ州に入ると、まだ雪が積っているはずであった。そこまで三日かかる長い一人旅であった。

賢治の背後で、兵隊たちの声が一段と賑やかになり、話声が耳に入って来た。

「もう日本兵と戦うのはこりごりだ、猛攻撃をかけて、飛行機や輸送船の大半をやっつけて、息の根をとめても、手を挙げず、しつこいんだ、よく生きて還れたものだ」

一人が昂奮した声で云うと、

「全くだ、弾薬がなくなっても、バンザイ！　と叫んで、斬り込んで来る、あの声、聞いただけでも生きた心地がしない、この調子じゃ、戦争は長びきそうだな」

「われわれのように生き残れた者は、ラッキーだ、ビールはないが、コークで、生還の祝盃をあげよう」

という声が聞えた。どうやら、南太平洋の戦線から還って来た兵隊らしかった。

賢治の耳に、戦争は長びきそうだと云った兵隊の言葉が残り、勇の次に今度は日本の軍隊に入っているであろう忠《ただし》の身の上を慮かった。

アメリカ生れの忠は、排他的な日本の軍隊でどのような扱いを受けているだろうか。軍人勅諭、作戦要務令など人なみに暗誦し、理解できているだろうか。さまざまな思いが、賢治の胸を痛めた。そして、自分が合衆国政府に忠誠を疑われ、試されているように、弟もまた、日本帝国政府からその忠誠を疑われ、試されているのではないか。願わくば、忠よ、太平洋戦線に配属されないでくれと祈った。

コカコーラで祝盃をあげる兵隊たちは、いつの間にか大きな輪になり、賢治の横の通路にたって、何本かのコカコーラを廻し飲みしている。その中の一人が、ちらっと賢治の方を見た。そばかす面《づら》をした兵隊であった。何を思った

のか、ついと賢治の前にたちはだかった。はっと身構えると、

「ヘイ！　ユー、一人かい？　これ飲めよ」

と云い、自分たちが廻し飲みしているコカコーラの一本を賢治につきつけた。他の兵隊たちも賢治の方を見た。日系二世と見て、何か悪戯《いたずら》をするつもりかと、そばかす面の兵隊を見据えると、

「君も入隊するんだろう、われわれと同じUSアーミーじゃないか」

戸惑う賢治の手に、コカコーラの瓶を押しつけた。

「有難う、咽喉が乾いていたから助かるよ」

賢治は、瓶に口をつけた。もう何時間も、何も飲んでいない乾ききった咽喉に、コカコーラが快くしみて行った。同時に、列車内の白人たちを怖れ、脅えていた不安感も消え去った。

たった一本のコカコーラが、賢治を社会に復帰させたのだった。賢治は、コカコーラを飲み干すと、その瓶を掌の中に握りしめた。

六章　USアーミー

四月も半ばを過ぎると、雪深いミネアポリスもようやく春めき、きらきら輝く陽光が積雪をとかしはじめた。

天羽賢治は、ぬかるんだ雪道を、教官室のある建物に向って歩いていた。

キャンプ・サベージ——、アメリカ陸軍情報部日本語学校は、ミネソタ州ミネアポリスの町はずれの森林を切り開いた宏大な敷地に建てられ、六百名の語学兵の養成が行われていた。だが大陸の奥地、ミシシッピ河の源にあたるミネソタ州の森と湖の中にひっそり造られたキャンプ・サベージは、米国内でも、殆んどその存在を知られていない。十三棟の木造平屋建ての校舎、娯楽施設、図書館、教官建物、学生寮が整然と並ぶキャンプの中には、森林であったことをしのばせる大木がところどころに残っている。

授業に出る生徒たちと共に、賢治は歩を早め、

U. S. ARMY CAMP SAVAGE
MINNESOTA

と記した標識の横を通りぬけた。大半の生徒が手に漢字カードを持ち、暗誦しながら歩いている。

「お早うございます、天羽先生」

生徒は、日本語で挨拶した。ともに二十そこそこで、賢治が担当する日本語のよく出来る、セクションIの生徒だった。

「お早う、頑張っているね」

「昨日は消灯時間を過ぎても覚えられないので、便所の中でやっていたんですが、日本語の文法と漢字は難しすぎ、頭が変になりそうです」

「そうか、じゃあ、次の日曜日に気晴しにうちへ来い、うまいものを食べさせるよ」

と云うと、食堂メニューに飽きているから、ナイス！と喜んだ。

そんな生徒と別れて、教官室のある建物へ入りかけると、ぴしゃっと泥水を撥ね散らして、車が停った。チャーリー田宮だった。チャーリーは軍曹《サージヤント》の軍服を着ていた。教官の大半は軍曹として入っているが、賢治はシビリアンのまま赴任していた。

「今日は、シグの車で来たんだって？」

教官用宿舎は七キロほど隔たっており、学校との往復は、チャーリーをはじめ、車をもっている同僚に便乗させて貰っていた。

「うん、たまたま寄ってくれたんでね」

「君もそろそろ買えよ、出ものを世話するぜ」

「まあ、そのうちな」

関心なげに云うと、チャーリーは、

「次の土、日曜にやっと新婚休暇がとれたんだ、すまんが土曜日は、君がカバーしてくれないか」

「いいとも、土曜はテストだから、かけ持ちでクラスを見廻るよ」

「サンキュー、持つべきものは友だ」

チャーリーは、井本梛子と三週間前、結婚したのだった。

教官室に入り、七時四十分になると、三十名の教官は全員、出揃《でそろ》った。授業開始の十五分前に、ミーティングがあり、陸軍情報部からの通達や、授業内容の検討がされた。

四十五分きっかりに、主任教官のオーソン相川が、薄く口髭《くちひげ》をたくわえたもの静かな表情で入って来、一同はそのまわりに集った。

「今日は、皆が驚くニュースがある、二月のガダルカナルの決戦の時、捕獲した日本軍の文書が届いたのだ、今日から早速、セクションIのクラスで使って貰いたい」

と告げると、オーソン相川とともに日本語学校の開設に力を尽して来たシグ木村が、

「ガダルカナルというと、このキャンプ・サベージを卒業した生徒が、語学兵としてはじめて派遣された戦地ですね」

その生徒たちを思い出すように云った。

「そうだ、校長のクラーク大佐の話では、ガダルカナルへはじめて送った語学兵が、予想以上の成果をあげたので、陸軍情報部の上層部は、さらに多くの後続部隊の派遣を要求して来たということだ」

「ということは、今後の授業内容は、現在の日本語読本や作戦要務令の読み書き中心から、実戦用に変更されるってことですか」

チャーリーが、聞いた。

「情報部とクラーク校長の要望は、その通りだ、しかし基礎の読み書きが出来ずして、捕獲文書の翻訳は不可能だから、事実上、授業内容は従来よりヘビィにならざるを得ない」

オーソン相川は重い表情で云った。

「しかし今以上、詰め込み授業をしたところで、効果は上らないと思います、語学は普通、一日に四、五時間がリミットなのに、現在の授業は、朝八時から四時間、昼は一時から三時間の計七時間に加えて、夜間二時間の自習時間があり、それでも覚えられない生徒は消灯後、便所やベッドの中で懐中電灯をつけて、勉強している状態ですよ」

賢治が云うと、他の教官たちも頷いた。

「私もクラーク校長に強く主張したが、軍の命令だの一言だ、セクションIの各クラスは、捕獲文書をテキストに使うカリキュラムに編成替えするように」

オーソン相川は、校長のクラーク大佐と、教官たちの間で板挟みの苦しい立場にあることを理解してほしいという

口調で云い、賢治たち担当教官に文書を手渡した。

賢治はセクションⅠの教壇にたち、標準日本語読本として使っている長沼読本巻六の書き取りをさせていた。一クラス二十四名の生徒は二人ずつ坐り、机の上には、日本の『辞苑』『字源』『作戦要務令』などが一セットになって備えつけられている。それらはすべてアメリカで写真製版して、印刷されたものだった。

いつもよりスピード・アップして、予定の章まで終えると、賢治は黒板に捕獲文書の中から選んだ報告文の一部を、楷書で大きく書き、生徒たちはノートに書き取った。


今や弾丸尽き、一物の糧秣《りょうまつ》なく、水涸《か》れ、戦い残りし者全員、最後の敢闘を行わんとす、軍旗を奉焼し、将兵と共に聖寿《せいじゅ》の無窮《むきゅう》、皇軍の弥栄《いやさか》を祈念し、永《とこし》えに訣別を告ぐ

玉砕を告げる一文であった。さらに電信文を記した。

任務ヲ完了シ得ザルヲオ詫《わ》ビシ　軍旗ノ下　部隊の弥栄ヲ祈リツツ　大隊長以下六十一名　タダ今カラ斬リ込ミヲ敢行ス　永年ノゴ厚誼《こうぎ》ヲ謝ス

賢治は、前列に坐っている生徒を指し、

「阿川君、この日本文を読んで、口語文に訳しなさい」

と指名した。ロサンゼルスのリトル・トーキョーで育った阿川は、アメリカの公立学校の放課後、日本語学園へ九年通っていたから、すらすら読み通したが、口語訳になると、

「……聖寿の無窮、皇軍のやえいを祈念……何のことか、さっぱり解りません」

「聖寿というのは、天皇の御寿命、齢が、無窮、窮《きわま》りないこと、無限、つまり、天皇制が永遠であることという意味、次は皇軍のやえいではない、弥栄《いやさか》と読む、これは、天皇の軍隊がいよいよ栄えることを祈るという意味だ」

と説明し、ほんとうに意味が摑《つか》めているかを試すために、英訳させた。英訳になると、生徒の表情は幾分、ほっとし、軍隊で用いる報告文の簡潔なニュアンスをもった英訳をした。

「よろしい、次は河村君、カタ仮名の通信文を読み、解らないところを質問しなさい」

河村はたち上って、通信文を読み終り、

「二つの質問があります、まず、日本軍が敗けることが解っているのに、なぜ米軍の近代兵器を備えた陣地に斬り込むような無駄なことをして死ぬのですか、第二に、援軍を貰えないで自分たちが死ななければならないのに、なぜ、永年の御厚誼を感謝しますと、礼を云うのか、解りません」

他の生徒たちも同じ疑問を持つらしく、教壇の賢治を見

詰めた。

「それは、日本の武士道というもので、日本軍には、生きて虜囚の辱しめを受けずという厳しい掟《おきて》がある、自分に命じられた任務を果せなかった時は、弾薬を撃ち尽した後、敵陣に斬り込んで死を賭《と》して闘うことになっている、二つ目の質問についてだが、援軍が来る、来ないにかかわらず、自分が死に臨んだ場合には、永い間の厚情に感謝する、これも武士道の礼儀、心得というものである」

講義すると、後列の生徒が勢いよく手を挙げた。

「日本兵は死を怖れず戦い、捕虜になっても自決する、しかし、アメリカ兵は、ベストを尽して任務を遂行し、駄目な時は捕虜になっても恥じない、むしろ捕虜になるまで戦ったことを名誉に思う、同じ人間なのに、日本人は死を怖れず、アメリカ人は死を怖れる、どうしてこのように違うのですか」

簡単に答えるには、至難な質問であった。天羽賢治は暫し考え、

「アメリカ人は生命の尊さを第一義として考えるが、日本人は生死を越えたところに人間本来の生き方があるという考えが、古くから人々の心の中に培《つちか》われている、それが武士道となり、軍隊の精神になっている、したがって、君たちも太平洋戦線に出た時は、日本軍は最後の一兵卒になるまで戦い、玉砕する軍隊であることを認識した上で、行動することだ、そして前線ではこのようなコピーでなく、なまの文書を自分の眼で読まなければならないが、そういう文書に日本人の心情がこめられていることを見逃してはならない」

賢治は、USアーミーの教室であることを忘れ、諄々《じゅんじゅん》と日本人の心を説いた。

*

暖炉の薪《まき》がぱちぱちと音をたててはじける広間で、チャーリーと梛子は、結婚後、初めての休暇をミネトンカの湖畔の別荘で過していた。地元屈指の穀物取引業者からチャーリーが二日間だけ借りたのであった。

広い敷地に建てられた別荘は、森と湖に囲まれ、森閑と静まりかえっていた。

窓外の庭には、昨夜、新たに降った雪が純白のビロードを敷き詰めたように白く積り、湖面の遥か彼方まで銀色だった。

ふと、小さな綿のかたまりのようなものがいくつも現われたかと思うと、湖の上を舞い、氷の割れ目にふわりと浮かんだ。白鳥の群れであった。

「ナギコ、ハッピーかい」

暖炉の前に寝そべっていたチャーリーが、ロッキング・チェアに揺られている梛子に声をかけた。

「ええ、アメリカにこんな森と湖の別天地があるなんて、

夢のよう――」

椰子は、あかあかと燃える暖炉の火に頬《ほお》をばら色に染め、湖面をすべって行く白鳥に眼を奪われていた。

「気に入ってくれて嬉しいよ、ナギコの云うように、収容所なんかで結婚式をしなくてよかった、ミネアポリスのあの古い教会での君のウエディング・ドレス姿はすばらしかったよ」

三週間前、ダウンタウンから少し離れた由緒ある教会で、日本語学校の同僚や、白人将校たちに祝福されて式を挙げたのだった。ミネソタ州は、スカンジナビア半島と気候風土がよく似ているせいか、ノールウェー、スウェーデンなど北欧系、次いでドイツ系の移民が多く、町には石造りの荘重な教会の塔がそこここに聳《そび》えている。

椰子は、結婚式の日、媒酌《ばいしゃく》人のミセス相川に手を取られて、バージン・ロードを進み、眩《まば》ゆいばかりのステンド・グラスが燦《きら》めく祭壇の前で、チャーリーとの生涯を誓い合った時、収容所で日本へ帰る交換船を待っている両親と妹の身の上を思ったのだった。

「まさか、あんなすばらしい結婚式が出来るとは――、両親に見て貰いたかったわ」

「写真を送ったからいいじゃないか、熱いココアでも飲むかい」

「そうね、でも、ここにあるかしら」

「ちゃんと用意して来たさ、作ってあげるから、ナギコはここで白鳥を見ておいで」

チャーリーは、まめまめしくキッチンの方へ入って行った。新妻にサービスする夫の役を、チャーリーは、嬉々《きき》として演じているようだった。

椰子は窓辺に寄った。湖畔にはヨットやボートを出す桟橋が突き出ており、近くの水面に群れを離れた白鳥が一羽、ひっそり羽を休めている。白い首を動かさず、氷の割れ目のさざ波に揺られるまま浮かんでいた。

やがて鴨や小さな水鳥の群れが泳いで来、玉虫色の羽根が、雲間から洩れる陽に輝いた。

「ナギコ、ほら、ココアの用意が出来たよ」

チャーリーは、トレイに白い湯気とチョコレートの香りがたちのぼるカップを載せて戻って来、一つを椰子に渡した。

「美味《おい》しい、あなたって、何でも私より上手なのね」

「そりゃあ、だてにハウス・ボーイをしてたんじゃないからな」

と云い、口もとを歪《ゆが》めて笑った。椰子は、はっと視線を落とした。結婚前の長い交際期間を含めて、チャーリーの大方を理解しているつもりでも、時折、戸惑うことがあった。何気なく云った言葉が、ハウス・ボーイとして一人で自分の道を拓《ひら》いて来たチャーリーのふてぶてしいまでの自信過剰の裏側に貼りついている劣等感に突き刺さるのだった。

椰子がやっと三分の一ほど飲んだココアを、チャーリー

は瞬《またた》く間に飲み干した。結婚して一番驚いたのが、チャーリーの食事の早さだった。日本語学校の仕事が忙し過ぎ、ゆっくり夕食をするのは、土、日曜日だけであったが、そんな時でもチャーリーは貪《むさぼ》るような早さで、瞬く間に皿のものをたいらげた。そこには貧しかっただけではなく、家庭の団欒《だんらん》を知らないチャーリーの育ちが現われ、椰子は胸塞がれる時があった。

「もっと暖かくなると、ボートを出せるんだ、ここが気に入ったのなら、また頼めば貸して貰えるんだ」

「ミネアポリスの穀物業者って、凄いのね、部屋数が十五、暖炉のある部屋が七つもある別荘など、私たちでは到底、想像も出来なかったわ」

「世界の穀物を牛耳《ぎゅうじ》るカーギルやコンチネンタル一族と比較すれば、この別荘の持主など足もとにも及ばないさ、だが、俺も一生のうちに自分の力でこれほどまでとは云わないけれど、ナギコを幸せにしたい」

「私は大きな家などいらないわ、それより、チャーリー、お願いがあるの」

「なんだい」

「私、働きたいの、そろそろ家の中も片付いて、落ち着いたし、いけないかしら」

「いけないことはないけれど、ケーンや、オーソン相川のところだって、ミセスは働いていないじゃないか」

「そりゃあ、それぞれ、子供に手がかかるからよ」

「僕たちだって、いずれ子供が産まれる」

「それまででいいから働かせて、どこか働き口がないかしら」

「じゃあ、近々、このミネアポリスに設けられるＷＲＡ（戦時転住局）のオフィスで働くかい」

「日系人収容所がないこのミネソタ州で、どうしてＷＲＡのオフィスが出来るの」

「忠誠テストで、イエス、イエスと回答した者は、中西部や東部で働いたり、学校へ入っていいという政令が出たのだ、となると、そういう連中の就職口を世話する機関が必要になるので、ワシントンのＷＲＡの本部が、シカゴやミネアポリスに出先機関を置くことになったんだよ、もちろん、ヘッドは白人だが、日英両語が出来、日系人の面倒をよく見る女性を探しているそうだ」

「やり甲斐のある仕事だわ、それは誰に頼めばいいの」

　椰子は、眼を輝やかせた。

「ナギコが是非というのなら、俺がちゃんと話をきめて来てやるよ、その代り、俺が止めろという時には、すぐ止めるんだよ」

「いいわ、だけど、どうして？」

「いろいろあるけど、俺はいつまでも日本語学校の教官でいるつもりはない、希望としては、出来るだけ早くオーストラリアのマッカーサー司令部で働きたい、あそこはアメリカの極東司令部だ、情報関係で出世するためには、そこ

にいる人脈と繋《つな》っておかねばならないのだ」

「あなた、軍の情報部でずっと働く気なの」

「ローヤーやメディカル・ドクターのような特殊な資格があれば別だが、僕にはないのだから、合衆国で人並以上に生きのびて行くためには、対日情報戦で〝マッカーサーの耳〟と云われている情報関係に喰い込んで行くことだと思っている、そしてゆくゆくは政府関係の仕事をしたい、解ってくれるね、ナギコ」

将来の野望をチャーリーは、精悍な眼ざしで話した。それは椰子が、一番惹かれるチャーリーの一面であった。

「どうだ、少し陽がさして来たから、庭へ出てみないか」

「いいわ、でも、昨日みたいに突然、鹿が出て来るなんてことないでしょうね」

昨日、着いてすぐ宏大な邸内を散歩している時、厚い防寒具を着、スキー帽で顔を掩っていた二人の横合いから、大きな角を持った牡鹿がのそりと出て来たのだった。

「鹿も、こんな寒い時に人が来るとは思わず、うろついていたんだろう」

戸外へ出ると、体が充分、温まっているせいか、さほど寒さを感じなかったが、さすがに湖をわたる風は、凍てつくように冷たかった。さっき、群れから離れた白鳥はいつの間にか、見えなくなっていたが、水鳥が数十羽、くるくると水面を旋回していた。

「ナギコ、あの羽根のきれいな鳥は日本にもいるんだろう、何というんだい？」

「鴛鴦《おしどり》って云うのよ、必ず一つがいになって連れだっているから、日本では仲のいい夫婦のことを鴛鴦夫婦と呼ぶでしょ」

チャーリーは一つがいになって泳いでいる鴛鴦を眺め、つと椰子の肩を抱き寄せた。

「この先、いろんなことがあると思うが、今日の倖せを忘れず、僕の言葉を信じてついて来てくれ」

一語、一語を区切るように云い、熱い息が椰子の頬にふれた。新婚の甘い囁きの中に、強靭でしたたかな力が籠められていた。

エミーは、朝食のテーブルを整えながら、

「ケーン、昨日、あなたが遅すぎて伝えるのを忘れていたけど、イサムからVメール（軍事郵便）が来てたわよ」

バスルームで髭を剃っている賢治に声をかけた。賢治は左半分、まだ石鹸の泡がついている顎から剃刀《かみそり》を離し、

「そんな手紙を忘れる奴があるか、元気そうかい」

と聞いた。

「あなた宛になっているから、開封してないわ、それより早くテーブルについて——、シグたちの車に遅れるわよ」

大きな声で、催促した。賢治は剃刀を濃い髭にあて、

青々した剃りあとを、熱いタオルで拭い、テーブルについた。

「アーサーは、どうしたんだ」

ベビー用の椅子に、アーサーの姿が見えず、気になった。

「今朝は少し寝過したから、アーサーまで手が廻らないのよ、あとでゆっくり食べさせるから大丈夫よ」

エミーは、ハムエッグの皿を置き、向い側に腰を下して一緒に食事をはじめた。ワン・ベッドルームにリビングルーム、キッチンのささやかな木造の官舎だが、一戸建てで窓にドレープをたっぷりとったカーテンが揺れ、真新しい台所用品、食器類が、新婚家庭のように部屋を彩《いろど》っていた。

「この頃、帰宅が遅くなったわね、日本語学校の教官が、どうしてそんなに遅くなるの」

エミーは、不満げに詰《なじ》った。ガダルカナル島から日本軍の捕獲《ほかく》文書が送られて来て以来、授業時間がさらに増え、帰宅は十一時過ぎになることが多かった。

「戦況が進展して、授業の編成や採点、自習の見廻りなど、やるべきことがいろいろあるんだ、家へ来る生徒の話で察しがつくだろう」

毎週、土曜日の午前中に行われるテストの後は、日曜日にかけて、生徒たちが遊びに来るのだった。

「ウイークデーは、朝七時半に出勤して夜の十一時すぎまで勤務したあげく、土、日曜は生徒を招いて、相談ごとや食事の世話までさせられるなんて、こんな馬鹿げたことってあるかしら」

「生徒を呼んで、家庭料理を食べさせてやることは、君も賛成だったじゃないか」

「そりゃあ、はじめは、こんな森の中の単調な生活だから、退屈しのぎによかったわよ、でも、毎週、毎週じゃ疲れるし、費用だって馬鹿にならないわ、その点、チャーリーのところは、新婚早々、ナギコが新設のＷＲＡのオフィスに勤め、夫婦共働きだから、土、日は家庭デーだとか云って、生徒を寄せつけないでしょ、ちゃっかりしているわ」

果てしないエミーの愚痴に、賢治はうんざりした。

「勇から来た手紙はどこだ」

「そのコーナー・テーブルの上よ、雑誌の下になっているかもしれないわ」

モード雑誌の下を見ると、陸軍の用箋の手紙があった。封を切りかけると、外で車のクラクションが鳴った。賢治は勇の手紙をスーツのポケットに入れ、隣室のベビーベッドで泣いているアーサーに、

「行って来るよ、いい児でいろよ」

と声をかけ、外へ出た。向いの官舎からも、教官のロバートが、妻と二歳の幼児に見送られて、出て来たところだった。車はチャーリーとシグの二台が、珍しく一緒に並んでいた。

「お早う、ケーン」

チャーリーの車の前席から、椰子の声がした。ダウンタ

ウンの中心にあるWRAミネアポリス支部に勤めるようになってから、梛子はいつも夫の車の助手席に乗っていた。それ以来、賢治は、チャーリーの車に乗りそびれ、シグの車に便乗していた。

「いってらっしゃい、ダーリン」

それぞれの妻たちの声を後にして、二台の車は出発し、林の中を、キャンプ・サベージへ向った。

賢治は、シグの車の助手席で、勇からの英文の手紙を読んだ。

兄さん、手紙を有難う。兄さんが日本語学校の先生になったと知って誇りに思っています。

詳しいことはアーミーの規則で書けませんが、僕はキャンプ・マッコイで厳しいトレーニングに明け暮れています。僕たちの先輩であるハワイ二世たちは、訓練を終了し、戦地へ行きました。僕も早く戦地へ行って戦いたいと思っています。

パパとママ、春子はやはりツールレークの隔離収容所へ移されるのでしょうか。僕はそれが心配で、軍のオフィサーに、息子が志願しているから、パパたちの隔離は免除してほしいと嘆願書を出しました。それが受理されたのに、春子の手紙では、パパが頑なに「アメリカの戦闘部隊へ志願した息子の恩典は受けけん」と断ったそうで、もう勝手にしろと思いますが、やはり心配しています。兄さんから思い止《とど》まるよう手紙を出して下さい。僕は日本語が苦手だから、僕の気持の分まで、兄さんの名文でお願いします。

賢治は、手紙をポケットにしまった。シグは、森の中のでこぼこ道を、巧みなハンドル捌《さば》きで運転しながら、ちらっと賢治を見、

「君の兄弟は、大変だな、日本軍にいるブラザーも含めて、早く平和になって、三人の相会う日が近いことを祈るよ」

純二世で、教官の中でも一番ダンディで、心の奥深さを併せ持っているシグは、優しく云った。

その日の午後、教官たちに非常招集がかけられた。キャンプ内の劇場で、軍のニュース映画を見ることになったのだった。

いつもは、最新のアメリカ映画のほか、日本語の勉強を兼ねて、米軍がサンフランシスコやロサンゼルスの日本映画館で押収した『愛染かつら』『忠臣蔵』などが上映されていたが、今日はニュース映画のせいか、前半分の席は、キャンプの白人将校が占めていた。

フィルムは、ニミッツ提督が指揮する昨年のミッドウェー海戦と、マッカーサー将軍の指揮するニューギニア戦であった。当時、米主力部隊はヨーロッパ、アフリカ戦線に向けられ、太平洋は日本軍の方が優勢であった。

洋上を進む米艦隊が映し出され、厚い雲を分けて、翼に日の丸をつけた日本の零戦《ゼロせん》と爆撃機群が現われ、空母を撃沈すると、白人将校たちは、ライジングサンだ！　とエキサイトし、口惜しげな声を発したが、零戦が黒煙をあげて海の中へ墜落して行くと、喝采《かっさい》した。

語学兵がはじめて派遣されたソロモン諸島のガダルカナルの戦闘シーンになると、教官たちは身をのり出した。

ガダルカナルの戦闘では、米軍も多くの死傷者を出していた。不意に、ジャングルの中を一人、よろよろと歩いている日本兵の姿が映し出された。部隊から脱落したのか、一人だけの生存者なのか、ボロボロの軍服をまとい、身の丈を越す草の茎に摑《つか》まりながら、米軍報道班のカメラの方に向って歩いて来る珍しいフィルムだった。飢え、病み、骨と皮に瘦せさらばえた姿が、徐々にはっきりするにつれ、首、腕、足に蛭《ひる》が黒い斑点のように貼りついているのが解る。やがてよろめくように蹲《うずくま》り、ズボンをおろした。排便するためらしく、骨が突き出た臀部が現われると、血の匂いを嗅《か》ぎつけたように蛭が貼りついた。兵隊は払う力もなく蹲っていたが、不意に米軍のカメラに気付いた瞬間、どこにそんな力が残されていたのかと思われる素早さで、ポケットの中の手榴弾《てりゅうだん》をひっ摑み、自決した。

白人将校も日系教官も、その凄惨なシーンに声も出なかった。スクリーンは、次の戦闘場面に移り、キャンプ・サベージ卒業の語学兵が、死屍累々《ししるいるい》の日本軍陣地で捕獲文書を調べているシーンが映し出されたが、さっきの凄惨な日本兵の姿が、賢治の網膜に灼《や》きついていつまでも消えなかった。

夜、生徒たちの自習室は、十時を過ぎても煌々《こうこう》と灯りがつき、二人がけの机が殆んど埋っていた。

平均二十二、三歳の若さとはいえ、毎日七時間の授業に、夜二時間の自習時間を加えた一日九時間の学習は非常な負担であり、生徒たちの顔には疲労の色が濃く滲んでいる。

大野保の次男のジローも、明日の宿題を前にして襲って来る睡魔と戦っていたが、いつの間にか頭をこつんと机にうって、はっと眼が醒めた。

リトル・トーキョーで仏教会附属の日本語学園へ通っていたから、同じ齢頃の二世より日本語が出来る自信を持ち、日本語学校のテストにパスして、キャンプ・サベージへ来たのだったが、クラス編成のテストで、二ランクのセクションⅡに入れられ、ジローの自信はふっ飛んでしまった。

明日までの宿題になっている標準日本語読本巻三の『父帰る』の箇所をもう一度、読み返すと、「仕立物」という意味不明の漢字に出くわし、前後の文章の流れを読み合せてみても、理解できなかった。机に備えつけられている辞苑をくったが、「しりつもの」という言葉は出て来ない。だが、二、三箇所に出て来るから、是非とも正しい読み方

を知っておかねば、明日の授業で笑い者になる。隣りの席の、三つ齢上の生徒に聞こうとすると、文法の本と首っぴきで、

「攻撃し、し、する、する、すれ、しろ……、し、し、する、する、すれ、しろ……」

呪文《じゅもん》のように動詞のサ行変格活用を繰り返し、声をかけても聞えないのか、振り向きもしない。近視で、眼鏡をかけたその生徒の顔は、二週間ほど前から眼鏡の下で眼が吊り上り、なにかに憑《つ》かれたようで、気味が悪かった。斜め前の生徒は、ぐったり机の上にうつ伏せ、寝込んでしまっている。

消灯時間まで、あといくらもない。今晩もまた、ベッドの毛布の中で、懐中電灯をつけて勉強しなければならないのかと思うと、急に読本の字がぼやけて見えた。

頭の上で、人の声がした。

顔を上げると、天羽賢治がたっていた。ジローたちの担当教官ではないが、マンザナール収容所で父と親しかったことから、それとなく、目をかけてくれている。

「ちょうど、よかった、この、しりつものって、どういう意味ですか、辞書には出ていないんです」

と聞くと、天羽教官は『父帰る』の頁を覗き込んだ。

「ジロー、これは、しりつものではなく、仕立物《したてもの》と読み、日本の着物を縫うこと、あるいは縫い上った着物のことだ」

「ああ、そうだったのですか、じゃあ、このことかいというのは？」

「ことかいではなく、小都会《しょうとかい》と読むんだ、つまり、リトル・シティということだよ」

「へぇ、日本語って、サディスティックなほどに難解ですね、こんな難しい言葉を僅か六カ月の訓練を受けただけで、戦地へ出て、実際に役に立つのですか」

「言葉は皆、馴れだよ、僕も言葉には人の二倍、苦労した」

「まさか先生が——」

「嘘じゃない、僕は小学校三年で日本へ行き、鹿児島の学校へ編入されたから、最初は日本語の読本が読めず、友達とも話せず、悪童どもにいじめられたよ、そして次はアメリカへ帰ってきてからだ、英語はその間、十年間のブランクがあるから、すっかり忘れていたし、記憶にあるのも子供の頃の英語だから、今度は大学で大いにからかわれたものだよ」

「それじゃ、デイトの時も困ったでしょう」

「ああ、いろんな失敗談がある、ところでお父さんには手紙を出しているかい」

「いいえ、パパはここへ来ることに反対だったから……」

ジローは、やや淋しげに云った。

「お父さんにしてみれば、三男のサブローが志願兵で出てしまい、続いて次男の君が語学兵として戦線へ出るのだから、心配が大きいのだ、簡単な文面でもいいから出してあ

げなさい、兄弟同士だって離れ離れになっていても、便りがあれば安心なものだよ」

　賢治は、今朝、勇から届いた手紙を思い出しながら云った。

「イサムから、手紙が来たんですか」

「うむ、元気でやっている様子だ」

「そうですか、じゃあ、うちの弟も一緒だから、頑張っているだろうな、よし、僕はやるぞ！　先生、有難う」

　俄かに奮いたつように云った。消灯時間を告げるラッパが鳴り、賢治は、自習室を出た。

　薄ら陽の射す五月初め、樹々の枝葉が拡《ひろ》がりはじめたキャンプ・サベージの校庭で、異様な授業風景が見られた。

　校庭の一角に二十数名の生徒が集まり、一人の生徒が戸外用の椅子に坐って机に向い、その前に教官が直立不動の姿勢でたっている。それは戦線における捕虜尋問の実習で、教官が捕虜になり、生徒が尋問官になっているのだった。

　賢治は、USアーミーの軍服を着ている生徒たちを見廻し、

「いいか、捕えられたばかりの捕虜は、こうして体を硬くして突ったち、恐怖に怯《おび》えているから、まず最初に気持を落ちつかせることだ、それにはどうすればいいか、誰か答えてみろ」

「まず、煙草を一本、やることだと思います」

「その他には？」

「家族のこと、つまり、両親や妻のこと、子供がいるなら、自分にも同じような齢の子供がいる、などと、身近な話題を取り上げ、捕虜の気持を柔らかくします」

　授業はすべて日本語だから、生徒たちは時折、言葉に詰り、ゼスチャーでカバーしようと、身振り、手振りが大きくなる者もいた。

「うむ、なかなかいいぞ、その他に何か？」

「捕虜になることは、決して不名誉ではない、捕虜になるほど最善をしたのだと話してあげます」

「最善をしたは誤りで、最善を尽した、が正しい」

　賢治はそう訂正し、

「だが、今の、ジョージの指摘は非常に大切なことだ、日本兵は捕虜になることを、死に価する恥辱と叩き込まれているから、決して不名誉でないことをよく話してやることだ」

　と云い、尋問前の捕虜の気持を落ちつかせることの大事さを教えた。

「さあ、私を捕虜だと思って、尋問を始めろ」

　と云うと、尋問官になっている生徒は、真剣な表情で口を開いた。

「君の名前は、何というのか」

「私の名前は、近藤勇です」

賢治が、わざと神妙な口調で答えると、生徒は尋問用紙に、ISAMI KONDO と記入した。その途端、賢治は、

「待て、近藤勇などと云ったら、新撰組の近藤勇の名を使った偽名かもしれんと、すぐぴーんと来なくてはいかん」

注意を与えると、生徒たちはどっと笑った。つい最近、教材用に『新撰組』『鞍馬天狗』といった映画を観《み》たばかりだったのだ。

「度々、云うように、日本兵は捕虜になることを恥としているから、まずおおかたは偽名を使う場合が多いだろう、したがって、尋問の最中に姓と名を別々に挟《はさ》んで、その時の反応を見ることだ、本名ならどんな場合でも反応が早いが、偽名の場合は、反応が鈍いはずだ、では、次の尋問――」

「君の階級は?」

「日本帝国陸軍上等兵です」

「所属部隊は、どこだ」

「――」

「君がこれまで所属していた部隊名を答えるのだ」

「――」

賢治は、全く返答をせず、ややあって生徒たちを見廻し、

「おそらく日本兵は、何度聞いても、所属部隊名を答えないだろう、部隊に危険を及ぼすからだ、そこで質問の仕方を変えることだ、このあたりで煙草を喫わせて、気持を解きほぐし、ご両親は健在ですか、お仕事は? ほう農業、お郷里《くに》は? という風にさり気なく聞く、もし広島とでも聞けたら大手柄だ、なぜなら、日本軍の編成は原籍地主義だから、本籍地を聞けばその師団、連隊を探知することが出来るからだ」

と説明し、尋問官を別の生徒に代らせた。

「君の部隊は、全部で何人いたか」

「――」

賢治は答えず、黙って笑い、

「部隊名を答えない捕虜が、部隊の人数、つまり兵力を明かすはずがない、そんな時は次のように聞けばいい」

と云い、その一例を自問自答した。

「問　君の部隊は、みんな元気か
答　いや、病人が多いです
問　どんなに多いのだ
答　百人のうち半分近くがマラリヤにやられて困っています
問　そりゃあ、大へんだな、毎日、何を食べていたのだい
答　時々、米を食べるが、殆んど芋を掘って食べていました
これだけ聞き出せば、その部隊に百人の兵隊がいても、戦闘能力は約五十名で、食糧も芋を掘っている状態なら、放《ほ》っておいても自滅する部隊と見なされ、米軍は、深追いしなくてもよいという貴重な情報が得られるわけだ、この

ように捕虜の一言半句から、その兵力を推測することが尋問の重要なポイントである」

生徒たちはなるほどと頷いたが、一人が、

「尋問中、再度、戦闘がはじまり、米軍と日本軍が銃を撃ち合った場合、僕たち語学兵に命の保証はあるのでしょうか」

と聞いた。日本語の流暢《りゆうちよう》な帰米二世だった。

「それはどういう意味だ」

「僕たちは、ＵＳアーミーの服を着ていても、日本兵と同じ顔をしているから、誤って味方に射たれる危険がなきにしもあらずと思うのです、なにしろ戦場ですからね」

生徒たちは、はっと顔を見交した。

「そんな危険はあり得ない、語学兵には必ず二人以上の白人兵の護衛がつく」

賢治は、はっきり明言しながらも、六カ月間の訓練を終えて、戦線へ送られて行く生徒の切迫した気持を、複雑な思いで感じ取った。

授業をすませて、教官室へ戻って来ると、校長のクラーク大佐と主任教官のオーソン相川が、ただならぬ気配で話し込んでおり、ランチタイムの教官たちを足止めしていた。全員が揃ったところで、クラーク大佐は、

「ワシントンから入った重要情報を、諸君にお知らせする、極秘事項であることを、まず頭に入れておいて貰いたい」

と前置きし、

「日本連合艦隊司令長官、山本五十六《いそろく》海軍大将が、去る四月十八日午前九時三十四分、南太平洋ソロモン諸島北部において、米陸軍戦闘機によって撃墜され、戦死した。パールハーバーを攻撃したアドミラル・ヤマモトの死亡は、米軍にとって予想だにしなかった大戦果である。これは米海軍暗号班が、アドミラル・ヤマモトの前線視察のスケジュールを交信する日本軍暗号を解読して、待ち伏せして撃墜したのであるが、米軍は当分の間、この事実を公表しない。なぜなら、日本軍は暗号乱数表を四月一日に変更したばかりで、まさか暗号乱数表が解読されているとは思っていないから、今後も日本軍の情報を入手するために敢《あ》えて公表しないのだ」

日系二世の教官たちはパールハーバー攻撃の日、半ば賞讃、半ば自分たちの生活が破壊される恐怖をもって知った山本五十六司令長官戦死の極秘情報を、複雑な思いで聞いた。続いて、主任教官のオーソン相川が、感情を抑えるように、

「戦場における情報の重要性が改めてクローズアップされ、二世語学兵に対する期待もさらに高まってくる、生徒はもとより、教官の諸君も日夜、ご苦労だが、さらに生徒の訓練に力をそそいで貰いたい」

と、ミーティングをしめくくった。

それから半月後、山本五十六の死は、日本の報道を傍受したという形で報道され、賢治はニューヨーク・タイムズとタイムの記事を読んだ。

ヤマモトの死はミステリー
　一つの権威筋は自殺と考える

山本五十六の死に関する二説が、昨日、発表された。一つは山本五十六は海軍の作戦を指揮している時、墜落死したという説。他の一つの説は、元UP東京支局長ロバート・ビレーズの自殺説で「彼はしばしば、日本のいかなる領土を失うより、ハラキリを選ぶと云っていた、またダグラス・マッカーサーは、フィリピンへ戻って来るだろうと云っていた」と伝えている。また山本の手紙には「グアムとフィリピンを分捕り、ハワイとサンフランシスコを占領するだけでは満足しない、私は対米和平交渉をワシントンのホワイトハウスですることを望む」と書いていたと云われている。

と報じ、アメリカ嫌いの山本五十六の生いたちを詳しく報じている。タイムの記事は、

サンキュー　ミスター・ヤマモト

勝利者は落ちぶれて、いっちゃいった、ホワイトハウスで対米和平の指令をすることを心待ちにしていたジャップが死ぬ

という書き出しで、山本五十六の顔を大きく戯画化している。野蛮人のように眼がつり上り、黒目をむき、口は人喰い人種のように大きく裂け、体中に勲章をぶら下げた醜悪極まりない画《え》であった。あまりにも悪意に満ち、少くとも勇敢に闘った敵将の死に対して〝サンキュー　ミスター・ヤマモト〟というような人間の死を冒瀆《ぼうとく》する書き出しは、いかにも人種的偏見剝《む》きだしで憤りを覚えた。

*

「グッドモーニング」
オフィスのヘッドである白髪まじりの温和なウィリアム・ハートの声がし、すぐ後からミス・幸子《ユキ》も出勤して来た。
WRA（戦時転住局）のミネアポリス支部は、敬虔《けいけん》なクエーカー教徒のウィリアム・ハートと、棚子そして三つ齢下の、ミス・幸子《ユキ》の三人だけであったが、日系人収容所から出て来た人たちの就職や住居の斡旋《あっせん》機関が出来ただけでも、大きな前進であった。
WRAは、戦争が長びくにつれ、十一万七千人の日系人

を十カ所の収容所に入れておく膨大な経費を節減するため、忠誠テストで、忠誠を誓った者に限って、本人のこれまでの記録を参考にして出所を許可し、WRAの各支部へその受入れ方を連絡して来るのだった。

椰子の毎日の仕事は、幸子《ユキ》と手分けして、地元の教会、YMCA、篤志家《とくし》を訪ねて、日系人に対する理解と協力を訴えて廻り、オフィスを頼って来る日系人たちには、就職口と住いを斡旋することであった。

ハートは、机の上の書類に眼を通すと、

「収容所を出て、外部で働きたいという意欲的な日系二世が増加しているのに対して、その就職口と住居が少な過ぎる、WRAの各支部が、受け入れ側の米国市民に、日系人の合衆国に対する忠誠心と勤勉さを保証しているのだが、スムーズに進まないね」

ハートは、自分の非力を嘆《なげ》くように云った。

「でも、ミスター・ハートのおかげで、日系人たちが最も困っている住居問題は、クエーカー教をはじめ、その他の教会が経営している宿泊所を開放して、僅《わず》かな宿泊費で泊めて戴《いただ》いて助かっていますわ」

「それに就職口の方は、教会の牧師さまや神父さまから紹介して戴いた信者の方々の家やオフィスを、ナギコと手分けして、根気よくお願いに廻りますわ」

椰子と幸子《ユキ》は云い、女性の就職依頼先のアドレスを手にして、オフィスを出た。男性の就職先である軍需工場や自動車修理工場、製材工場などは、ハート自身が受け持ってくれているのだった。

椰子はバスを乗り継ぎ、明るい陽光が降りそそいでいる舗道を歩き、何軒も日系人の雇用を頼んで廻った。

四軒目に、既製服の小さな縫製場を訪ねると、ミシンの音がし、布を積み上げた間をかき分けるように中年の婦人が顔を出し、神父からの紹介状を読み、

「ミネソタで生れ、育った私たちには、正直いって、日系人というのは、初めてなんですよ」

半ば当惑するように、まじまじと椰子の顔を見た。アメリカ大陸の奥深い中西部のミネソタ州では、大多数の人が、西海岸の日系人の存在を知らないのだった。

「私たちは、日本人の両親を持ち、アメリカで生れ、教育を受けて、アメリカの市民権を持っている日系アメリカ人なんです、そして合衆国に対する忠誠心は、多くの若い二世たちが志願兵として入隊したことによって、既に証明されています、私のハズバンドもまた米陸軍のキャンプ・サベージに勤務しております、こうした夫や兄弟を持つ者が今、職を求めているのです、真面目《まじめ》で勤勉な人たちです、是非、雇って下さい」

理解を得るように、訴えた。

「レストランの皿洗いやメイドと違って、縫製には技術がいりますよ、どの程度の技術を持っていますか」

「収容所で、軍の制服やコートを支給されると、それを自

分たちで持ち込んだポータブル・ミシンで、子供の服や夫のジャケット、あるいは婦人用のスーツにも仕立て替える技能を持っています」

「まあ、軍の制服から子供服や婦人用スーツを――」

その器用さに、少なからぬ驚きの色を見せた。

「いかがでしょう、雇って戴けますでしょうか」

「じゃあ、二人だけ採用してみましょう、給料は一カ月六十ドルです」

「七十ドルにして戴けませんでしょうか、WRAの方針で、通常の賃金以下で働かないように、それは一般労働者の賃金に影響するからと云われているのです、住込みのメイドで一カ月五十ドルですから、縫製技術を身につけていることで、七十ドルにお願いしたいのです」

「ノウ、日系人の採用は初めてのことだから、六十ドル以上は出せません、その代り、住いはミシン室の隣りの空き部屋を無料で提供しましょう」

縫製で一カ月六十ドルという賃金は不満だが、住いが得られることは大きな利点であった。

「では明日、午前中に二人の求職者をこちらへ伺わせます、私たち日系アメリカ人を御理解下さり、有難うございました」

椰子は、鄭重《ていちょう》に礼を述べた。

さらに五軒を廻って、オフィスへ戻《もど》って来ると、扉の前に、ネッカチーフを結んだ愛くるしい十七、八歳の女性がたっていた。

「まあ、キクじゃないの、どうしてこんな時間に、何かあったの？」

「ええ、クロスビーさんところのメイドをやめたいのです」

キク吉田は、思い詰めた顔で云った。

「急にどうしたの、まあ、中へ入って話しましょう」

優しく、オフィスに招じ入れた。ハートも、幸子《ユキ》も、まだ外から帰っていなかった。

キクは、マンザナール収容所のインフォメーション・セクションにいたダン吉田の妹であった。向学心に燃え、働きながらミネソタ大学に行ける仕事をということで、椰子が足を棒にして探し廻り、一年間、メイドの仕事をするなら、二年目から大学へ通わせるという製材業者と出会い、キクを頼み込んだのだった。

「私は料理から掃除、床磨き、悪戯《いたずら》な子供たちの世話を承知で、ここ半年間、働きました、一年先に働きながら大学へ通わせて貰えるのならと思って、頑張ったんですわ、でも、その約束が嘘《うそ》だということが解ったんです、昨日、子供たちがひどい悪戯をしたので、叱ると、子供たちは云いました、パパとママは、お前を一年だけ使って馘《くび》にして、別のメイドを雇うんだと、云ったんです」

キクはそう云い、堰《せき》をきったように泣き出した。

「馬鹿ね、子供の云うことを真《ま》に受けて、クロスビーさん

のところは、確かに人使いは荒いそうだけど、このオフィスが間に入って約束したことを違《たが》えるような人ではありませんよ」

「でも、私はもういやなんです、毎日、毎日、這《は》いつくばって、汚れた床を磨きながら、なぜ日系人ゆえに、皿洗いやメイドの仕事しか与えられないのかと思うと、耐えられなくなって、こんな目に遭うのなら、収容所を出て来るんじゃなかった……」

「キク、そんな云い方をしてはいけないわ、最初に収容所を出て来た人たちが、しっかりやらないと、あとから出て来る人たちのチャンスを潰《つぶ》すことになるわ、あなた方の記録《レコード》が、WRAの本部へ送られ、あとに続く人の出所に影響することを考えて、弱音を吐いたり、収容所へ舞い戻ったりしては絶対、駄目よ、若いあなたたちが、毎日、食べて、住むことが出来ても、無目的な収容所生活に馴《な》れることは、人間として去勢されてしまうことなのよ」

利発なキクは、泣きながら頷いた。

「そう、解ってくれたのなら、我慢して一年間、床磨きをして、二年目からミネソタ大学へ入り、働きながら勉強するという最初の目的を貫くことよ、クロスビーさんにはもう一度、よく頼み込んで、約束を守って戴くようにするから、挫《くじ》けないで、耐えぬくことよ」

諭すように云うと、キクは、やっと納得して帰って行った。

一人になると、椰子は溜息をつき、最近、喫いはじめた煙草に火をつけ、ぼんやり白い煙の行方を見ていた。

オフィスの仕事で神経を磨り減らし、自宅へ帰ってからは、これという原因は見当らなかったが、結婚して生活を共にしてみると、チャーリーと自分との生いたち、性格の相違から来る齟齬《そご》で、しっくり行かないものがあり、椰子の神経を一層疲れさせているのだった。

オフィスから帰ると、椰子は、スーツ姿のまま夕食の支度に取りかかった。

WRAの仕事が忙しくなるにつれて、帰りが遅くなり、ここ三日間、チャーリーの帰宅の方が早く、機嫌を悪くさせているのだった。

缶詰のビーフシチューに手を加えて煮込み、サラダ用のオニオン・スライスを作るために、椰子は涙をぽろぽろ流しながら、玉葱《たまねぎ》の皮をむき、薄く切った。オニオン・スライスはチャーリーの好物だった。

車の音がした。まだ着替えていないことに気付き、急いでカーディガンを取りに寝室の化粧台の前に行って、おやっと足をとめた。暗くなりかけている戸外で、淡いブルーのシボレーが方向転換しているのが、見えた。夫の車でも、シグ木村の車でもなかったが、椰子はその車に見覚えがあるような気がした。誰かと思い、窓に近寄った時、車は方向転換を終え、教官用の住宅が建ち並ぶ通りを町の方へ走

り去った。

カーディガンに着替え、再び料理にとりかかりながら、椰子は見覚えのあるシボレーのことが、何かしら気持にひっかかった。

九時になってもチャーリーは、戻って来なかった。この分ではもっと遅くなるかもしれないと思うと、部屋の掃除にかかった。チャーリーは清潔好きで、椰子がWRAに勤務するまでは、こまめに手伝ってくれたが、仕事で遅くなるようになってからは、妙に冷淡で、手をかそうとしなかった。

居間にクリーナーをかけ、寝室の一角においたチャーリーの机の上を整理しようとすると、タイプライターの下に封筒があった。何気なく開くと、ドル紙幣が入っていた。椰子たちの生活では見られない新札の百ドル紙幣で、千ドルあった。チャーリーの年俸は陸軍軍曹で千八百ドル、椰子は千二百ドルとはいえ、共働き間もない二人の間に、蓄えなどあるはずがなかった。

椰子は愕《おどろ》きの中で、ふと、新婚の休暇を送ったミネトンカ湖からの帰途、雪の林道で出会ったシボレーを思い出した。三叉路で停まっていたシボレーは、椰子たちの車を見ると、待ち構えていたようにクラクションを鳴らし、大きな男が道を問いかけてきた。チャーリーはわざわざ車を降り、男のさし示す地図に顔を寄せ、何事か話し込んでいたが、この周辺の地理などさして詳しくないはずのチャーリーが、何を長々と説明しているのか、不審に思うとともに、シボレーの男が湖畔の別荘地帯にそぐわない陰険な表情の持主だったことも印象的で、シボレーの型、色とともに覚えていた。その車はさっきの車と同じであり、男の顔まではっきり見えなかったが、大男であることは、ハンドルを切る人影がフロント・ガラス一杯に映《うつ》っていたことからほぼ窺《うかが》えた。

もしかすると、チャーリーは、以前からあのシボレーの男と面識があり、ミネトンカの湖畔の林道で出会ったのも偶然ではなく、今日も、チャーリーの帰宅を秘かに待ち受け、何かの都合で帰ったのではないか——。タイプライターの下の不可解な千ドルとあいまって、椰子は結婚以来、ずっと夫に感じていた不透明な部分に思い当ったような気がした。

「おい、何をしているんだ」

チャーリーが寝室の入口にたっている。

「あら、お帰りなさい、気がつかなかったわ」

「へえ、俺は足音をしのばせたわけじゃないよ、いつものようにドアを開けて、ナギコと呼んだのに、気づかなかったのかい」

他人を咎《とが》めるような眼付きで云った。

「ごめんなさい、すぐ食事の支度をするわ」

椰子は、胸の中のわだかまりをどう問い糺《ただ》したものか、とっさに言葉が出て来ず、そのまま部屋を出かかった。

「すませて来たよ、今日もまた、お預けくったあげく、缶詰料理じゃかなわんからな」

「缶詰といっても、そのままなのは昨日のコーンビーフだけだわ、それもあなたがコーンビーフはそのまま食べる方が好きだって云うからよ、じゃあ、コーヒーを入れるわ」

　と云うと、チャーリーは椰子の肩を押さえ、

「タイプライターの下のものを見たんだろう」

　刺し通すような視線で云った。

「ええ、掃除のために片付けていたら……、あれは一体、どういうお金？」

　椰子もまっすぐ、見返した。

「アパートの敷金だ」

「アパートって、何のことなの？」

「こんな不便で、教官ばかりがかたまっている官舎住いはやめて、ダウンタウンのアパートに住もうと思ってね、その方がナギコにも便利だし、僕だって乗合自動車の運転手よろしく、いちいちこの近くの教官をピックアップするのは願い下げにしたいんだ」

「皆、困っているんだから、そんな云い方はないでしょ、それに収容所から出て来ても、まともな職はおろか、住むところもない人たちのことを思えば、私たちは結構すぎるわ、これ以上、贅沢《ぜいたく》したくないわよ」

「どうしてWRAを頼って来る連中などと引き比べるんだ、もともと移民の子だから、住む家や職のないことなど、経験ずみのことだろう、俺たちは、それをお恵み深いWRAの手なんか借りずにここまでやって来たんだ」

　チャーリーは、吐き捨てるように云った。

「あなた、何てひどいことを！」

　椰子は、言葉を跡切《とぎ》らせた。チャーリーはさすがに云い過ぎたことに気付き、

「ナギコの食事に付きあうよ」

　機嫌をとり結ぶように椰子の背に手を廻したが、椰子はその手を払った。

「あなた、聞きたいことがあるわ」

「何だ、急に改って――」

「あのタイプライターの下の千ドルは、どうして手に入れたの」

「結婚前に、俺が持っていた金の一部だ、そう目くじらたてることはないだろう」

「そうなの、あなたってどうしてそんなにお金持ちなの、他《ほか》の教官が持っていないような車を持ち、休暇には豪勢な別荘を借り、バーで飲み、そして贅沢な衣類を買い、今度はアパートまで」

　その途端、チャーリーの平手打ちが飛んだ。

「妻なら素直に喜ぶべきだろう、それをなぜ非難がましくあげつらうんだ！」

　頰《ほお》に火傷《やけど》のような痛みを感じたが、椰子はひるまなかった。

「お金の出所が不明だからよ、あなたが帰る前、ミネトンカで出会ったシボレーの車がうろついていたわ、チャーリー、もしかして何かの情報機関とダーティなつながりがあるのじゃないでしょうね」

一瞬、チャーリーの表情が動いたが、

「妙な云い方はよせ！　シボレーの車とか、ダーティな付き合いとか、要するに何を云いたいんだ、はっきり云ってみろ」

分厚な唇を歪めて、迫った。その凄じさに、椰子は気圧《けお》されながら、

「解らないから聞いているの、この際、妻としてちゃんと理解しておきたいの、どうしても話して下さらなければ、私、これからとても――」

思い切って、そこまで云うと、

「僕に関して、とかく云う人間がいることは知っていたが、そんなのは全部、ジェラシーから来る中傷だ、マンザナール収容所でも、白人の管理職と仕事上の交渉を持つ人間を当局のイヌ呼ばわりした連中がいたじゃないか、だから俺は日系人が嫌いで、こんな官舎に群れ集って住んでいたくない、俺はここいらの、日本語学校の教師になったぐらいで喜んでいる連中とは、わけが違うんだ」

椰子の真摯《しんし》な問いを、はぐらかすように嘯《うそぶ》いた。張りつめていた心の片隅に、すっと裂け目が生じた。

「――そうね、あなたは皆さんと比べ、教育熱心ではないし、生徒への思いやりもないわね、そんな人がどうして教官になったの」

「皮肉かい？　だが、根も葉もない疑いを持たれるより、その方がましだ、いいかい、キャンプ・サベージの教官になったのは、将来、自分の能力をフルに発揮出来る、やり甲斐のある仕事にありつくための一つの手段だ」

「ケーンやシグが、あんなに心を砕いて取り組んでいる日本語学校の教官の職が、あなたにとっては将来への一つの手段――、そうだったの」

冷え冷えとした思いで、チャーリーから離れた。


土曜日の夕方は、日本語学校のあるキャンプ・サベージから十八キロ隔たったミネアポリスの中心街へ行く無料バスが出、生徒たちは、どっとダウンタウンのバーや、ストリップ劇場へ繰り出した。

メイン・ストリートのヘネペン通りには、商店やバー、映画館などが並び、生徒たちはまず、バーへ飛び込んで、ビールやウイスキーを飲み、一週間のハードな学習と土曜日ごとに行われるテストの緊張感を吹き飛ばしてしまう。バーの中でも、ヘネペン通りを少し中へ入ったバー・トロピカーナが、生徒たちに人気があった。だだっ広いフロアには幾つかのテーブルと長いカウンターがあり、ダンスも踊れるようになっている。

ジロー大野は、数人のグループとカウンターの止まり木に腰をかけて、ビールのジョッキを空けていた。先週からかけはじめたばかりで顔に馴染まない眼鏡をずり上げ、

「最近、やけに近眼が増えたな、こう揃って眼鏡の顔が止まり木にならぶと、雀の学校の生徒のようだな」

と云うと、背の高いのっぽの生徒が、

「消灯後も便所の灯りや、ベッドの毛布をかぶって懐中電灯で勉強しないことには追いつかないんだから、近眼にならない方が不思議だよ、いくら軍が無料《ただ》支給してくれても、眼鏡をかけると、僕の顔の魅力が半減して女にもてなくなるよ」

自慢の眼をぎょろりと動かすと、そこここから、弥次が飛んだ。

「女にもてないのを眼鏡のせいにするのか」

「ストリップを見る時は、きざな眼鏡をかけて、にやけているじゃないか」

「あれは、自腹を切って買ったんだから、よけいな口をきくな」

「じゃあ、きざ眼鏡は、女と寝る時もかけるんかい」

一兵卒である生徒たちにとっては、土、日曜日に酒を飲み、ストリップ・ショウを観、女と過すことが唯一の娯《たの》しみであった。しかも今日は、給料日から最初の休みであった。

「さあ、ここで飲んだら、おきまりのストリップ劇場、腹ごしらえは中華料理店のチャーハン、一週一度の米の飯を喰って、そのあとは、各自の懐工合と腕次第だ」

ジロー大野は、リラックスするように云い、バーに出入りする一目でそれと解る商売女の方をちらりと見た。新米の兵隊で一カ月二十五ドルの給料であったから、下手に遊べば、一回でふっ飛んでしまい、次の給料までぴいぴいして、過さねばならない。

「金のない俺たちは、どうするんだ」

にきび面した一人が、膨《ふく》れるように云うと、背の高いのっぽは、ふふんと笑った。

「ポーカーでさんざんすって、給料が入っても、右から左へ借金に取られてしまうんだろう、金がなきゃあ、USOで遊ばせて貰うことだな、すぐそこにあるじゃないか」

USOは、兵隊向けの娯楽施設で、食堂、売店、ダンスホール、新聞や書籍を備えた読書室もあり、食堂や売店に勤める土地の女性をお目当てに通う者も少くなかった。

「そりゃあ、USOなら安上りだけど、やっぱり、気がねなく遊びたいよ、ユーたちは、今晩はホテル泊りかい」

にきび面はうらめしそうな顔をした。

「当然だよ、せっかく、土曜の外泊が認められているのに、無駄にする馬鹿はいないよ、ホテルのベッドにひっくり返っていると、コツコツと女がノックして入って来るあれ、しびれるな」

のっぽが云うと、皆がげらげらと笑い出したが、カウン

ターと反対側のテーブルに、教官たちが来ていることに気付くと、それ以上、卑猥《ひわい》な話はやめた。

天羽賢治は、黒板に日本の広島県の地図を貼り、地理を教えていた。地図は陸軍情報部から貸与されたものであった。

「広島県の地形、気候、産業、人口など一般概要については、先週教えたが、今日は語学兵として頭に叩き込んでおかねばならないことを重点的に復習する」

軍事上、重要な県については、賢治は必ず復習させた。

「広島県といえば、すぐ頭にうかぶことはなんだ」

二十四人の生徒の前列から順に答えさせた。

「第五師団です」

「師団とは？」

「陸軍部隊の呼称で、司令部を有し、独立して作戦する戦略単位です」

「では、師団の編成を云ってみよ」

「日本の師団編成は、歩兵三個連隊以上、砲兵、工兵、騎兵、通信、輜重《しちょう》の各兵科一個連隊以上で成りたっています」

「よろしい、次に連隊組織を説明してみろ」

四人目の生徒は、口ごもったあげく、解りませんと眼を伏せた。

「昨日、兵語の授業で、教えたばかりじゃないか、連隊組織が頭に入っていないと、戦闘で重要な兵員を知ることが出来ないぞ、いいか、もう一度、教えるからしっかり頭に入れろ、日本の連隊組織は歩兵の一個連隊は三個大隊、一個大隊は三個中隊、一個中隊は三個小隊以上だ、したがって一個師団の兵員数は、歩兵約六千人に砲兵、工兵、輜重兵などを含め約一万と覚えておき給え」

と説明し、

「次に広島県の地名で、すぐ頭にうかぶのは？」

五人目の生徒に聞くと、待っていたとばかり、

「宇品港《うじなこう》です、日清戦争の時、チャイナへ戦争に行く兵隊が全国各地から集められ、軍艦に乗って行ったということを、広島藩士だった曾祖父《ひいじい》様の語り伝えで、よく伺ってました」

小学校と中学の半ばまで日本で過したロッド浅野は、得意気に話した。先祖が士族であることを誇りにし、時折、妙な敬語を折り込むので、シゾクと渾名《あだな》をつけられている生徒だった。

「その通りだ、つけ加えて云うと、パールハーバーを攻撃した日本連合艦隊の一部も、ここから出航した」

「僕の曾祖父《ひいじい》様のお話では、日清戦争の時、大本営が広島に移されたということです」

「シャラップ！　シゾク、今はおまえのひいじいの話じゃない」

二、三人の生徒が揶揄《やゆ》した。賢治は生徒を鎮《しず》まらせ、
「明治二十七年、一八九四年の日清戦争の時、明治天皇が戦局の険しさを憂慮して、大本営を東京から広島に一時、設置され、その結果、広島が軍事、政治の一つの中心として発達したことは確かだ、ところで宇品港のほかに、軍に関係のある地名は？」

「呉《くれ》です、そこには海軍の司令部と海軍工廠《こうしょう》があり、日本海軍が世界に誇る軍艦を造っている工場があります」

「うむ、それでいいが、呉の場合は司令部とはいわない、海軍鎮守府《ちんじゅふ》と云う、呉のほかに横須賀、舞鶴《まいづる》、佐世保にある」

　黒板に、地名を書きながら教え、

「さて、この呉の西方にある江田島《えたじま》も、記憶しておかねばならぬ地名だ、江田島には日本の海軍士官を養成する兵学校があり、その訓練、日常生活の厳しさはよく知られている、女人禁制の島で、旅館は女中を置くことも禁じられているそうだ」

と云うと、生徒たちはどっと笑った。女人禁制の意味が理解出来ない。彼らにとって、旅館の女中まで禁止というのは滑稽なほどクレージーなことだった。

　笑いの渦の中で、

「先生、日本の海軍兵学校は、誰でも入れるのですか」

　純二世のアダム中村が、真面目《まじめ》な顔で聞いた。

「そうだ、身体頑健、学業優秀でテストに合格さえすれば、誰でも入学出来る」

「アメリカの士官学校のように上下両院議員の推薦がなくてもいいのですね」

「そうだ、ウエストポイント（陸軍）、アナポリス（海軍）と異り、日本の陸士、海兵は議員の推薦は不要だし、上級学校へ進学したくても出来ない貧しい家庭の子弟でも志願できる、そのかわり競争率が高く、よほど優秀でなくてはパスしない」

「この間、ブーゲンビル島上空で撃墜され、戦死した山本五十六大将も貧しい家の出ですか」

「そこまでは知らんが、新潟県の貧乏士族の出と聞いている」

　と云うと、生徒たちは吐息をついた。日本語学校には、日系二世以外に、白人の生徒もごく少数在学し、卒業と同時に少尉に任官するが、日系兵はいかに優秀であっても軍曹止りであることが、不満の種になっているのだった。賢治は、生徒たちがやる気を失くすことを憂え、

「さあ、次は広島の山と川の名前だ、すぐ答えられる者は？」

　強いて明るい声で、一同を見廻した。

「一番高い山は中国山脈の恐羅漢《おそらかん》山、次《つ》いで冠《かんむり》山、立烏帽子《たてえぼし》山など千二、三百メートル級、川は中国地方第一の江《ごう》の川《かわ》と市内を縦断している太田川です」

　シヅクとは別の広島出身の生徒が答えた。

「君の心に一番残っている風景はなんだね」

「村の小学校と、家の近くの神社にあった桜です、桜が美しかったことしか、僕は覚えていません」

ぶっきら棒に云ったが、そう云われて賢治も、少年時代を過した鹿児島の加治木《かじき》の学校や健児の舎周辺の桜の大樹が満開の光景を眼にうかべた。

「故郷の山河は、誰にとっても美しく懐しいものだ、君たちが戦地で捕虜の尋問に当る時、決して居丈高になることなく、われわれ日系だけが解る共通の心で話を聞くのだ」

「つまり地理というのは、心理戦の上で一つのテクニックとして使えるんですね」

純二世のアダムは明快に頷いてみせたが、桜の美しさを口にした帰米二世の生徒は、

「広島の第五師団は、今、どの戦地に配属されているのですか」

一途な眼を向けた。賢治ははっと胸をつかれた。

「現在、どこかということまでは解らないが、開戦時は山下奉文《ともゆき》中将率いる第二十五軍に編入され、マレー奇襲攻撃の上陸作戦専門の師団として、その精鋭ぶりを誇ったそうだ、第五師団に親戚でもいるのか」

「はい、兄が――」

「そうか、私には鹿児島の師団に弟がいる」

それ以外、言葉はなかった。


授業を終えると、賢治の机の上にオーソン相川からのメッセージがあった。

授業後、部屋へ来られたし――、見事な草書で記してあった。

主任教官室をノックして入ると、相川は山と積まれた書類の中から、薄く口髭をたくわえた顔を上げ、

「ああ、ケーン、ちょっと待ってくれたまえ」

「お忙しければ、またあとで来ます、今日は遅くまでいますので」

「いや、すぐ区切りをつけるから」
二、三通の書類にサインし、机の前の椅子をすすめた。
授業時間の編成、教官の人事のみならず、教科書、辞書類の購入から生徒募集の要項まで、ありとあらゆることが、相川のところに持ち込まれていた。

三十代半ば過ぎで鬢《びん》のあたりが白くなりはじめている相川は、疲れた顔で、

「待たせてすまなかった、この通り雑用が多くてねえ」

煙草に火をつけた。

「大へんですね、何もかも結局は相川先生のところで、実質的に決裁されるのですから」

「最終的には校長のクラーク大佐の決裁を受けるのだが、教官の間に不満があるオーバータイム・ペイにしても、教官の担当授業時間を一覧表にして、週四十四時間の勤務より何時間オーバーし、一時間につき、これこれだと、一々、

数字を上げねばならないから大へんだよ、一事が万事、この調子だから、主任教官をしているのか計理士をやっているのか、解らん時がある」

　開戦前に徴兵されるまでサンフランシスコで弁護士をしていたオーソン相川は苦笑した。

「しかし、キャンプ・サベージには、主計将校がいるでしょう、相川先生がそんなことで心労されているのは、見るにしのびないですね」

「仕方がないさ、われわれ二世の地位は、自分たちで団結して高めて行くよりほかないからね」

　相川は、煙草をくゆらしながら云い、

「さて、用件だが、君が担当しているセクションⅠの生徒中、五名をセクションⅡへ落第させるという処置は、撤回して貰《もら》いたい」

　と云った。入学の時、生徒の日本語の能力に応じて、セクションⅠからⅢの三段階に分けていたが、どうしてセクションⅠに編入されたのか、理解に苦しむほど成績の悪い生徒が混っていた。

「私の考えでは、落第させた方が本人も苦しまなくていいと判断したからです、また、その程度の語学力で戦線へ出しても、捕獲文書の日本文は到底、読めず、戦力にもなりません、逆に誤った情報で味方を危険に陥《おとし》れる場合もあります、成績表を持って来て、説明しましょう」

「いや、その必要はない、朝のミーティングで、しばしば云っているように、ワシントンは太平洋の対日戦に日系語学兵を期待し、教官、生徒の大幅な増員を計画している、そういう時期に、たとえ一名たりとも落伍者を出すことは許されない」

「相川先生とも思えぬお言葉ですね、ワシントンの命令なら、中味のことなど問題にしないとおっしゃるのですか」

　賢治は静かではあるが、はっきりと非難した。相川は煙草をもみ消した。

「今は戦時下だ、平時のように完璧を期すことは出来ない」

「そうですか――、では落伍者五名は、何らかの方法で特別授業を行って、引き上げねばならないわけですね」

「君には、そんな出来ない生徒の対策より、優秀な生徒の中から十名を選んで、教官に仕上げる訓練の方に力を注いで貰いたい」

「しかし、ここでインスタント教官を増やしても、今後は生徒を集めることが、困難だと思いますが」

「日本語の話せる生徒募集に関しては、開戦前に徴兵された日系兵が、開戦と同時に、米国内の基地で、道路修理や清掃、物資運搬などの労働部隊に廻されており、その中に日本語のできる二世がいることが解ったので、近日中に、各基地を廻って面接する予定だ、いまや、ワシントンは、日系語学兵は対日戦争の〝秘密兵器〟と考えている、一般戦闘の弾《たま》よけに使う兵隊の代りはいくらでもあるが、日系

語学兵の数は限られているからね」

相川は、まるで校長のクラーク大佐のような云い方をした。それはマンザナール収容所にいる賢治をキャンプ・サベージの教官に誘った時の相川ではなく、またことあるごとに二世の将来のためにと、〝二世コール〟を繰り返す相川でもなく、陸軍情報部の上層部と同じく、すべてを戦時下だという一言で割り切れる軍人になっていた。本心で云っているとすれば、主任教官として許せないという思いがしたが、ワシントンの命令には服さざるを得ない立場も解った。賢治は相川の白い鬢と窪《くぼ》んだ眼を見、

「――失礼します」

たち去りかけると、相川は、

「では、生徒を落第させることは、撤回してくれるのだね」

念を押した。

「落第させることが出来なければ、彼ら一人一人に面接して、その特質を引き出し、訓練期間中にその特質を一定のレベルまで伸ばすよりほかありません」

「それは、どういう意味かね」

「セクションIの語学力のレベルに達していない五名の中で、話すことが得意で人の気持をそらさない者は、捕虜尋問官、読む方がまだしもの者は翻訳官、両方あやふやでも、戦闘場面で行動力を発揮しそうな者は第一線で捕虜尋問官と組んで動く、という風に能力別にトレーニングしてみます、相川先生がおっしゃるように、戦時下なのですから致し方ありません」

濃い眉を寄せて云うと、相川は頷いた。

「実戦には総花式《そうばな》のトレーニングより、君のいうように、生徒の能力に応じて、尋問官、通訳官、翻訳官と専門別に分けてする方がいいかもしれないな、クラーク大佐にも話して、検討してみよう」

と結論を出し、ほっとしたように息をつき、

「ケーン、明日の土曜日、お互い、ワイフ孝行をかねて、夕食を一緒にしないか、君の奥さんも生徒の食事の世話が度重《たびかさな》っては、大へんだろう、この間、奥さんがうちへ訪ねて来て、せめてケーンを日曜日ぐらい仕事から解放してほしいと、叱られたのだよ」

「エミーが、そんなことを――」

自分に対する愚痴だけで我慢出来ず、相川の家まで行ったのかと、赤面した。

「まあ、いいじゃないか、エミーは純二世の女性らしく、はっきり自分を主張し、それはそれで率直だよ、じゃあ、明日、僕の家で――」

相川はさっと、スケジュール表に書き込んだ。

教官室に戻りかけると、廊下の向うに珍しく椰子の姿があった。

「チャーリーなら今、読本《とくほん》の授業中だよ」

「そう、ちょうどこの近くの理髪店が、日系人をヘルパー

としてなら雇ってもいいと云って来たので、早速、雇用条《こよう》件について話し合って来たのよ」

「この近くというと、アンデクソン・バーバーか、あの主人なら生徒をよく知っているから、人種的偏見もあまりないだろう」

「でも、目敏《めざと》く学校の近くに理髪店を出すスカンジナビア系だけあって、条件がきつかったわ。一カ月住込みで五十ドルを六十五ドルに上げて貰うのに一時間近くかかったわ」

「ナギコもなかなかやるじゃないか、ところで、両親はやはり第二次交換船で日本へ帰るのかい」

「ええ、止めてもきかない以上、両親と妹が無事に広島へ帰り着いてほしいわ、ケーンのご両親はツールレークへ行かれたの」

「いや、まだだけど、忠誠テストにノウノウと答えた限り、不忠誠組ばかりを隔離収容するツールレークへ行くのが当然だと云い張っているのだ、マンザナールにいてくれる方が、親しい人のつながりもあるし、気候的にも他の収容所よりはましだし、どんなに安心かしれないのに、お互い頑固な父親を持ったものだ」

　苦笑すると、椰子も笑ったが、ふとその頬が硬《こわば》った。

「どうかしたかい？」

「ケーン、明日の午後、あいていない？　できれば、ダウンタウンのレストランで食事をしながら、話したいことがあるの」

　賢治は、とっさに返事に迷った。つい今しがた、相川の家での食事を約束したばかりであった。だが、椰子はさり気なく装いながらも、チャーリーとの間に何事か、深刻な問題を抱えているような気配が見て取れた。

「じゃあ、五時に、WRAのオフィスに近いコスモポリタン・レストランにしよう」

「有難う——、私、もう先に帰る、門のところにいれば、学校関係者の車が必ず通るはずだから、それに便乗して帰るわ」

　椰子はそう云うなり、チャーリーを待たずに、帰って行った。


　翌日、ミネアポリスのダウンタウンのレストランで、賢治と椰子は向い合っていた。夕食時には早いせいか、北欧風の店内に他の客はなかった。

　ビールを注文し、待っている間、椰子は煙草に火をつけた。

「いつから喫うようになったんだい？」

「つい最近——、オフィスや家でいろんなことがあるので、くゆらすだけで神経が憩《やす》まるの」

　椰子は、煙の行方を疲れた表情で見やった。

「オフィスはともかくとして、自分の家でどうして神経が

昂るんだ、結婚してまだ間もないのに」

「私たち、そんな甘いものではないわ、結婚して私、チャーリーに不信を持つようになったの」

「不信？　誰だって、生活を共にするようになれば、自分と相容れない性格や性癖に戸惑うことはあるものだ、それを不信なんて大げさに云ってはいけないよ」

「相談というのはね、ケーン」

椰子は、躊躇《ためら》うように切り出した。

「チャーリーはキャンプ・サベージの教官以外に、何かほかの任務についている気がするの、ケーンは知っているんじゃないの」

「急に何を云い出すんだい、見当もつかないけれど、何があったかともかく話してごらん」

賢治は、あまりの唐突さに驚いた。椰子は結婚以来、夫に不透明な影があるように思えてならないこと、不審なシボレーの車に乗った男が、定期的に近づいて、チャーリーと接触している様子があること、出所不明の収入があることを話した。

チャーリーに関しては、戦争前からとかくの噂があり、賢治自身もチャーリーのダーティな影に、それとなく気付いていたが、それを裏付ける証拠には触れたことがない。それだけチャーリーのガードが固く巧妙であるのと同時に、賢治の方から特に詮索する気がないからかもしれなかった。

椰子はビールのコップを見つめたまま、

「チャーリーは孤独に育って来た人だから、家族で苦労を分け合って暮して来た私にはついていけない部分がたくさんあるわ、もちろん、それは前から解っていたことだし、それを上廻るバイタリティに惹かれたからこそ、結婚したのだけど、彼の仕事が妻にも云えない、何か人間の品性にかかわることだとするとついていけないわ、チャーリーが何をしているのか教えて」

小さな声だが、夫の秘密に心痛し、まいっている様子だった。

「ナギコの思い過しだと思うね、彼がたとえば、FBIの下で働くことなど考えられないし、そんなことをすれば、かえって将来のためにならないことぐらい、計算出来る男だよ」

はっきり否定した。

「それ、本気で云っているの」

「本気だとも、僕自身、品性に問題のあるような男とは付き合わんからね」

椰子は、その言葉の真偽を探るように、賢治の眼を凝視した。

「先週の土曜の夜、一緒に飲んだ時、チャーリーは、君がWRAで忙し過ぎることに不満を洩らしていたよ、収容所から出て来る人たちのために親身に働くことは有意義だが、一日二十五時間あったって、完全に面倒みきれるものじゃない、家庭を持てば愛情の配分を考えなくちゃいけない

ね」

　元気づけるように云い、

「さあ気分をすっきりさせて、食事にしよう」

　ボーイを呼びかけると、

「ケーン、どうしてそうチャーリーのことを庇《かば》うの」

　哀しげに潤んだ眼で、云った。

「君こそ、どうしてハズバンドのことをそう責めるのだい？　僕は庇うつもりで話しているんじゃないよ」

　やや云い過ぎたかと思ったが、むろんそれは椰子のためであった。オーソン相川に夫婦で食事をしようと招《よ》ばれながら、急に辞退したのも椰子のためであった。

「ま、いいわ、久しぶりにケーンと話して心が温まったわ、チャーリーとのことは暫く考えてみます」

　椰子は、かすかな微笑をうかべた。


　椰子は、WRAのオフィスでマンザナール収容所の転住希望者の中から、「ヒロコ・イモト　18歳」という名前を見、愕《おどろ》いた。妹であった。

「どうかしたのかね」

　ウィリアム・ハートが温和な眼ざしで聞いた。

「ええ、両親と第二次交換船で日本へ帰ることになっていた妹が、働きながらミネソタ大学へ進学したいという希望者のリストに入っているのです」

「ほう――」

　ハートは、リストを覗き込み、

「妹さんは、その意志を伝えて来たことがあるのかね」

「日本へ帰るのは消極的でしたが、ここまでは……」

　と応えながら、椰子は動揺した。広子との手紙のやりとりは、何度もあったが、両親の様子やマンザナール収容所の出来事を十八歳の娘の目で報せるだけで、大学へ行きたいなど一行も書いて来ず、突如、WRAの機関を通して希望して来たのは、どういうわけだろうか――。齢《とし》が七歳も離れている上、引っ込み思案の妹の心の中に何が起ったのか、椰子は測りかねた。もしや父たちが日本への帰国を取りやめてくれたのだろうか。国際赤十字条約で保護されているとはいえ、戦況が緊迫している太平洋を航海することは、死別の怖れもあるのだった。

「ミスター・ハート、今度、マンザナール収容所の管理本部へ電話される時、私の両親の様子を聞いて戴けませんでしょうか」

「OK、もし妹さんがアメリカに残ることになれば、齢とったご両親だけで乗船することになるから、ナギコも心配だろう、明日かけるから必ず聞いてあげよう」

　ハートは、快く頷《うなず》いた。

　その夜、椰子は妹宛に手紙を書いた。電話を使えず、手紙で収容所にいる妹の心に起った変化を聞くことは難しく、まどろこしかった。

チャーリーはまだ帰って来ない。タイプライターの下の千ドルを見つけて、その出所《でどころ》を聞いて以来、チャーリーはふてくされたように帰宅が遅くなり、土曜日にはダウンタウンへ飲みに行ったまま、帰宅しない夜もあった。飲み過ぎて運転が出来なくなったとか、タクシーがなかったとか、一応の云いわけをしたが、椰子は冷えた心で聞き流していた。それがよけいに、チャーリーを苛だたせるのか、このところ続けて帰宅が十二時を過ぎ、バーボンをがぶ飲みして、一言も口をきかずに、寝てしまう日が多かった。

車の停まる音がし、玄関の扉が開いた。

「ナギコ、帰ったよ」

珍しくアルコールの匂いがしなかった。

「早かったのね、食事は?」

「すませて来たよ、今日、ダウンタウンでいいアパートを見つけたんだ、豪華なマントルピース付きのリビングルームのほかに三部屋あるんだ、何よりWRAのオフィスに近い」

ソファに足を組み、上機嫌で喋《しゃべ》った。

「私はこの家で充分、満足よ」

椰子の脳裡には、チャーリーの出所不明の収入と不透明な影が消えなかった。

「せっかく、喜ばそうと思ったのに、そんな云い草はないだろう、可愛い気のない女だ」

苦りきって、舌打ちした。

「私はそれどころじゃないの、ヒロコが私に何の相談もなく、働きながらミネソタ大学へ行くための求職カードをWRAのオフィスに出していたのよ、パパたちのことが心配で、様子を見に行きたいわ」

「だからと云って、ナギコがマンザナールまで出かけることないじゃないか、やめとけよ、それよりこの住宅難だ、せっかく見つけたアパートの引っ越しの方が先決だよ」

チャーリーはそう云い、ソファからたち上って、シャワーを使うと、すぐ寝室へ入り、

「来いよ——」

と椰子を促した。

「私、今夜は疲れているの」

拒むと、

「何をすねているんだ」

チャーリーの手が、強引に伸びた。体で従わせようとするいつもの術《て》であった。

「やめて——」

椰子は、強く撥《は》ねのけた。

「どうしたって云うのだ」

チャーリーは、やや鼻白んだ。

「あなた、アパートの件は絶対、反対よ」

「いやに、この不便な官舎住いがお気に入りだな、格別のわけでもあるのかい」

妙に絡んだ云い方をした。応えずにいると、

「この間、ケーンと二人で街のレストランで食事をしていたそうだな、何でもその日、ケーンはエミーを連れて、相川夫妻と夕食をする予定になっていたそうで、ミセス相川がレストランへ入る君たちを見、不審に思ったそうだよ、何の用だったんだ」

「――」

「云えないような話だったのか」

「そうじゃないけど……」

「小さな町だ、妻子ある男と人妻が、人目をさけて会っていれば、逢《あ》いびきだと云われても仕方がないぜ」

チャーリーの眼に、下卑た光が宿った。

「何てことを云うの」

「僕はそう取らなくても、世間はそんな眼で見るさ」

「私は、ケーンにあなたのことを聞いてみたの」

「ほう、で、ケーンは何て云ったんだ」

「チャーリーに限って、やましいことはない、思い過ごしだと云ったわ」

「それ見ろ、ケーンだって、俺を信頼しているじゃないか、やはり、あいつはいい奴だ、だが、これからは人に誤解されるような会い方はよせよ」

そう云い、チャーリーは、ぐいと両手を伸ばして、分厚い胸の下に椰子を引き入れた。

チャーリーが、満ち足りたように寝入ってしまうと、椰子はそっとベッドを脱け出、化粧台の前に坐った。

暗い鏡の中を見つめながら、ふと賢治と夕食した後、一緒に同じ家へ帰ることが出来たらという衝動に駆られたことを思い返した。その心のとどろきは、どんなに強くチャーリーに愛されても、得られないものだった。

＊

晴れ渡ったキャンプ・サベージの空に、トランペットと鼓笛《こてき》の吹奏が高らかに鳴り、国歌斉唱の歌声が湧き上った。アメリカ陸軍情報部日本語学校の第三回の卒業式がはじまったのだった。

野外に設けられたステージの上には、校長のクラーク大佐をはじめ、来賓が起立し、その下には四百四十名の卒業生と教官夫妻が整列している。軍人は挙手の礼、シビリアンは脱帽して、国歌を斉唱した。

国歌斉唱が終ると、一同は着席した。賢治は傍らのエミーを見やった。七カ月の身重《みおも》で、野外での式は体にさわるから見合せるように云ったが、聞き入れず、周囲の教官夫人より派手な装いで、久しぶりの晴れやかな場を楽しんでいるようだった。

式は、卒業生に神の加護を祈る牧師の祈りに次いで、スチューデント・スピーチ（答辞）へ移った。卒業生を代表して二人が、スピーチすることになっている。

最初に星条旗で包まれた演壇のマイクに向ったのは、白

人将校のトッド中尉だった。白皙《はくせき》の颯爽とした青年将校に、来賓席のワシントン情報部のデューイ少将と二人の佐官、地元の市長、ミネソタ大学総長、実業家たちは興味深げな視線を向けた。

トッドのスピーチは日本語だった。来賓は予め配られた英文訳の印刷物を見ながら聴き入ったが、ステージの下の卒業生の間からくすくすとしのび笑いが洩れはじめた。トッド中尉の日本語が、強い東北弁訛だからだった。

「入学《ぬうがく》当初は、日本語もあまり話せながった私《わたす》たつ生徒が、六カ月後の今日、驚ぐべき進歩《すんぽ》を遂げ、只今《ただいま》では難解な兵《へ》語《ど》、作戦要務令を読解《どっかい》し、字体《ずたい》においでも草書の類《たぐ》いに至《いだ》るまで読み取ることが出来るようになりますた、これも先生方《がた》のご懇篤《こんとく》なるお教《おす》えによるものと、衷心《つうすん》より感謝申す上げます」

しのび笑いは、次第に不遠慮なものになり、賢治ら教官は後列の卒業生を窘《たしな》めた。トッドの東北弁訛は、父が牧師で日本へ赴任している間に秋田県で生まれ、そこで幼児期を過したせいであった。その東北訛を除けば約十年、日本で育ち、米陸軍に入隊後、ミシガン大学の日本語科研修生となっただけに、なまじの日系二世より日本語の能力は優れ、草書の候文も難なく読みこなす日本語通で、賢治たち教官も舌を巻くほどであった。

次に首席のケネス阿川が壇上に上《あが》った。Aランクのセクション I という最優秀なクラスの面子《メンツ》にかけてと、クラス中で案を出し合い、ケネス阿川が練《ね》り上げたスピーチは、ところどころに漢文の素養を織り込み、その英訳文を賢治やシグ木村に相談に来たほどであった。だが、その格調高い草稿も、合衆国に対する忠誠を披瀝《ひれき》する箇所になると、ある種の痛ましさが含まれていた。

「……わがアメリカ合衆国のために奉仕し、米国市民としての重大な義務を遂行する機会が与えられたことは、無上の喜びであり、誇りであります。

回顧しますれば、一九四一年十二月七日、青天霹靂《へきれき》の如く、日本軍の真珠湾爆撃がはじまると同時に、ハワイにおいてはすべての日系市民が日本軍閥のあの非人道極まる背信行為に対し、決然と奮起し、日本機の撃墜に、あるいは負傷者の救助手当、血液提供にと奉仕したのであります――」

ケネスは熱弁を振い続けたが、卒業生たちの間に「セイテンヘキレキって、何だ、日本語か？」と囁き合う声がした。Bランクのジロー大野たちであった。

天羽賢治の横の数人の教官は、やれやれと肩を竦《すく》めたが、賢治は苦笑しかねた。不意に弟の勇のことを思いうかべたからだった。昨日届いた手紙で勇は、ウィスコンシン州のキャンプ・マッコイの基礎訓練を終え、さらに高度な演習を受けるためにミシシッピ州のキャンプ・シェルビーへ移されたことを、有頂天になって報せて来ていた。そのキャンプ・シェルビーからは、勇たちの先輩であるハワイ二世

が、日系二世のみの特異な部隊編成で、間もなくヨーロッパ戦線へ出征することが、情報部内で囁かれている。ケネス阿川のスピーチが終ると、暫し拍手が鳴りやまなかった。

生徒の答辞の後、来賓代表としてデューイ少将が紹介された。

トーマス・F・デューイ少将は五十一、二歳の無表情なゼネラルだった。瘦身《そうしん》で音もなく演壇にたつと、薄い唇をわずかに開き、卒業生たちの六カ月間のトレーニングを犒《ねぎら》い、

「戦争の進行につれ、情報活動の重要度はますます高まり、日本語の堪能な語学兵の任務は重大である、諸君がその期待に充分にこたえ、忠実な合衆国の市民としての義務を遂行されることを確信する」

と祝辞を述べた。賢治は対日情報戦における最高責任者の一人と聞いているデューイ少将の祝辞が、オーストラリアに極東司令部を持つマッカーサーの、忠実な〝耳〟になれと暗示しているようでもあり、また期待を裏切らないことが唯一の忠誠心の証明であると強調しているようにも聞えた。

卒業式が終ると、ランチタイムを利用して、職員用の大食堂《メスホール》で卒業生のためのパーティが催された。

ビュッフェ・スタイルのパーティは気のおけない和《なご》やかなものだった。

椰子は、チャーリーとともに卒業生の間を廻ったが、マンザナール収容所から来た青年たち以外は殆《ほと》んど顔見知りがなかった。チャーリーが、日頃、生徒たちを寄せつけないからだった。

「乾杯《チァーズ》!」

前方で一際《ひときわ》、高い歓声が起った。その方を見ると、天羽賢治とエミーを二十数人の卒業生たちが取り囲んで、陽気な笑い声をたてていた。シグ木村のまわりにも、十数人の卒業生が輪をつくり、ビールを飲み、サンドイッチを頰張り、今は笑い話になった勉強ぶりを話し合っている。

チャーリーは、挨拶に来た数人の生徒に向い、

「これで終りと思ったら大間違いだぞ、このあと君らはキャンプ・マッコイで六週間、みっちり軍事訓練を受けねばならない、それをパスするまで君たちにほんとうの卒業はないんだぞ」

と云うと、卒業生たちはビールをがぶ飲みしながら、

「日本語の詰め込み授業より、その方がましですよ、むしろ楽しみなぐらいです」

興味を示し、他の二人も頷いた。

「それは君らの認識違いだ、軍事訓練の教官はここの優しい日系の先生と異り、百戦練磨《れんま》の鬼軍曹ばかりだから、甘くみると、すぐ営倉入りだぞ」

「まさか、脅《おど》さないで下さい、僕たちは語学兵ですよ、軍

事訓練って、どんなことをするんですか」

「基礎訓練だが、射撃、夜行軍、野営、銃剣術、野戦などすべてやる」

チャーリーはそう話しながらも、来賓の白人たちが近くを通ると、誰かれなしに愛想のいい挨拶をし、卒業生たちは白《しら》けて一人減り、二人減りして行った。

棚子はそんな夫から離れ、隅のテーブルにぼんやりたっていると、

「あら、ナギコ、どうかしたの」

エミーが声をかけて来た。七カ月の妊婦でありながら、眼のさめるようなサーモンピンクのドレスを着、細いヒールを履いている。

「まあエミー、そんな細いハイヒールで、ずっと立ってて大丈夫？」

と棚子が気遣《きづか》うと、エミーは大儀そうに腰を下して、コンパクトで顔を直し、

「大丈夫だけど、ケーンが少し休んでいろってうるさく云うので、抜けて来たの、あの人のところには卒業生が入れかわりたちかわり来て、乾杯攻めで、少し酔ってしまったわ」

「ほんとに沢山の生徒たちが集っていたわね、ケーンは生徒の信望があるりっぱな教官だし、エミーも、美味《おい》しい日本料理を作って、よく生徒の面倒を見てあげたから、感謝されているのよ、羨しいみたい」

「そう云えば、あなたのところは、あまり生徒を家へ招《よ》ばない主義らしいわね、おかげで私は、家族の食事の世話だけでも大へんなのに、生徒に食べさせなくちゃならないから、土曜、日曜は凄い忙しさで、チャーリーとナギコの優雅なサンデーが羨しかったわよ」

棘《とげ》のある云い方をした。棚子は黙って、気のぬけたビールを飲み干した。そんな棚子を、エミーは意地悪く見て、

「ねえナギコ、たち入ったことを聞くようだけど、チャーリーとは、うまく行っているの」

無神経に、聞いた。

「どうして、そんなことを聞くの」

「どうしてって、あなたたちの様子をみていると、そんな気配が感じられるのよ、特に私たち女同士の眼にはね」

いや味な云い方をした。女同士という言葉にエミーが、他の教官夫人たちと、自分たちの夫婦仲を話題にしている様子が読み取れ、不快だった。

「私、失礼してもいいかしら」

棚子は、空になったコップをテーブルの上に置くと、

「ナギコ、逃げるのぉ！」

絡んで来た。

「いやね、そんなに酔っ払ったら、体にさわるわよ」

「ご親切さま、体にこと寄せて逃げるってわけなのね」

エミーは、とろんとした眼を棚子に据え、

「ケーンとこそこそ、レストランで会うような真似は止し

てよ、缶詰料理でないのを食べさせてあげるわ」

ダウンタウンのレストランで、賢治と食事したことが、エミーの耳に入っているらしい。

「あの時は、どうしても相談にのってほしいことがあったの、今度から、そうさせて戴くわ」

「その相談って、一体、何なの」

「あなたには関係のないことよ」

椰子は、さり気なく云った。

「ケーンと私は夫婦よ、その私に聞かれて困ることなの？　近所の奥さんたちは、あなたが夫婦仲の悪い欲求不満をうちのケーンに向けているって噂してるわよ」

「まあ、なんてはしたないことを云うの、私、迷惑だわ」

こみ上げて来る怒りを抑え、たち上ると、

「他人のハズバンドを誘惑するより、自分のベビーをつくることを考える方がいいんじゃなくて、チャーリーのようなすばらしいハズバンドを持って、どうして子供が生れないの」

最後の言葉が、椰子の頬を逆撫でした。

「エミー、あなたの酒癖は悪すぎるわ」

椰子はそう云い、エミーを振り切るように離れた。

チャーリー田宮は、長目の髪に櫛を入れ、軍服のネクタイの結び目に手をやってから、校長のクラーク大佐の部屋へ入った。

「授業のため、遅くなりました」

挙手をし、直立不動で云うと、

「楽にしていい」

クラーク大佐は、煙草をくわえた。チャーリーは、すかさずポケットからライターを出し、恭《うやうや》しく火を点けた。

「サージャント・タミヤ、君に転勤を命じる」

と申し渡した。チャーリーの胸に動悸《どうき》が搏《う》った。

「転勤――、赴任先はどこでしょうか」

キャンプ・サベージの日系職員の人事は、通常、主任教官のオーソン相川が取り仕切っており、校長直々、申し渡すのは、よほどいいか、悪いかのどちらかであった。クラーク大佐は、チャーリーの動揺した顔を一瞥《いちべつ》し、

「その前に二つ、ヒヤリングしておきたい、まず第一は、君の家族のことだ、日本に母親と妹がいるらしいが、最後に会ったのはいつか」

と聞いた。

「一九二七年十月、私は十四歳で単身アメリカへ帰国し、以後、会ったことがありません」

「手紙、その他で交信したことは？」

「一切、ありません」

「何故だ」

「母は妹を連れて、郷里で再婚しました、田宮の家から出て行った者を、家族と認めるわけにはいきません」

はっきり云い切った。

「では、君の奥さんの両親とはどうだ、トラゾー・イモトは、第二次交換船で日本へ帰るということだが」

「ワイフも私も極力、止めましたが、聞き入れないので致し方ありません、主義主張が天と地ほど違うのですから、井本ファミリーとも親戚づき合いは、これで切れます」

「本心で云っているのか」

「はい、星条旗に誓って――」

クラーク大佐の背後に掲げられている星条旗に向って云った。

「よし、では第二の質問だ、君はＦＢＩと繋がりがあるな」

クラーク大佐は顎《あご》をひき、鋭い視線を向けた。覚悟していた質問であった。

「確かに、関与しています」

「今日までの関係のあらましを述べろ」

チャーリーは、先程来の質問から転勤先を読み取ろうと焦った。それによって答え方が違ってくるからだった。

「どうした、下手に隠しだてしない方が、ためになるぞ」

クラークの眼の端に、冷やかな笑いがうかんだのを見逃さなかった。チャーリーは肚《はら》をきめた。

「はじめてＦＢＩと接触を持ったのは、ロサンゼルス市立大学を卒業し、ロサンゼルスのローカル放送局に職を得て半年ほど経った頃でした、当時、サンペドロ港の荷役組合に潜入していた日系二世のアメリカ共産党員の言動調査です、党員のリストは会社のヴァイス・プレジデントのミスター・アルバートから手渡されました、彼はＦＢＩロサンゼルス支部と深い繋がりがあったと思います」

「最初に引き受けた動機は、何だ」

「放送局に入社出来たとはいえ、私の仕事はガードマン兼エレベーター・ボーイ兼電話取りで、不満でした、ミスター・アルバートは、自分の指示に従えばそれらの仕事の合い間に音楽番組を担当させると約束してくれたので、従ったわけです」

「その後の調査活動は？」

「荷役組合のストライキで、党組織が崩壊しましたので、後はロサンゼルスの日系社会の有力者のリスト作り、及び帰米二世の言動チェックでした、この頃からＦＢＩのロサンゼルス支部の捜査官と直接、接触するようになりましたが、この仕事は私だけでなく、日米開戦の一年ほど前から日系二世の親米派のインテリで作っているアメリカ市民連合のメンバーの何人かも携《たずさわ》っていたと思います」

やや弁明するように云うと、

「他の連中のことなど聞いていない、質問にだけ答えるのだ、帰米二世のケンジ・アモウも、チェックしていたのだな」

と聞いた。チャーリーは口籠《くちごも》った。

「どうなんだ」

「――チェックしていました」

「ロサンゼルス在住の二世で、ＦＢＩに逮捕されたのは、ケンジ・アモウ唯《ただ》一人だ、君がリストに入れたのか」

「その件と私とは関係ありません、アモウの逮捕は、開戦直後、リトル・トーキョーの〝海軍おばさん〟といわれていたナミ・オオノという婦人が、ＦＢＩ監獄で縊死《いし》した事件を、加州新報の記者であった彼が記事にしたのが、直接の原因だと思います」

　チャーリーは、はっきりと応えたが、ＦＢＩオフィスで賢治の逮捕決定を知り、すぐ公衆電話で報せてやったことは隠した。それは唯一の友であり、よきライバルと認めるに足る者に対する男の友情であったが、クラーク大佐に、反米行為ととられないためでもあった。

　クラーク大佐は、それ以上の追及はせず、次にマンザナール収容所の暴動事件、キャンプ・サベージ赴任後のＦＢＩミネアポリス支部との関係について質問を続けた。チャーリーは、マンザナール収容所内での情報収集方法とその連絡先、ミネアポリスでの日系人の思想調査、収容所から出て来た人々の追跡調査を淀みなく述べた。

「よし、今までの答は、ＣＩＣの君に関する報告書とほぼ一致する」

　クラーク大佐は徐《おもむ》ろに、云った。ＣＩＣは、陸軍情報部に所属し、合衆国の安全確保のために軍隊内の思想調査を受け持つ機関であった。

「ところで、君の勤務先だが、海外だ」

　チャーリーは緊張した。ＣＩＣにマークされていたのでは、左遷人事かもしれない。

「海外といいますと、どの方面でしょうか」

「軍の機密だが、出発まで日がないから云おう、オーストラリアだ」

「というと、極東軍司令部付《づき》になるのですね」

　一瞬、血が湧きかえるような興奮を覚えた。

「その通りだ、対日情報戦、心理戦の強化にあたり、私に赴任命令が出た、君には私の命令する仕事をして貰う」

「大佐、光栄です、私の持っている力の限りを発揮し、お仕えしますが、新しい任務の輪郭だけでもお教え願えませんでしょうか、それによってはＦＢＩからハンド・ウォッシュ（手を洗う）しなければなりませんので」

「その件は、ＣＩＣからＦＢＩの担当官へ話を通しておく」

　クラーク大佐はこともなげに云ったが、そう簡単にＦＢＩの組織から抜けられるものか、懸念した。

「心配無用だ、出発は五日先だ」

　軍命令として、申し渡した。

　校長室を出ると、チャーリーは足が地につかぬほど、嬉しかった。念願のマッカーサー司令部へクラーク大佐のひきで随行出来、そろそろ縁を切りたいと思っていたＦＢＩとも切れるとは、まるで夢のような話であった。出発が五日先というのはあまりにも慌しかったが、この際、不満は

云っていられない。

ついに出世の階段を一つ登ったぞ！　誰かに話したい衝動に駆られて、校庭を歩いていると、教室の方から、天羽賢治が歩いて来た。

「今、終ったのかい」

「馬鹿に嬉しそうな顔をしてるじゃないか」

「そうかい？　ところでサンフランシスコのエンジェル島やロサンゼルスの港に待機していた第三回卒業生たちは全員、戦地へ出発したのだろうか」

マロニエの巨木の下を賢治と肩を並べながら、殊勝な話題でとり繕《つくろ》った。

「うん、四百四十名全員を一つの船に乗せると目だつし、万一、撃沈されたら、全員を失うことになるので、飛行機で大西洋廻りで出したり、陸軍戦闘部隊の中に入れたり、兵器、食糧輸送の船に乗せたりして、ようやく、全チームが出て行ったらしい、無事にオーストラリアに到着してくれればいいが」

賢治が云うと、チャーリーはもう黙っていられなかった。

「実は極秘だが、僕は近々、オーストラリアへ転勤になる」

と云うと、賢治は足を止め、

「君のかねてからの希望通りになったというわけか、よかったな」

濃い眉の下の眼に、祝意が率直《そっちょく》に現れていた。

「ケーン、俺が出発したあと、ナギコのことをよろしく頼む、妹のヒロコがこちらへ出て来て、何かと心配事が増えたからね」

「いいとも、だが、彼女はてきぱきと自分の道を拓いて行く人だし、君も弾が飛んで来る前線ではなく、司令部付だろう」

「まあね、君は出るつもりはないのか、新入生相手にまたぞろ、日本語読本の一から教えるのは、君のような才能の持主にはもったいない気がするよ」

「人のことなど気にせず、君に合った仕事をばりばりして来いよ」

賢治は、チャーリーの肩を叩いた。

「サンキュー、じゃあ、ナギコのことを頼む、ワイフのことを頼めるのは、君しかいないからな」

嫉妬《しっと》を覚える相手だったが、賢治なら、自分を裏切らないという計算が働いていた。


梛子は、樹々が鬱蒼《うっそう》と茂るミネソタ大学のキャンパスを横切り、図書館の前まで来ると、妹の広子が階段のところで坐って待っていた。

「待たせたわね、事務局での話が長びいてしまって」

「話の方はうまくいったの？」

「やっと、キクに奨学金が出ることになったわ、これで彼

女もクロスビーさんのところで働くお金だけをあてにせず、勉強が続けられるわ」

　広子と同い齢で、掃除、洗濯から床磨き、子守りまでしながら勉強しているキクのために、ほっとし、

「ヒロコは、どう、勉強の方うまく行っているの」

　妹が抱えている看護学の教科書を見ながら聞いた。

「私は、牧師さんの家だから恵まれているし、看護学を選んでよかったわ、私、幼《ちいさ》い時、看護婦さんになりたいと思ったことがあるの」

　優しい笑いをうかべた。

「それで姉さんも安心よ、今日はハートさんの車を借りて来ているから、送って行くわ」

　二人は、車で、ダウンタウンに向った。

　二十分ほど走ると、ミシシッピ川に出た。大きくうねっている川面《かわも》に湖のような小波《さざなみ》がたち、ボート乗り場の近くにアイスクリーム・スタンドのパラソルがたっていた。近くで甲羅《こうら》干しをしている人もいる。

「ヒロコ、私たちもあの辺で憩《やす》んで、アイスクリームでも食べて行きましょう」

　梛子は車を停め、コーン・クリームを舐《な》めながら樹影《こかげ》に足を投げ出した。

　川を渡って来る涼風が緑の葉をそよがせ、戦争中であることも、両親が収容所に入れられていることも忘れてしまいそうなほど、平和でのどかな風景であった。


「ヒロコ、パパから久しぶりに手紙が来たのよ、読んであげるわ」

　日本語の読めない広子のために、ハンドバッグから父の手紙を取り出した。金釘流だが、陽気な性格そのままの踊るような文字であった。


　元気で過していることと思います。わしらは相変らず達者《たつしゃ》で、第二次交換船で日本へ帰れる日を首を長うして待っている。一昨夜、梛子と広子の夢をみた。ロサンゼルスに出て来た頃、広島から送ってきた日本の着物をはじめてお前たちに着せると、大喜びで、下駄がなかったから、着物に靴を履いて、近所中を走り廻った時の夢じゃった。母さんに話すと、あの頃は倖せだったと、涙を流した。二人の娘をアメリカにおいて帰るのは心残りだが、お前たちがそれで倖せなら諦めるようにしている。何もしてやれんが、健康な体にだけは育てておいたから、姉妹で助け合うて、くれぐれも達者で。広子のことを頼みます。

父より

梛子殿

　父らしい手紙だが、どこかに淋しげなところがあった。広子には、その辺のニュアンスが解らないらしく、

「姉さん、今度、パパとママにお金を送る時、私の分も一

緒に送ってあげて、ちょうどサラリーを貰ったとこなの」

広子は小さな財布から五ドル札を二枚出した。住み込みで働いた僅かな給料の中からの十ドルであった。

「ヒロコは、そんな心配しなくていいの、毎月の仕送りは私の当然の役目なのよ」

「でも、私も気持だけでも送りたいの」

家族が肩を寄せ合い、助け合って生きて来たことを広子も幼い時から知っているのだった。

「姉さん、どこまで飛ぶか、投げてみない？」

小石を拾って、思いきり遠くへ投げた。梛子たちの真向いの川岸が少し突き出て、川幅が狭くなっていた。小石の行方を追った時、梛子は、視線を止めた。

川向うに、見覚えのあるブルーのシボレーの車が停っていた。じっと眼を凝《こ》らしていると、不意に扉《とびら》が開き、一人が降りたった。梛子は息を呑んだ。背中を向けていたが、まぎれもなく、夫であった。チャーリーは、車が走り去るのを見送り、くるりと踵を返した途端、対岸の梛子に気付いた。一瞬、棒だちになったが、足早やに土手を上って行った。

「姉さん、どうかしたの？」

放心したように川向うを見詰めている梛子を、広子は小石を拾いながら訝《いぶか》しげに聞いた。

「なんでもないわ、さあ、行きましょうか」

梛子はさり気なく車に戻った。


梛子とチャーリーは、もう何時間も同じ言葉を繰り返していた。

「何度、聞いても同じだ、シボレーの車の男と話していたから、どうだというんだ、不透明の、何のと騒ぎたてる方が可笑《おか》しいんじゃないか」

「チャーリー、今度こそ、ほんとうのことを話して、あの男と、あなたとはいつから、どんな繋がりを持っているの、どうして妻の私にまで隠さなければならないの？」

「隠すも隠さないも、何もないんだ、そこまでしつこく問い詰めるからには、何か確たる証拠でもあるのかね」

「まあ、証拠……」

梛子は、絶句した。夫と妻との話に、証拠がいるという言葉に、二人の間を繋いでいたものが、ぷつりと断ち切れてしまったような終りを感じた。

「私たち、もうおしまいね――」

重い落ちるような声で云った。

「どっちでも勝手にしろ！　何かというと、一々、ごたごた文句をつける女は、うんざりだ、俺は五日後に、オーストラリアへ発つ、軍の上層部に望まれて行くのだ」

「そう、じゃあ、出発までに離婚の書類にサインをすませて戴きたいわ」

「……まさか、本気か」

さっと顔色をかえ、動かぬ梛子の表情に唇を歪めて沈黙したが、

「OK、何でもしてやるさ、俺の長年の望みがかなった栄転だというのに、喜びもせず、離婚しろというような女は、こっちこそ願い下げだ、書類を整えてくれれば、即座にサインしてやるよ」

　虚勢を張るように応じた。

「そう、有難う、こんなに簡単に離婚出来るとは思わなかったわ」

「それで、これから女一人、どうするんだ、一応、ケーンには、君とヒロコのことは頼んでおいたが、妙な噂をたてられないようにすることだな」

　チャーリーは、賢治に、梛子のことを頼んだ時とは、打って変った云い方をした。

「まあ、なんて下劣なことを云うの、ご心配なく、私は両親と一緒に日本へ行くわ」

　そう云ってしまって、梛子は、はっとした。自分でも思いもかけない言葉が、口をついて出てしまったのだった。さっき広子と共に読んだ父の妙に淋しそうな手紙が心に残っていたのだろうか、それとも、売り言葉に買い言葉の成り行きで出てしまったのか——、梛子は自分の言葉に戸惑った。同時に、一組の夫婦の結びつきの脆《もろ》さが身に沁みた。

「ふん、日本行きか、俺が対日戦のためにオーストラリアへ行くという時、よりにもよって、日本へ帰るというのなら、止めない、他人になった方が、俺も一層、仕事がしやすくなるからな、ナギコ、グッドバイだ」

　チャーリーは、捨台詞《すてぜりふ》のような言葉を投げつけた。梛子は黙って、席をたった。

七章　血の証《あか》し

一九四四年の十月、天羽賢治は突然、ワシントンの国防省に呼び出された。広い前庭には、一面に落葉が敷き積り、ところどころで落葉をたく煙がたちのぼっていた。加州新報の記者時代、視察団のメンバーとして、ワシントンの官庁を見て廻ったが、国防省の門をくぐるのは、初めてであった。

部門によってそれぞれ出入口が異り、賢治はMPやガードマンに何度となく不審尋問され、解《わか》りにくい通路を右往左往し、ようやく指示された情報部暗号通信室へ辿《たど》りついたが、ノブを廻しても開かない。ノックしても扉が分厚く、中へ伝わらないらしい。当惑していると、すっと後《うしろ》から来た二世が誰何《すいか》した。身だしなみも、言葉遣いも、カリフォルニアの二世と格段の差があり、洗練されている。名前を名乗ると、

「ああ、聞いています」

と応え、眼の高さのところに取りつけられている金属のボックスに手を入れ、ダイヤルを左右に数回廻すと、分厚い扉が開き、賢治が中へ入ると、後方ですぐ閉った。窓が一つもない部屋に、既に四人の日系二世が集っていた。日系二世で国防省に勤務している者はいないと聞いていたが、テクニシャンを示すT4や、T5の階級章をつけた軍曹がもの怯じせずに坐っていた。それぞれの様子からして、賢治のように遠方から呼び出された者はなく、国防省勤務か、ワシントン近くのキャンプ・リチーに極秘に設けられているという日本語放送傍受班に勤務する者のように見受けられた。

四人は、ちらっと賢治に視線を向けたが、情報関係者らしく、一言も話しかけなかった。

やがて三人の将校が入って来た途端、賢治は眼を瞠《みは》った。背の高いがっしりした体軀の将校は、賢治にキャンプ・サベージの教官になることをマンザナール収容所まで勧めに来たポプキンズ中佐で、大佐に昇進していた。

開戦後、三年経っても、ポプキンズの監視の中にあることを知った。

「アモウ、また会ったね、君にも是非、参加して貰いたい作業があるので、召集をかけたのだ」

ポプキンズ大佐は親しみをこめて云い、一同を会議用のテーブルにつかせた。

「実は、最近、情報部の首脳で、日本の外務省と駐独大使館との間で取り交されていた非常に難解な言語をキャッチした。大使館サイドで、暗号電文が、解読されていることに気付いた者がいるらしく、新手を考えたらしい、情報部の言語班は東南アジアの言葉ではないかと考え、タイ、フ

ィリピン、そして朝鮮人にも聞かせてみたが、皆、違うといい、さらに検討の結果、日本語の中の非常に特殊な言語ではないかと推測したので、日系二世の中でも抜群の能力をもった君たち五人を選んだのだ、その解読に当って貰いたい」

と云うと、同行の大尉と中尉がテーブルの上の再生機に、細い針金で出来たワイヤー・テープをセットした。

「東京―ベルリン間の電話は、ドイツ軍占領下のデンマークの電話局の中継によって行われている、それを連合国側の情報機関は、デンマークのレジスタンスの組織の協力を得て盗聴し、録音して送って来ている、このテープも同様だ、よく聴いて、解読してくれ」

と命じた。軍服の四人の二世は配られた用紙を前に鉛筆を握ったが、暗号解読に携ったことのない賢治は、固唾《かたず》を呑んだ。

ワイヤー・テープが廻りはじめた。ザァーッ、ザザーッという雑音が流れ、その間からかすかな人の声が聞えた。

「どうだ、日本語か」

ポプキンズ大佐が、五人を見廻した。息をひそめるように聴き入っていた誰もが答えられなかった。

「もう少し、音量を上げて下さい」

一人が注文をつけた。電信技術将校らしい中尉が音量のつまみを回したが、雑音が強まり、ますます音声は判じ難くなった。何度目かでようやく、音量、音質が調整され、ワイヤー・テープが回転した。賢治以外の四人の二世は特徴を摑もうとするように、何事かしきりにメモし、耳をそばだてた。賢治も耳をそばだてた。

「……ドサァ……ウ……ァ……」

どこの言葉か解らないが、賢治の心の奥底に響く不思議な何かが含まれている。

「少し朝鮮語にも似ているようだが、朝鮮人が否定したとなると……解らない」

一人が鉛筆を投げ出すと、もう一人が、

「聞き違いかもしれないが、言葉の頭にアクセントがなく、尻の方にあるような気がする」

「確かに、僕もそれを感じる、最初の母音にアクセントがないようだ」

さらに一人が相槌《あいづち》を打った時、賢治はさっきから、自分と響き合うものにふれたような慄《おのの》きを覚えていた。

「もう一度、はじめから聴かせて下さい」

思わず、云った。ポプキンズ大佐の眼が鋭く光り、やがてワイヤーが廻りはじめた。

「……ソンド　ウ……ヤ　ウドサァ……」

そうだ！　ウドサァは、鹿児島弁でうどの大木から転じて、巨大なものという意味に使われる。

「もう一度、はじめから」

賢治は太い眉を寄せ、自分の魂を揺さぶるものに対峙《たいじ》するように、聴き入った。聴き取りにくいが、間違いなく鹿

児島弁であり、しかもそれは、十年間、育った加治木の言葉であった。

「……モシモシ　ヨシトシサァ」

ヨシトシといえば、鹿児島県日《ひ》置《おき》郡吉利《よしとし》村がある。その地名を人名に使っているようであった。

「カジキサァ　ウドサァノハナショ　コッチデ　ハヨ　シイタカト　アセッチョル（カジキさん、巨大なものの話は、こちらで早く知りたいと焦っている）」

　カジキ――加治木、それにこの声は――。賢治は、ウドサァ以上の衝撃を受けた。いつしか額に脂汗が滲んでいた。駐独日本大使館員、加治木、この声、それは――。

「ヨシトシサァ　ウドサァハ　ビックイスッホドン　シンガタンチカラヲモッチョイガ　ユダヤノ　デカンタチャスガタヲケセッ　シモタ（吉利さん、巨大なものは、驚くほどの新型の力を持っているが、それを作ったユダヤの作男《さくおとこ》たちが姿を消してしまった）」

　早口で喋るその声には、聞き覚えがあった。郷土の先輩、島木文彌に違いない。賢治の顔から血の気がひいた。

「カジキサァ　デカンタチャ　ドコイイッタカ　ワカイモサンカ（加治木さん、その作男たちはどこへ行ったか解りませんか）」

「コッチンシラベジャ　デカンタチャ　スエーデンカライギリスイ　デッシモタヨウジャッデ　ベイエーデ　ウマルッカノウセイガアッ（こちらの調査では、作男たちはスウェーデンからイギリスへ出た様子だ、したがって米英側で生れる可能性が大である）」

　賢治には、内容が的確に摑めなかったが、島木文彌らしい男が必死に日本へ訴え続ける様子が、切々と伝わって来る。

　それにしても、これがほんとうにベルリンの島木文彌なら、恩人が国家機密を鹿児島弁で通信するテープを、日系二世の自分が聴くとは、何という苛《か》酷《こく》な運命であろうか。

「どうだ、アモウ、解読したかな」

　ポプキンズ大佐が、ただならぬ賢治の様子を見て取った。賢治は答えず、じっとり滲み出た脂汗を拭った。ポプキンズはそれにはかまわず、四人の二世と二人の将校を退室させた。

「アモウ、直ちに英訳にかかるのだ」

「――」

　賢治は黙したまま、廻り続けるワイヤーを凝視し続けた。

「どうした、早く翻訳しろ」

「出来ません」

「なぜだ」

「この言葉は鹿児島弁で、日本では青森弁とともに最も解りにくい方言です、しかも鹿児島弁といっても、たまたま私の育った加治木の方言で、この人は〝アメリカ帰りの移民の子〟と云われた私の面倒をよく見、導いてくれた先輩であり、恩人らしいのです、その人の命がけの通信を解読

することは出来ません」

賢治は、拳《こぶし》を握りしめ、拒んだ。ポプキンズ大佐も、あまりの偶然に驚いたようだが、つと、賢治の前にたった。

「君の合衆国に対する忠誠心はどうなるのだ」

「合衆国に対する忠誠心は変りありません、合衆国のためには銃をもって、戦場で闘うことも怖れません、しかし自分の日本の故郷、恩人を裏切ることも出来ません、容赦して下さい」

「ノウ、この電話の解読を拒むことは、即ち合衆国に対する不忠誠だ、君が軍人なら、直ちに軍法会議にかけられる」

「だが、私はシビリアンだ」

「シビリアンなら、FBIに逮捕される、それでいいのか」

「大佐には、私の気持は到底、解って戴けないでしょう、人間には節操というものがある、それは国家への忠誠心とは別の問題のはずです」

「なるほど、アモウのその精神はりっぱだが、今は戦時下だ、ここで君が解読を断っても、鹿児島でしかも加治木地方の方言と解れば、キャンプ・サベージはじめ、どこからでも代りとなる二世を連れて来られるから、どうせ誰かが解読するだろう、それが解っていて、なおかつFBIに逮捕されるというのか、アモウらしくない、君の家族だってどれほど悲しむことか」

賢治は呻《うめ》いた。家にはまだ幼い子が二人いる。

「アモウ、解読せよ、君の恩人が、崩壊間もないベルリンで命がけでやっている任務を、君がアメリカ市民として解読したとしても、恩には背ぐまい、ほかの誰かにやらせる方が、よほど女々《めめ》しいぞ」

ポプキンズのその一言が、賢治の耳を貫いた。自分が拒むことによって、同じ鹿児島県人の誰かがこの苦悩を背負わねばならぬのか。それなら、自分が言葉を選び、日本に致命的な表現は避けて訳すことが出来る。賢治の解釈では、巨大なものとは驚異的な爆破力をもつ新型爆弾で、それを開発していたユダヤ人学者が、スウェーデンからイギリスへ脱出したから、米英側で開発される可能性が大であるという意味に取れた。シビリアンの賢治にも、東京―ベルリン間の切迫した電話のやりとりから、重要な情報であることは、察知できた。

「解りました、では、やりましょう」

賢治は、メモ用紙を手前《てまえ》にひいた。


その夜、賢治はワシントンのダウンタウンの場末のバーを飲み廻り、遂に何軒目かで酔いつぶれていた。

国防省が用意してくれたゲスト・ハウスには、クラブがあったが、いたたまれず、街へ出たのだった。

「ダブルでもう一杯――」

賢治は呂律《ろれつ》も回らなくなった口調で、バーテンに迫り、

コップに注がれたバーボンをあおった。いくら飲んでも郷土の大先輩である島木文彌への慚愧《ざんき》の念が拭えなかった。小学校三年の時、アメリカから日本へ帰され、小学校から中学、そして大学予科へと人並に学業に打ち込めたのは、同じ加治木に住む島木文彌の励ましがあったればこそであった。ともすればアメリカ帰りの移民の子と白い眼で疎《うと》じられた賢治を、島木は不憫《ふびん》に思ったのか、絶えず眼をかけ、鹿児島特有の『健児《けんじ》の舎《しゃ》』での厳しい鍛練を勧めた。

健児の舎は、少年期から青年期にかけての心身の鍛練道場で、学校の授業を終えたあと、健児の舎へ向い、漢文の素読から漢詩、剣道、弓道など文武両道を修めるのだった。賢治より七歳齢上の島木文彌は、兄弟のような愛情をもって賢治を指導した。賢治が加治木中学を卒業して、大学予科へ進学する時も、島木は「二世である君は、東洋の学術文化を中心に政治、経済を学ぶために、日本精神の昂揚《こうよう》を建学の精神とする大学へ行くべきだ」と、大東大学への進学を助言したのだった。

その時、島木は既に外務省へ入り、借家住いながら一家を構え、賢治が上京すると、一部屋を貸してくれたのだった。そして満洲事変の拡大と同時に、日米間の状勢が悪化して来ると、アメリカ国籍を持ちながら、日本に対する祖国意識が深まる心の葛藤《かっとう》を打ち明けた賢治に、島木は暫《しば》し、沈黙したあと、「不幸にして将来、日米が開戦するようなことがあれば、君は日系アメリカ人として米国のために尽すことが至当だ」と云った。賢治が解《げ》しかねていると、「朱子《しゅし》の教えに『進退命あり、去就《きょしゅう》義あり』とある、人間の進退は、その成否《せいひ》も難易《なんい》も、すべて運命と見られよう、しかし、その運命を自己の意志によって打開して行く、即ち去就を義に叶《かな》わしめるところに、人間の存在意義がある、義の中に命ありだ、ここに二世たる君の行くべき道が示されている、解ったか、賢治君」と諭《さと》されたことを覚えている。

このような薫陶《くんとう》を受けた恩人、島木文彌が、敗色濃いドイツから日本へ連絡する暗号電話を、いずれ誰かが解《と》くとはいえ、自分がやってしまったのかと思うと、激しい自己嫌悪と罪悪感に苛まれた。

キャンプ・サベージの日本語学校の教官になることを勧められた時は、日本語を通して日本と日本人を教えることが出来ればと自らの心を整理し、納得させたものが、正体を失うほど酔い痴れた中で、平衡を失ってしまった。

一体、自分の心の中に確然として存在するものは何だろうか。このように苦悩し、揺らぐのなら、いっそのこと、軍籍に入り、一兵卒として戦線へ出てしまった方が救われるのではないか。

「ヘイ！　もう閉店だ」

バーのマスターが酒をあおり続ける賢治を追い出した。

外へ出ると、雨が降りしきり、軒をつらねたバーの安っぽい看板が、侘しげに風雨に叩かれている。ずぶ濡れにな

りながら、賢治は宿舎へ向った。

ふらつく足で、ようやく官庁街の通りに出た時、キャピタル・ヒルに一際、高く聳《そび》えたっている国会議事堂の白いドームが、夜目にもはっきり見えた。賢治は強風で枝がたわみ、葉がめくられるように散っていく街路樹にずぶ濡れの体を支え、俺はどこまでアメリカ人であることを証明しなければならぬのかと、自問した。


この日、賢治が解読し、巨大なものと訳したものは、ユダヤ人学者の手によって、アメリカで原子爆弾として完成されたのだったが、賢治は知るよしもなかった。


翌日、ワシントンの空港で、ミネアポリス行きの搭乗を待っていると、隣りに人が坐った。

「アモウ、二日酔《ふつかよ》いかね」

と話しかけてきた。横を見ると、またもやポプキンズ大佐であった。近くに随行者の姿が見当らない。

「どちらへ――」

「ホノルルで会議があるのでね、ところで昨夜はご苦労だった、君のすばらしい日本語の能力によって、非常に重要な情報を得ることが出来た、で、どうかね、この際、ワシントンで働く気はないかね、昨日、君と一緒だった四人の二世のうち、二人は国防省である特殊の任務に就いている」

耳もとで、さり気なく囁いた。待合室ロビーは軍人が半数以上で、平時のざわめきや華やかさは殆んどなく、皆、せかせかと往き来している。

「ワシントンに来れば、君の才能はより有意義に生かせ、給料もいい、しかも気候的にも、ミネアポリスより遥かに住みよいところだ」

賢治の利用価値を一層、認めたのか、ポプキンズ大佐は、熱心に勧めた。賢治は二日酔いの痛む頭で、

「ワシントンで働く気持は、全くありません」

と応えた。

「二年前、ロサンゼルスのサンタアニタ競馬場の仮収容所で答えた通りというわけか、しかし君は、アメリカ市民だ、君の才能が必要な時は、また非常召集をかけることだろう、グッバイでなく、シー　ユー　アゲインと云っておこう」

ポプキンズ大佐はそう云うと、ホノルル行きのゲートに消えて行った。

賢治も、ほどなくミネアポリス行きの飛行機に乗り込んだ。ワシントンの官庁街の上を大きく旋回した飛行機は、厚い雲の中に入った。

瞼を閉じた賢治の脳裡に、ふと梛子の顔がうかんだ。チャーリーのオーストラリア極東軍司令部転勤を機に、二人は離婚し、梛子はチャーリーが慌しく赴任して行った後、妹の広子をオーソン相川に托し、第二次交換船で両親とと

もに、九月一日、ニューヨークの港から出航して日本へ帰って行った。あれから一年以上経つ。敗色濃いドイツと命運を同じくする日本で、梛子はどのように生きるのだろうか。

シートベルト着用のアナウンスが流れた。

大きく揺れる飛行機の中で、賢治はベルトをしめ、ある決意をした。キャンプ・サベージへ帰ったら、主任教官のオーソン相川に伝え、是非とも聞き入れて貰おうと、心に決めた。

「やあ、ご苦労だったね」

主任教官のオーソン相川は、帰ってきた賢治を笑顔で迎え、部屋に居合わせたシグ木村も、

「ワシントンももう秋だろう」

傍らの椅子を勧めた。

「用談中でしたら、失礼しましょうか」

「いや、いいんだ、ワシントンの仕事は無事終了したのか」

「はい――」

賢治は、短く頷いた。国防省での任務がどんな内容であったか、担当官は誰であったかなどについては、たとえオーソン相川であっても聞く権限は持たないし、賢治も話してはならないことだった。

「任務が終了したのなら、話しておこう、実は去年の第三回卒業の語学兵が二名、戦死したのだ」

「え、まさか……、誰と誰ですか？」

痛みが胸を抉《えぐ》った。

「ジョン大谷と、ロッド浅野だ、二人はニューギニアの北西のモロタイ島で、米軍に包囲された日本軍に降伏を勧告するために、自分らは日系アメリカ兵だが、丸腰だ、話を聴いてくれ！　と叫んで、岩の上にたち、ハンド・スピーカーで降伏を勧めかけた途端、一人は額、もう一人は心臓を狙撃されて即死したらしい」

オーソン相川は沈痛な声で話した。

「何ということを――」

賢治たち教官も、生徒も恐れていたことが、ついに発生したのだった。

「シグとも相談していたのだが、もしこのことを生徒が知れば、動揺するだろう、暫く伏せておくとして、問題は今後の教育方法だ、一部の生徒は、日本軍について武士道、侍精神の塊りとして美化して考えているので、注意しなければならない」

「といって、敵国人であることを強調しすぎると、なまじ同じ皮膚、血が流れている人間同士だけに、一層、血なまぐさい事態が起らないとも限らないし、大へん難しい問題です」

シグ木村も頭を抱えた。

結論が出ぬまま、シグ木村が授業に出て行くと、賢治は、

「私は軍籍に入ることを希望します」

と申し出た。

「え？　君はまさか今のことで――」

「そうすべきではないかと心を決めたのは、ワシントンで任務を終えた帰途の飛行機の中でです、しかし今、戦死した二人の語学兵の話を聞き、揺がぬものになりました、軍人になり、戦場へ出たいと思います」

「戦場に出る、出ないはともかく、シビリアンの君が、徴兵も受けないのに、軍籍を志願することについて、家族と話し合わなくていいのかね」

「この件に関して、その必要はありません、私自身が決めることです」

揺がぬ口調で云った。オーソンは納得しかねるように賢治を見詰め、

「つまり君は、オーストラリア極東軍司令部の翻訳センターへでも出たいというわけか」

「いいえ、語学兵として前線へ出たいのです、どうか私の希望を叶えて下さい」

「ケーン、今度は私が、君にノウと答える番だな」

オーソンは、ぽつりと云った。マンザナール収容所を二度も訪れ、キャンプ・サベージの日本語教官になってほしいと勧誘した時、賢治に二度ともノウと答えられたことを指しているのだった。

「ケーン、君はキャンプ・サベージの中で、最も優れた才能と精神をもつ教官だ、一人の優れた教官は、五十人の語学兵に匹敵することは度々、云っている、君のように有能な教官を戦線へ出すことは出来ない、私の答えは、ノウだ」

オーソンは、首を横に振り、

「但し、君が軍籍に入りたいという希望だけは、即座に受け入れ、手続きを取ろう、君は明日から、スタッフ・サージャント（軍曹）だ」

と云った。

「それでは私の意志に反します、私が軍籍を希望するのは、戦場へ出たいためです」

「ワシントンで、何があったのか知らないが、戦場へ出る、出ないは私の権限外のことだ、私は君が軍籍に入ることのみ歓迎する、実は生徒たちの間で、一番すばらしい天羽先生がなぜいつまでもシビリアンなのか、疑問を持つという声もあるのだ、私としても戦場へ出て行く卒業生を、君が軍曹として送り出してくれることの方が望ましい」

オーソン相川はそう云ったが、賢治は無言を通した。

教官宿舎がたち並ぶ周囲の森は、見事に紅葉し、夕陽の中に金色の葉がひらひらと絶え間なく落ちて行く。

家の扉を押すと、エミーは両手を広げて、

「お帰りなさい！　アーサーも、ベティもお待ちかねよ」

わずか三日間の出張の帰りを大仰《おおぎよう》に待ちかねていたように迎えた。

二歳になったアーサーも、駈け寄って来て、

「ハーイ、ダディ！」

と抱きついて来た。賢治は空港のギフト・ショップで買った飛行機の玩具の包みを渡し、ベティの揺り籠を覗いた。エミーに似た満一歳のベティは眠っていた。子供たちの顔を見ると、賢治ははじめて気持が和《なご》んだ。

食後、アーサーを寝かしつけると、エミーはグラスを二つ持って、居間のソファに賢治と並んだ。

「あなた、ワシントンの仕事はどうだったの」

「うむ、少々、厄介な問題もあったが、無事にすませて来たよ」

賢治はグラスに口をつけ、正体がなくなる寸前まで酔い痴れたワシントンの夜をやりきれない気分で、思い返した。

「ワシントン転勤の話は、出なかったの」

「いや、そんなことで呼ばれたんじゃないんだ」

「がっかりだわ、私はあなたのことだからワシントンの日本語関係の将校に認められたのかもしれないと期待していたのよ、チャーリーだってオーストラリア司令部付きに転勤したんですもの、あなただってもう少しいいポジションについて貰いたいわ、日系二世には難しいかもしれないけど、ワシントン勤務は最高でしょ、プチ・パリっていわれている都会に一度でいいから住んでみたい」

グラスを干し、エミーは夢みるように云った。

「エミー、話がある」

「あら、急に改まって、何なの」

「僕は、ずっとシビリアンで通して来たけれど、軍籍に入ろうと思う、オーソンにはもう申し出た」

と告げると、エミーは顔を輝やかせた。

「まあ、嬉しい、軍人になれば将来、恩給がつくし、PXでいいものが安く買えるし、第一、教官の殆んどが軍服組なのにあなたがシビリアンで肩身が狭かったの、私の気持を解って下さったのね」

と云い、体を寄せた。

「エミー、もう少し話を聞いてくれ、僕は軍人になって、戦線へ出ることを志望しているんだよ」

「何ですって？　あなた気でも狂ったの」

「考えるところがあって、そう決めたのだ」

「そんなこと、私、反対よ、二歳と一歳になったばかりの子供を抱えている妻を放って、前線へ出るなんて、どういうこと？　ちゃんと解るように説明して頂戴！」

エミーは、俄かにヒステリックになった。

「女の君に話しても理解して貰えない、戦線といっても、特に命の危険のあるところではないから、心配することはない」

落ち着かせるように、宥《なだ》めた。

「ナギコなら解っても、私のようなハウスワイフには何を

話しても理解出来ないっていうの」

「何を突然、云い出すんだ、一年も前に日本へ帰ってしまったナギコのことが、どうしてここで出てくるんだ」

賢治は妻の言葉に、呆っ気に取られた。

「あなた、私を欺せると思って？」

エミーは、眼を据えて、まくしたてた。

「ナギコは、齢とったパパとママだけでは心配だから、チャーリーと離婚したこの際、人生を一からやり直すために日本へ帰ると、まことしやかに挨拶に来たわ、でも帰米二世でもなければ、郷里に継ぐべき家も職もないナギコがどうして突如として日本へ帰るの、おかしいわ、不自然すぎるわ！　あなたたち、何かあったんじゃないの」

「何かって、一体、何だ」

「それは私が聞きたいところよ、私の見るところ、チャーリーは、ナギコにいろいろ不満はもっていても、未練たっぷりで、成り行き上、離婚届けにサインしたっていう感じじゃないの」

「馬鹿なことを云うな！　お前も二児の母親なら、もう少し健全な考えを持ってくれ、俺は疲れたから寝む」

荒々しくたち上ると、エミーも弾《はじ》かれたようにたち上り、

「勝手にするがいいわ、私はオーソンの家へ行って来る」

と云うなり、口紅《ルージュ》をひき、ストールを手にした。

「こんな時間に、オーソンに何を云いに行くのだ」

呆れて止めかけると、

「あなたが何といおうと、戦場へ行くなんて気狂い沙汰よ、私は絶対、反対よ、それでもどうしても行くというなら、オーソンに、あなたを行かせないよう頼むしかないじゃないの、幼い二児の母として、それこそ当然の要求だわ」

エミーは家を飛び出して行った。もう九時近かった。身も心も擦りきれるような思いで帰って来た日くらい、ぐっすり眠りたかった。こんな時間にエミーに押しかけられる相川夫婦の迷惑を考えると、なんとも申しわけなかったが、賢治はもはや、エミーを押し止めに行く気持を失っていた。

ベッド・ルームへ入ると、昨夜の懊悩が再び襲って来そうだったが、ナイト・テーブルの上に軍事郵便がぞんざいに置いてあるのに気付いた。ヨーロッパ戦線に出征している弟の勇からであった。賢治は救われたように弟の手紙の封を切った。

愛する賢治兄さんへ

今日はビッグニュースをお報せします、僕は一等兵から上等兵に昇進しました、四週間以上にわたる戦いで勲功をたてたからです、ドイツ兵は実に勇猛で、頑強に抵抗しましたが、僕たち二世部隊は“go for broke!”(当って砕けろ）の精神で戦いました、そして今、やっと兵站《へいたん》地まで帰って来たところです、兵站地はイタリーの小さな村で、殆んどの民家が戦火に焼かれてしまい、僕たちはテントを張って寝、ドラム缶とシャワ

ー器を積んだモービル・シャワーが来るのを待っています、長い戦いで泥まみれになり、ズボンを脱ぐと、両脚の部分がそのままの形で地面にたつほど、かちかちに固まっていました、裸になってモービル・シャワーの前に並んで、三分間ずつ温かい湯を浴び、石鹼で泥と垢《あか》を落す時、戦いに生き残れた者の幸運を強く感じます

僕のカンパニー（歩兵中隊）は半分以上が死にました、一つの闘いがある度に、三人から五人が死んで行きますが、僕だけは最後まで生き残るつもりで戦っています、僕らのカンパニーは、白人兵たちが数カ月かかって攻撃しても落せないドイツ軍の要塞を、一晩で取った勇気あるカンパニーです、それは僕たちのカンパニーだけではなく、日系二世だけで編成されている四四二部隊全体に云えることとです

日系人収容所の中にいたら、僕たちのこの勇気と忠誠を示すチャンスはなかったでしょう、僕たちの闘いは、敵のドイツ兵との闘いであると同時に、自分たちに向けられた偏見との闘いでもあることだと思っています、近いうちにイタリーか、フランスの街で、大きな休暇が与えられたら、思いっきり遊ぶつもりです、僕は皆のようにお酒も飲めず、女性も一人も知りません、チャンスはあったのですが、そういう時に限って、喧嘩の巻きぞえになったり、順番を待っているうちに眠って、人に先を越されてしまうのです

パパとママには、僕の下手な日本語で、一生懸命に書いて、手紙を出します

エミー姉さん、可愛いアーサー、まだ顔を見たことのないベティ、皆の倖せを祈ります　　勇より

賢治は、細かな英語でびっしりと書き込まれた勇の手紙を読み終えると、今までにない愛おしさを覚えた。戦友が次々と死んでいく中で自分は生き残るのだという怖れを知らぬ勇気を持ちながら、煙草も酒も、そして女も知らぬとは——。思えば、収容所内のハイスクールを卒業して間もなく、志願兵として入隊し、キャンプ・シェルビーの猛訓練が終るなり、ヨーロッパ戦線へ出て行った勇は、年齢は十九歳でも、心はまだ、少年の幼なさを残しているようだった。

賢治は、勇の手紙を大切に引き出しの中にしまった。エミーは、まるで恋人から来た手紙のようねと、からかったことがあったが、そういえば、エミーは、両親や弟妹から来た手紙でも、読み終えると、さっさと処分してしまっている。

十時を過ぎても、まだ帰らないエミーのことを気にしながら、ラジオのスイッチを入れると、ベニー・グッドマンのジャズが流れ、やがてニュースになった。

各方面の戦況が伝えられて行くうちに、賢治は、耳をそ

ばだてた。ヨーロッパ戦線で、第三十六師団テキサス部隊が、ドイツとフランスとの国境の山中で、ドイツ軍の重囲に陥っているというニュースであった。

「USアーミーの中でも、西部開拓魂を持つ勇猛果敢なテキサス部隊が、東部フランスのヴォージュの山中奥深くに孤立して、既に一週間経過しています、友軍は何度も、その奪還を試みましたが、これまでの経過ではすべて失敗に終っています、山中は既に冬になり、時折、雪も降り、目下のところ友軍機から水、Kレーション（携帯口糧《こうりよう》）、医薬品を投下しているため、餓死、凍死には至っていない模様ですが、今後の救援如何《いかん》によっては、最悪の事態になると憂慮されております、誇り高いテキサス州民は、自分たちの息子が合衆国のために戦い、死ぬ覚悟をしながらも、〝テキサスの息子たちをむざむざとドイツの餌食にするな、見殺しにするな〟という救出嘆願書をホワイトハウスに出し、議会にも働きかけております、政府の一部では、この困難な救出作戦は、イタリーで赫々《かつかく》たる武勲をたてている連戦連勝の日系二世たちの四四二部隊のほかには、ないのではないかという声が起っています」

　賢治は思わず、体を起した。

　勇の手紙は、軍事郵便だから、明確な戦闘地の名前や兵員、戦況について一切、書くことを禁じられており、現在地は解りかねたが、今、ラジオで報道されているテキサス部隊の救出に出動することになるのだろうか——。もし、大統領の緊急救出命令が出れば、直ちにヨーロッパの米軍総司令部に伝えられ、四四二部隊のいずれかの大隊に、出動命令が下されることになるだろう。賢治は複雑な思いに駆られた。テキサス州民とその息子たちは、忠誠を疑われたこともなく、助けを求めているが、日系人とその息子たちは、血を流し、死を賭けて、忠誠を証明しなければならないのかと思うと、ラジオのスイッチを、手荒く切った。

*

　フランスの東部、ドイツ国境に近いヴォージュ山中は、濃霧に包まれ、松や樅《もみ》の鬱蒼とした樹が空を遮《さえぎ》っていた。一九四四年十月二十九日午前四時、天羽勇たち日系二世だけで編成された四四二部隊は、〝失われたテキサス大隊〟救出のために、夜間の行軍をしていた。霧は氷のヴェールのように冷たく、強風に時折、氷雨《ひさめ》が混って、横なぐりに叩きつけてくる。

　一フィート先も定かに見えない急峻《きゅうしゅん》な山中を、勇たちは隊列からはぐれないように前の兵隊の背嚢《バック》に手をかけ、一列縦隊でよじ登っていた。もし足をすべらせ、濃霧に巻き込まれて隊列とはぐれれば、どこに埋めてあるかしれぬ地雷にふれ、あるいはびっしり生い茂っている下草の蔭に潜んでいるドイツ兵に狙撃されてしまう。

　できるだけ音をたてず、深い闇の山中を前の兵隊のパッ

クから手を離さず、登ることは困難だった。冷えきった手がともすれば離れそうになり、疲労しきった体に銃と弾薬が刻々と重味を増した。

　夜が明け、霧が晴れるのを待っていたかのように、谷の向うから、ドドーン、ドドドーン！　とドイツ軍の砲撃が轟《とどろ》き、谷から山へ、山から谷へと不気味にこだました。その度に、勇たちのいる松林がびりびりと枝を震わせ、足場に鈍い地鳴りがする。

　〝失われたテキサス大隊〟は、四四二部隊と同じ第三十六師団に属する一四一歩兵連隊第二大隊のことで、約二百七十五名の部隊だった。ヴォージュ山中でドイツ軍と交戦中、深追いしすぎたために後続部隊から孤立し、〝失われた大隊《ロスト・バタリアン》〟として捜索されたが、発見された時は、逆にドイツ軍に包囲され、友軍の救出作戦はことごとく失敗して、全滅の危機に瀕《ひん》していた。

　午前七時すぎ、ようやく休憩の命令が出た。勇たちは十人一グループで濡れた落葉や下草をかき散らし、凍《い》てついた固い土に壕を掘り、屋根がわりのテントの上に松の枝を折って掩《おお》い、中にもぐった。谷の向うからは救援部隊を威嚇するように砲弾が唸り続けている。

「残忍なナチ野郎奴《め》！　テキサス大隊を囮《おとり》にして、俺たちをおびき出し、上から一人残らず狙い撃ちする魂胆か！」

　勇の横にもぐり込んで来たジョン井上が歯ぎしりし、ペッと唾を吐いたが、勇は口もきけないほど疲れきっていた。穴のあいた軍靴《ぐんか》に容赦なく水が入り、ソックスごとぐしょ濡れになり、指先が冷えきって、心臓の鼓動が搏《う》つたびにズキッ、ズキッと疼《うず》いた。

「イサム、どうしたんだ」

　左隣りのハワイ二世のマック三浦伍長が、顔を覗き込んだ。

「足が凍傷にかかったように痛いんですよ」

「じゃあ、早く靴を脱いで、ソックスを温めろ、我慢しているとほんとうに凍傷になりかねんぞ、俺は凍傷で足を切断した兵隊をたくさん見ているのだ」

　一九四三年の秋からイタリア戦線の戦闘に参加し、ヨーロッパの冬の寒さを知っている元第一〇〇大隊のマック三浦は、先輩らしく忠告した。勇は激痛をこらえ、膨《ふく》れ上った足を軍靴からひき抜き、濡れたソックスを固く絞《しぼ》ると、泥まみれの軍服の胸をはだけ、肌にソックスを平に並べた。ハワイやロサンゼルス育ちの二世にとって、凍傷はドイツ軍の地雷や戦車と同じぐらい、恐いものだった。

「おい、俺たちは今、どのあたりにいるんだ」

　誰かが、云った。

「知るもんか、そんなことより飯が食いたいな」

　ジョン井上が云った時、四時間の休憩の伝令が届いた。

　勇たちは、パックからKレーションを取り出した。薄いサンドイッチ箱サイズの紙箱には、チョコレートをキャンディ状に圧縮したもの一個、ビスケット四個、デビルドハ

ム、ブイヨン・パウダー、そしてシガレットが四本とワックス・ペーパーがセットで入っている。毎食、食べ飽きている食糧だが、疲労と空腹と寒さで、直ちに食べはじめた。勇はビスケットにハムをはさみ、二、三口かぶりついてから、水筒のカップにブイヨンのパウダーと水を入れ、携帯食の紙箱をつぶして、その下にワックス・ペーパーを丸め、火をつけた。一箱分の紙で、コップ一杯のスープが出来る火力があった。

あたたかいスープを飲むと、体が暖まり、チョコレートで疲労が回復した。

「今のうちに眠っておけよ！」

伍長が皆に声をかけるまでもなく、若い勇たちはもう眠っていた。

何時間かして、勇は眼を醒ました。カムフラージュの松の枝をすかして、壕の外を見ると、また霧が出、樹木の間を雲のように流れていた。皆、体を寄せ合い寝ているから、寒さはそれほど感じない。

勇は、胸にならべたソックスへ手をやった。体温で大分、乾いていた。そのソックスのやや上のあたりに、首からチェーンで吊したドッグ・タグ（認識票）がぶら下っている。薄い錫《ティン》の札《タグ》で、勇は直接、肌に当たるのが厭で、いつも繃《ほう》帯《たい》で巻いているが、その先がほどけている。

首からはずし、自分のドッグ・タグに改めて見入った。呼び名の通り、まさに犬の鑑札そっくりであるが、そこには氏名のほかに、出身地、所属部隊を示す八桁の数字、血液型、宗教の頭文字が刻まれている。負傷もしくは戦死の際の〝身分証明〟のようなものであった。

きちんと繃帯を巻き終え、首にかけ直すと、またうとうととまどろみながら、戦争とは長いものだなあと、感じた。そしてアメリカ本土で一年近い訓練を受け、ジョージア州の港から大西洋を十四日かかってイタリアの港へ着いて以来のことを、夢とも現実《うつつ》ともなく思い返していた。

ナポリは爆撃と戦車の砲撃で廃墟のようであった。ナポリを出ると、すぐドイツ兵との戦闘がはじまった。当初は恐怖で銃も満足に撃てなかったが、やがて道端の畑にドイツ兵の死骸がころがっているのを見てから、夜もおちおち眠れなかった戦争の恐怖が薄らぎ、ドイツ兵を捕虜にしてはじめて自信がついた。

連合軍の北上を喰い止めようとするドイツ軍の戦闘は巧妙且つ執拗で、物量を誇るUSアーミーも手をこまねいていたが、勇たち四四二部隊は先輩のハワイ二世の〝ゴー・フォア・ブローク〟（go for broke!　―当って砕けろ！）の精神に触発され、射たれても射たれても突撃し、黒人兵が一冬かかっても陥《おと》せなかった敵の要塞《ようさい》を一日で陥した。勇は手榴弾が得意で、イタリア戦線では、口径八八ミリ砲を備える戦車に単身、近寄り、見事に爆破する武勲をたて、その後も砲兵隊のドイツ兵を二人、殺した。二度とも、もし他のドイツ兵に発見されれば、自分が殺される危険な状況の

時ばかりだった。

その後、フランスのマルセイユからフランス戦線に転じ、第三十六師団に配属されて北上を続け、東フランスまで上って来たのだった。樹木の多い山中で、戦車攻撃の恐怖は薄らいだが、ツリー・バースト（木の榴散弾）には皆、怯《おび》えた。ドイツ軍の山岳戦法で、松や樅の頂上めがけて大砲を撃ち、その木の破片が敵兵の体にナイフのように突き刺さり、凄じい威力を発揮するのだった。

それにしても、自分たち四四二部隊は、どうしていつも山や谷の悪戦苦闘の戦線へばかり廻されるのだろうか。アメリカ本土で一緒にトレーニングを受けた仲間の志願兵たちは、既に半数以上が死傷している。それでも戦友の屍《しかばね》を乗り越え、戦い抜いて来れたのは、日系二世にほんとうの勇気があるからだろうか。ドイツ兵との撃ち合いで異様に血が燃えたつのは、ひょっとすると、自分や自分たちの家族を収容所へ入れた同じ白人を、戦争という大義名分のもとに、撃ちまくれるからではないだろうかと思う時がある。そんな時、勇は自分の忌《いまわ》しい考えを急いで払いのけ、アメリカ市民として戦っているのだと云い聞かせた。

壕の外を部隊のリーダーたちがせわしなく動き回り始め、やがて出発の時間が来た。

四四二部隊は、ハワイ二世のみの第一〇〇大隊と、ハワイ、アメリカ本土混成の第二、第三大隊合計三千五百名の歩兵と野戦重砲隊と工兵隊約五百名余で成っていた。勇は第三大隊のI中隊に属している。

二百五十人の中隊が全員整列すると、先発隊が松林の中へ消えて行った。勇たちのチームのリーダーであるマック三浦伍長は、

「皆、よく聞け！　われわれが救出に行くテキサス大隊は、この先五マイルの山頂近い台地にピンどめにされている、目下のところ二百七十五名はほぼ全員、無事の様子だ、飛行機が緊急レーションのチョコレートと、弾薬を大量に投下しているからだ、だが水と医療品が不足し、ドイツ軍もわれわれ四四二部隊の救出を察知し、殲滅《せんめつ》せんものと包囲をじりじりと縮めている、これから先の地形は、ちょうど、立てかけたスプーンのようになっている、テキサス大隊はスプーンの先のほぼ中央にピンどめにされており、われわれ第三大隊は、スプーンの柄を登って、救出に向う形になっている」

勇たちはぶるっと武者震《むしゃぶる》いした。まさに正面突破であった。

「この尾根を越えると、スプーンの柄の端《はし》に出る、そこから先は地雷がびっしり埋め込まれ、両サイドには迫撃砲《はくげきほう》、大砲、機関銃など、ありとあらゆるものが、われわれを狙い撃ちして来るはずだ、だが怯《ひる》むな！　われわれは、テキサス大隊を救出しなければ合衆国には帰れないのだ、命に自信のない者は、今のうちにドッグ・タグのありかを確めておけ」

マック三浦は、勇たちの恐怖心を逆手にとるように檄《げき》をとばした。誰かが不意にゴー・フォア・ブローク！　と叫ぶと、

「そうだ、ゴー・フォア・ブローク！」

雄叫《おたけ》びが上り、進軍がはじまった。

＊

同じ頃、合衆国の収容所にいる天羽乙七のもとに、フランス戦線にいる勇から一カ月遅れの手紙が届いた。

カリフォルニア州最北端のツールレーク収容所は、十月下旬ともなると、朝は白い霜が降り、一日中、陽がささない曇天の日が多かった。

乙七がストーヴの前に、勇から来たVメール（軍事郵便）を手にして坐ると、テルと春子が、開封を催促するように傍へ寄った。

「パパ、なんなら、私が読んであげましょうか、勇兄さんの書く日本語なら私、充分、読めるわよ」

春子は、マンザナール収容所では、片仮名もろくに読めなかったのが、ツールレーク収容所のハイスクールで日本語を習い、簡単な読み書きは出来るようになっていた。

乙七は、Vメールの封を丁寧に切った。


父サン、母サン、ハルコ、ミナサンハオ元気デスカ。僕モタイヘン、オ元気デスカラ、安心シテ下サイ。僕ハオ手柄ヲタテテ、勲章ヲイタダキマシタ。僕ノホカニモ、勇マシイ二世部隊ハ、タクサンノ勲章ヲイタダイテイマス。

僕タチハ今、二ツノ戦ヒヲシテイルノデス。一ツハ、ドイツ軍トノ戦ヒ、モウ一ツハ、アメリカ本土ノ収容所ニ入レラレテイル父サンヤ母サン、弟妹タチガ、一日モ早ク、収容所カラ出ラレルタメニ、血ヲ流シテ戦ッテイルノデス。

僕ハ今日、兵站地デ休ンデイル時、一人ノ白人兵ト仲ヨクナリ、戦争ガ終ッタラ、互ヒノ家デパーティヲ開ク約束ヲシマシタ。ソシテ僕ノ家ハドコカト聞イタノデ、ツールレークノ日系人収容所ダト答ヘルト、ジョウダンダロウト笑ヒマシタ。ケレド、サンタ・アニタノ馬小屋ヘ入レラレタ時カラノコトヲ、スベテ話スト、彼ハショックヲ受ケ、合衆国政府ガ、ソンナ誤リヲスルトハシンジラレナイト云ヒ、許シヲ乞フヨウニ頭ヲ下ゲマシタ。

モット書キタイデスガ、ワカラナイ字ヲ、ハワイ二世ノ伍長ニ聞イテ、書イテイルノデ、タクサン書ケマセン。勉強ガキライデ、日本語モ怠ケタコト、後悔シテイマス。マタオ手紙ヲ出シマス。ミナサンノ幸福ヲイノリマス。サヨウナラ
勇ヨリ

敬語の間違いや、誤字の多い手紙であったが、勇の気持が切々と伝って来た。乙七は、読み終ると、黙ってバラックを出た。

手紙の中の、「親たちを収容所から出すための戦い」という言葉が、乙七の胸に刺さっていた。アメリカに忠誠を尽すために、血の証しまでたてねばならんのか、そこまでせんでええ――という歯痒《はがゆ》い気持に駆られながらも、ツールレークにいる若者たちと比べればという思いもした。

土漠の中のツールレーク隔離収容所には、一万八千人の日系人が収容されている。その大半は、第三次交換船で日本への帰国を申請している者、忠誠テストにノウノウと答えて、各地の収容所から送られて来た人たちであった。だが、ノウノウ組の中には、過激派と心情的日本派の二つのグループがある。過激派の男たちは、頭を五分刈りにし、日の丸の鉢巻きをしめて、『祖国奉仕団』と名乗り、パールハーバー攻撃の十二月七日を記念して、毎月七日には、朝五時に広場に集まり、日本の戦勝祈願と皇居遙拝を行った後、ワッショ、ワッショと、収容所内を駈け廻る。そのために管理当局との間に常時、こぜり合いが起り、ストライキがあり、日系人同士でも、過激派は奉仕団に参加しない者を「イヌ！」「ホワイト・ジャップ！」と罵倒し、殺《さつ》伐《ばつ》とした空気が流れていた。

そんな中で、乙七は、どちらの派にも属さず、マンザナール収容所の時と同じく、人が厭がる死体処理の補助係を申し出、以前より一層、寡黙《かもく》になっていた。マンザナール収容所の畑中万作からは、戦争が終ったら真っ先にロサンゼルスへ出て、ボーディング・ハウス（長期滞在者用ホテル）を経営するから、その隣で洗濯屋を開業するようにという手紙が何度も来たが、乙七は返事を出さなかった。もう一度、一からやり直すには齢を取り過ぎ、気力も萎《な》えていた。死人のない日は、乙七は呆《ほう》けた老人のように、控室の椅子に踞《うずくま》り、十九歳で出た故郷の鹿児島のことばかり考えていた。

「乙七さん――」

声とともに、林が『祖国奉仕団』の腕章を巻いた姿で、入って来た。元加州新報の活版主任で、サンタアニタ競馬場の仮集合所まで一緒で、その後、ワイオミング州ハートマウンテン収容所へ送られ、そこからノウノウ組としてツールレークへ隔離されて来、再び相い会ったのだった。同じ鹿児島県出身であった。

「どなたか、亡くないやったとですか」

「いや、死人の話じゃ無か、お手すきなら、この間ん返事を聞かせっ貰いたかとですが」

「この間ん返事ちゅうと？」

乙七は、首をかしげた。

「ほら、祖国奉仕団の長老会のメンバーになってほしかちゅう、あん話ですよ」

「うんにゃ、オイにはそげなことは不向きじゃ、一切、免除しッ貰いたか」

はっきりと、断った。

「ほう、昔んアモウ・ランドリーの主人の面構えはどこい行ったとですか、そいとも、賢治さんの影響じゃすか」

林は、曾《かつ》て加州新報の紙面で、日本人の誇りを鼓舞する記事を書いていた賢治が、キャンプ・サベージの陸軍情報部日本語学校の教官になったことが、よほど予想外であったらしく、爾来《じらい》、乙七には棘《とげ》を含んだものの云い方をするようになっていた。

乙七は黙って、林のそばを離れ、部屋を出た。賢治の次は、米陸軍の戦闘部隊へ志願した勇のことを嘲笑することが解っていたからだった。うしろで呼びとめる声がしたが、乙七は振り向かず、足を運んだ。

歩きながら、乙七はふと、勇が無事に戦争から帰って来たら、アモウ・ランドリーを一緒にやってくれないだろうかと、今まで考えてみもしなかったことを思った。勉強嫌いだが、根性のある勇のことだから、もしかしたらOKと、あっさり諒承してくれるかもしれない。もし勇が助けてくれたらと、希望のようなものが湧き、乙七は珍しく、自分の方から大野保を訪ねてみる気になった。

元中華料理店主の大野は、ここでも食堂の料理長をしていた。

そろそろ、夕食の仕込みにかかっている炊事場は、騒音と威勢のいい声が飛び交い、油がはぜる匂いがしていた。

「天羽さん、どうかしましたか」

大野は、乙七の姿に気付き、手を拭いながら寄って来た。

「実は、ヨーロッパ戦線の勇から便りがあいもしてな」

乙七は、ぼそぼそと口を開いた。

「で、勇君は、元気なんですか」

大野は、わがことのように聞いた。勇と一緒にマンザナール収容所から志願兵になった大野の三男のサブローは、三カ月前、イタリア戦線で負傷し、パープル・ハート（名誉戦傷章）が贈られたが、今もってニースの陸軍病院に入院しているのだった。

「おかげで元気でやっちょるようで、心配するなと云ってきといもす」

「そりゃあ、何よりでした、ところで、さっきのラジオで、ドイツ軍に包囲され、全滅しそうなテキサス大隊を何としても救出しろという大統領緊急命令が出て、二世部隊が救出に向うことになったニュースが流れましたよ、勇君が、それに参加していないといいのですが」

大野が、懸念すると、

「そげな馬鹿な！　ドイツ軍と戦うのならともかく、白人のテキサス兵を助け出すために、勇たち二世部隊が狩い出されるとは、日系二世は、戦場でまで差別されるッとか……」

乙七の唇が震えた。

「私もそう思いますよ、何といっても、この十一月七日に、ルーズベルト大統領の四選をかける選挙があり、テキサス兵の両親には選挙権があっても、日系兵の両親には選挙権はありませんからね」

「すると、勇たち二世部隊は、大統領選挙の四選を狙うための犠牲……」

乙七は、それ以上、言葉が継げなかった。

「でも大丈夫ですよ、勇君のことだ、りっぱに戦って、また勲章を貰うでしょう」

大野は力づけるように、老いた乙七の肩を叩いた。

*

テキサス大隊救出は、予想以上の苦戦を強いられていた。東部フランス、ヴォージュ山中にこだまする砲撃戦は、夜も昼も止むことがなく、四四二部隊は、地形的にスプーンの先のほぼ中央にピンどめされたテキサス部隊まで、あと半マイルに迫りながら、動けなくなっていた。第一〇〇大隊は右翼の岩山に、第二大隊は左翼の山林に配置され、スプーンの柄にあたる部分を正面突破して行く第三大隊を援護射撃したが、ここ二日間で百人以上が死亡していた。

勇たちは壕を掘る余力も既になく、休憩の命令が出ると、岩蔭に背をもたせかけ、木の葉やテントをひっかぶって仮眠した。誰が死に、誰が野戦病院送りになったか、考えている余裕はなかった。二世部隊の誇りも、血の証しも、もはやどうでもよかった。敵は山上から照準を合わせ、残忍に一人一人、狙い撃ちして来る。そのドイツ兵憎しの一念で、勇たちは弾丸の中を這《は》いずり、一フィートでも前へ前へと進むことだけを考えていた。

四十時間以上にわたる激戦のあと、勇はドイツ兵の屍体から防寒コートをはぎ取って、くるまると、精根尽きはて岩の窪《くぼ》みで眠りこけた。山の端がようやく白みかけた時刻だった。

「イサム、イサムはどこだ」

低い声がしたが、勇は隣りの兵隊が揺り起すまで、眠り続けた。

「うるさい、ジョン、もう少し寝かせろ」

朦朧《もうろう》としながら、手を払いのけると、

「俺はジョン井上じゃないぜ、あいつは昨日、死んだじゃないか」

隣りの兵隊は、云った。そうだったと、勇は疲労で麻痺した頭で、ぼんやり思った。最後まで無傷で生きのびた親友のジョン井上は、ドイツ兵の機関銃で足を撃ち抜かれ、動けなくなり、上から木片の榴散弾がナイフのように心臓に突き刺さって死んだのだ。

「イサム、ここにいたのか、起て!」

ぐいと肩を小突《こづ》かれ、顔を上げると、チームリーダーのマック三浦伍長だった。

「今から地雷探知に行く、ついて来い」

マック伍長は、髭ぼうぼうの顔で命じた。左眉は爆風で焦げてなくなっている。

「地雷探し？　そんなのしたことがないのに、無理だ」

勇は首を振った。

「みんな殺《や》られ、他に連れて行く者がないのだ、命が惜しいのなら、他のガッツのある者を探す、随《つ》いて来る勇気があるのか、ないのか、早くしろ」

「ＯＫ、教えてくれるなら、随いてくよ」

勇はふらつく体を起した。進軍するにしても、前もって地雷の有無を確かめておかなければ、この先はますます危険で、一歩も進めなかった。

勇はマック三浦伍長に教えられた通り、地雷探知機のバッテリーを背中に背負い、先がＴ字型になった二メートルほどの細長い金属棒を、慎重に地上十乃至《ないし》二十センチのところにあてながら、そろり、そろりと進んだ。

不意に、キーンと小さな金属音がし、手もとのメーターがぴんと撥《は》ねた。

「地雷だ！　イサム、そこから動くな」

マック伍長は大声で怒鳴り、腰に吊した袋から白い紙を出して、用心深い手つきで石の重《おも》しをつけた。地雷を発見すると、目印に白ペンキや少し湿らせた小麦粉を撒いておくが、一週間にわたる戦いでペンキもパウダーも尽き、朝食の携帯食についている排便用のトイレット・ペーパーを徴収して目印にしたのだった。

四分の一マイルの間に、八個の地雷が発見された。七個は対人用の地雷らしかったが、残る一個はマック伍長の地雷探知機が肝をつぶすほどキーンと高く鳴った。その異様な反応からして、対戦車用の地雷らしかった。道のない急峻な山中にまで、対人用以上の地雷を敷いているドイツ軍の用心深さと執拗さに、さすがのマック伍長もへたへたと坐り込んだ。勇も、心身ともに限界に来ていた。

息さえ凍りつくような寒さだった。

「イサム、もう少し頑張れ、斥候《せっこう》とドイツ捕虜の話を綜合すると、あと七、八十ヤード上に岩山があり、恰好の要塞になるので、そこまでは一気に部隊を進められる」

「ＯＫ、伍長」

勇は、頷いた。二人が探知機を持って二歩、三歩とゆっくり歩き出した途端、霧の中に閃光が奔《はし》ったかと思うと、タッタッタッ、自動小銃の音が鳴り、前方の松の枝がぼきっと折れた。二人は地面に伏した。見つかったかという絶望的な思いが胸を襲った。

だが、それから無音状態が続いた。おそるおそるマック伍長の方を見ると、やや頭を上げ、敵情を観察しているようだった。勇も上目遣いにその方を見ると、くすぶった松林の間に自動小銃を構えた三人のドイツ兵が行き来していたが、やがて勇たちが伏している地点と反対方向の谷へ歩いて行った。

「危いところだったな、もし見つかったら、俺たちはお陀仏だし、地雷除けのトイレット・ペーパーも発見されるところだった」

マックは、脂汗を手の甲で拭った。

「伍長——」

「いや、もう少し待て、ナチ野郎はいつ戻ってくるかもしれんからな」

マックは、制した。右翼の方でしきりに銃声が聞えた。ひそかに右翼に廻った第一〇〇大隊が、ドイツ兵と激甚な戦いを再開したようだった。

「伍長、僕らのI中隊は、何人、死んだのですか」

「そんなこと、考えるな」

「つい今までは考えなかった、親友のジョンが眼の前で死んだ時も——、だが、今、あいつの遺品を持たなかったことを後悔しているのです、僕らはVメール（軍事郵便）で詳しいことは何も書けないから、どちらかが生き残ったら、必ず家族に、最後まで勇敢に戦ったことを報《しら》せ合おうと誓ってたんだ」

勇はそう云うなり、地面に口を押しあててむせび泣いた。

「イサム、お前は、地雷探知とさっきのドイツ兵で神経がずたずたになっているんだ、無理せずにもう引っ返そう」

マック伍長はそう云い、そろりと体を起した。一度、感情が爆発すると、勇は少し楽になった。

「大丈夫だ、ゴー・フォア・ブローク！」

「そうか、お前は勇敢な奴だな、行こう！」

マックは、髭の間からはじめて白い歯をのぞかせ、再び地雷探知機を手にした。

三時間後、勇たちは元のベースに戻り、二百五十人のうち、生き残った百十数人のI中隊は、白いトイレット・ペーパーの目印をよけて、用心深く進んだ。

台地手前の岩山に辿り着くと、左翼の方でも砲弾がうなり、弾幕《だんまく》がそこここにたちのぼっている。

台地の右に迫撃砲が据えつけてあったが、ドイツ兵の姿はなかった。

「今だ！　突撃！」

マック伍長が日本語で号令をかけ、岩蔭から身をひるがえして、突撃した途端、ドドーン、ダダダーン、周囲から一斉射撃がはじまった。ドイツ兵たちは木の蔭で、救援部隊の一番乗りを囮《おとり》にかけて狙い撃ちするように、おびき寄せたのだった。

火花が飛び交い、火柱がたち、数えきれない兵隊が倒れた。勇は自動小銃が灼けつくほど乱射し、火の海をかいくぐると、マック伍長のあとにぴたりとついて、腹這いで台地を前進した。

硝煙の匂いが背後から流れて来たが、俄《にわ》かにあたりはしんとしていた。勇のあとに四人、続いていた。皆で周囲の林に石を投げ、きき耳をたてたが、反応はない。ドイツ兵はいないのだ。

「テキサス大隊はどこだ、救出に来たぞ！」

マック伍長は左腕を撃たれたらしく、袖《そで》をまっ赤に染めながら、大声で叫ぶと、眼前の叢《くさむら》が動いた。

「ヘイ！　テキサスか！」

勇も、思わず駈け寄ると、他の叢もごそごそと動き、地面の穴から顔を出した。

「お前たちは、誰だ」

テキサス兵は、誰何《すいか》した。

「三十六師団の四四二部隊だ」

「おう！　ジャップか！」

一人が、穴から這い出して来、

「おい、皆、出て来い、ジャップが救出に来てくれたぞぉ！」

と叫んだ。勇はかっとし、

「ジャップとは何だ！　命がけで敵の包囲を突破して来たんだぞ！」

テキサス兵を殴りつけかけると、マック伍長は、

「われわれをジャップと呼ぶな！　お前たちは全員、無事か、下では、まだ戦闘中だ」

と云った。二百七十五名のテキサス兵は衰弱し、負傷者もいたが、

「無事だ、命がけでよく助けてくれた、有難う！」

狂気せんばかりに抱き合った。

その一言で勇は、開口一番、ジャップか！　と云われた憤りが和らぎ、俺たち日系二世部隊は、白人兵たちが何度、試みても不可能だったテキサス大隊救出に成功したのだという誇りと喜びがこみ上げて来た。

だが、戦いは終っていなかった。勇がアメリカ市民としての誇りと血の証しをたてた直後、手榴弾が弧を描き、炸裂《さくれつ》した。

「ノウ！」

勇は爆風に吹き飛ばされ、宙につき上げられながら、絶叫した。


十一月中旬のツールレーク収容所に、一台の黒塗りの車が入って来、教会の前で停まった。ヨーロッパ戦線で戦死した天羽勇の勲章を両親に手渡すために、米陸軍省から派遣された将校と牧師であった。収容所長と副所長は、二人のあとに続いた。

がらんとしたバラック建の教会には、天羽乙七とテル、妹の春子、そしてキャンプ・サベージから駈けつけた賢治がならび、参列者は大野保とその長男夫婦と娘だけの侘びしさであった。他の収容所なら、メスホールで盛大に行われる四四二部隊の戦死者の表彰式も、合衆国への忠誠を拒否したノウノウ組が隔離されているツールレーク収容所では、冷い眼で見られがちであった。

大尉の衿章をつけた将校は、乙七に向って、挙手の礼を

した後、

「米陸軍第三十六師団四四二部隊所属の陸軍上等兵、イサム・ジェームス・アモウは、一九四四年十月二十九日、ヨーロッパ戦線で、誰よりもりっぱに戦い、合衆国のために名誉の戦死を遂げられました、この名誉ある勲功に対し、伍長に昇進すると同時に、殊勲十字章を授与します。

アメリカ合衆国大統領

フランクリン・D・ルーズベルト」

表彰状を読み上げ、勲章がおさめられている木箱と、小さく折り畳んだ星条旗の上にのせた認識票が手渡された。一八一八四一六〇という八桁《けた》の番号と氏名、血液型、宗教が記されているだけの幅二・五センチ、縦五センチの錫《すず》の札であったが、勇が死ぬまで身につけていた唯一のものであり、遺骨に代るものであった。

乙七は、感情を抑えた顔で勲章と星条旗の上に置かれた認識票を受け取った。その瞬間、母のテルと妹の春子は嗚咽した。賢治は、勇の認識票が妙に凹凸《おうとつ》し、片隅が欠けていることに気付いた。おそらく、砲弾の衝撃で飴《あめ》のようにひん曲り、欠けたのを遺族に与える影響を考え、平《たいら》に打ち直したようであったが、そこにテキサス大隊救出の凄惨な戦いと、勇の死の様相が、まざまざと感じ取られた。新聞やラジオは、テキサス大隊を救出した四四二部隊の勲功を華々しく報道していたが、二百七十五人のテキサス兵を救出するために、日系兵は二百人以上が死亡し、約六百人が負傷したのだった。この数字が物語るものを考えると、賢治は断腸の思いがした。

牧師の祈禱《きとう》の言葉が続き、収容所長の追悼の辞がすむと、伝達式は三十分余りで終った。


大尉、牧師、収容所長などが去ると、天羽乙七は、手渡された勇の認識票を、アイロンだこの手の中に固く握りしめた。あたかも、そこから勇の体温を感じ取ろうとするような仕種《しぐさ》であった。母のテルは、泣きはらした顔で、

「あんた、日本のごっ息子ん遺骨は渡しちゃ下さらんとですか」

夫の手から、たった一枚の認識票を掌《たなごころ》に挟《はさ》み取り、

「どうしてアメリカでは、こいだけが遺品《かたみ》ちゅうとじゃ、あんまいじゃ」

と云い、認識票を胸もとに入れ、懐で温めるように泣いた。賢治には、母の気持が痛いほど解った。母の瞼には、白布で包まれた遺骨を胸に抱く日本の母の姿が灼きついているのだった。

「テル、も泣くな、泣いても、勇は還って来《こ》んとじゃ」

乙七は、取り乱しているテルを窘《たしな》め、

「見苦しかところをお目にかけっしまいもしたが、大野さんところに参列して戴いて、きっと、勇も喜んでおると思いもす」

礼を云うと、大野保は、

「一緒に戦場へ出たうちのサブローが負傷した時にも無事

だった勇君が、戦死するなど、お悔みの申し上げようもない――この間、元気な便りを見せて貰ったばかりなのに」

声をくぐもらせた。

「あん時、あんたが返事ん書き方を教えてくれたもんで、すぐ返事を出せましたとじゃ、あいを、出しちょらんと、心残いじゃった、さあ、戻いもそ」

乙七は、勲章の箱と認識票、折り畳まれた星条旗を手に持って、教会を出ると、五分《ごぶ》刈《が》りの頭に日の丸の鉢巻きをしめ、『祖国奉仕団』と記した腕章を巻いた一団が、かたまっていた。軍服姿の賢治を見ると、露骨に挑む気配を見せたが、賢治は、両親や大野たちをかばうように先にたって、一団の前を通り、自分たちのバラックの方へ向った。

バラックに帰りつき、手作りのテーブルの上に白布を敷き、手渡された勲章と認識票を置くと、乙七は気の張りが緩《ゆる》んだように、ベッドに坐り込み、

「賢治、軍籍に入っちょっお前《まい》が、よう駈けつけっ来てくれたねえ――」

ふっと吐息をつくように云った。賢治は戸惑いを覚えながら、

「父さん、実は、僕も戦場へ行くつもりです」

「ないじゃ――」

乙七は、耳を疑うように聞き返した。

「キャンプ・サベージにも、このところ語学兵の訃《ふ》報《ほう》が届きます」

「じゃっちうて、お前《まい》が行くこちゃなかじゃろが」

「ですが、僕はもうじっとしておれません、日本にいる忠だって、満洲か、太平洋戦線で戦っているかもしれないのです」

「それなあなおんこつ、戦場いなど出て行っとは止《や》めやんせ！　母さんをこい以上、悲しがらなんで」

テルが、縋《すが》りついた。

「そうよ、兄さんが死んだら、私たちはどうなるの」

春子も泣いた。

「大丈夫だよ、春子、兄さんは語学兵だから、銃を持って戦わない」

「でも、兄さんは、最後には前線へ出て、戦うんだわ、私、解ってる」

と云うなり、賢治の首にかじりついた。賢治は、その手を優しくほどいて、父の前にきちんとした姿勢でたった。

「父さん、実は、僕が戦線へ出ることは、もう決っているのです、こうしてツールレークまで駈けつけることが出来たのは、戦場へ出発前の休暇があったからなんです」

と云い、四日前、キャンプ・サベージで、主任教官のオーソン相川から、前線の司令部へ行く命令を受けたことを、はじめて話した。

乙七にとっては、思いもかけぬ強いショックで、暫し、声もなかった。

「どこい行っとじゃ？」

「オーストラリアです」

「そうや、――日本軍のおっ南方に近けところじゃね」

そう云い、あとは口を閉ざした。

出発の時間になると、賢治は、両親と妹に見送られて、収容所のゲートに向った。途中、丸坊主頭の日の丸組が険しい視線を向けたが、無視し、ジープが待っているゲートを出かかると、林がそこにたちはだかっていた。軍曹姿の賢治をじろりと一瞥し、

「おはんを見損ねた、こげなていたらくいなっとなら、椰子さんにしてん、あげな苦労までしてから、邦字ん活字を隠すこっもなかった」

「林さん、椰子さんは僕のことを知っている、ミネアポリスで一緒だったんだ、彼女は、チャーリー田宮と結婚して――」

それから離婚したとは云いにくく、言葉を濁すと、

「井本椰子が、あんバナナ野郎と――」

林は絶句し、

「おはんたちゃ皆、裏切者じゃ！　特におはん、加州新報に書いた記事が泣っど」

林は窪んだ眼をかっと見開いて、云い放ったが、その眼に涙が滲んでいた。

「林さん、話があります」

賢治が、林の腕を取って話しかけると、林は手荒く振り払って、たち去って行った。

「賢治、気にせんでんよか、林さんにゃ、オイから折を見て、よう話しておく、あん人んこっじゃっで、きっと解っくるっはずじゃ」

乙七は、賢治の肩を押えた。

「父さん、僕が戦場へ行ったということで、これまで以上に難しい立場にたたされ、暮しにくくなるかもしれませんが……」

許しを乞うように云うと、乙七は、

「血を分けた弟が、日本軍におることだきゃ忘るっとじゃなかど」

一言、そう云った。賢治は頷き、

「では、行って参ります、お元気で――」

別れを告げ、両親と妹を収容所の鉄条網の中に残して、戦場へ発《た》って行った。

八章　太　平　洋

一九四四年十二月、天羽賢治はオーストラリアのマッカーサー司令部へ赴任していた。

司令部はシドニー、メルボルンに次ぐ第三の都市ブリスベーンの中心街、元保険会社のAMPビル内にあり、イギリス、オーストラリア、オランダ、中国など連合国の連絡将校も、各フロアーに部屋を構えていた。

ブリスベーンの十二月初旬は、初夏の季節で、日中は三十度以上に気温が上り、満開のジャカランダが紫色の花をつけて、風が吹くと花吹雪《ふぶき》のように散り、ここが激甚を極めている南西太平洋戦線統轄の司令部所在地とは思えなかったが、往来には軍人の姿が目だち、賢治自身も少尉の軍服姿であった。

賢治は、司令部のスタッフや高級将校の宿泊所であり、マッカーサーのプライベート・オフィスもあるレノンズ・ホテルで用件をすませ、クイーン・ストリートの司令部まで戻って来ると、正面玄関に黒塗りの乗用車が停ったところだった。クライスラーの大型車で、赤地に白い四つ星の将官旗がはためいている。マッカーサー司令官の専用車であった。

護衛のMPたちがさっと姿勢を正して、挙手の礼で迎えた。長身のマッカーサーは、コーン・パイプをくわえ、左手をズボンのポケットに突っこんだ姿でおり、反対側からは、マッカーサーよりさらに一廻り大きな体軀の将官がおりたった。マッカーサー側近の情報参謀ウィロビー少将で、いかにもゲルマン系らしいいかつい容貌をしている。

マッカーサー司令官は、ウィロビー少将と二人の副官を従えて、足早にホールを進み、エレベーターに乗り込んだ。賢治はこんな間近にマッカーサーに接したのははじめてのことであった。レイテ島上陸で執念のフィリピン奪還の足がかりをつかんだマッカーサーは、六十四歳の将軍とは思えぬ覇気が漲《みなぎ》っていたが、賢治にとって、あまりに遠い存在でありすぎた。

司令部はG1《ワン》からG5《ファイブ》までのセクションに分れており、G1は人事、総務、G2は情報、G3は作戦、G4は兵站、G5は宣伝で、約二百人が働いていたが、日系二世はG5だけに限られ、それも創設以来のチャーリー田宮のほか、ポール横田と天羽賢治の三人だけだった。

部屋に戻ると、ポール横田が机に向い、伝単（宣伝ビラ）の文案を練っていた。ポールは、アメリカ共産党員であることを見込まれて、G5のメンバーになっていた。対日心理戦の要《かなめ》となる宣伝工作部門のG5に、マッカーサー司令部は、左翼系二世を巧妙に利用していた。

「十時からミーティングがあるというのに、君まで一体、

どこへ行っていたんだね」

ポール横田は眉の薄い青白い顔を向け、詮策《せんさく》がましく、云った。そういわれて部屋を見廻すと、白人のスタッフもチャーリー田宮もおらず、天井の大きな扇風機《せんぷうき》だけが、ゆっくり動いていた。

「ちょっと、レノンズ・ホテルへ行ってたんだ」

「ほう、あそこは司令部の高官のプライベート・オフィスがあるところじゃないか、何か特別の用件でも？」

「いや、プロフェッサー・ハンフリーを見舞いかたがた打合せに行ってたんだ」

ハンフリーは、スタンフォード大学の戦争心理学の権威で、国務省からG5のアドバイザーとして赴任していたが、ニューギニアでマラリアに罹《かか》り、時折、発熱して休むことがあった。

「プロフェッサー・ハンフリーのマラリアの後遺症など、眉つばものだな、彼らホワイトは、いついも仕事を僕らにおしつけ、何かといえばさぼりたがる、そんな奴の見舞いなど行く必要はないよ」

腹だたしげに、ペンを放り投げた。対日戦の宣伝ビラであるのに、そのテーマは、あくまで白人アドバイザーによって与えられ、自主的な仕事が出来ない日頃の忿懣《ふんまん》が、こめられていた。

「そんなこと怒ってみても仕方がない、それより今、下でマッカーサー司令官とウィロビー少将を見かけたが、いよいよレイテの次に、首都マニラ攻略を目ざして作戦開始にかかったのかもしれんな」

ニューギニア、モロタイが陥ち、マッカーサーの〝かえる跳び作戦〟は、いよいよルソン島に向けられたのかもしれない。ポール横田はよく光る細い眼を光らせ、

「へぇぇ、マッカーサーはこちらへ帰って来ているのかい、僕はてっきりレイテ近海で、旗艦のナシュビル号にこもっているのかと思っていたよ」

と云った時、チャーリー田宮が、中尉に昇進したばかりの颯爽《さっそう》とした姿で入って来、ミーティング用の椅子にどかりと坐った。つい数カ月前まで、日系二世は少尉任官さえ困難であっただけに、一年前、キャンプ・サベージの日本語学校長のクラーク大佐にぴたりとついて、いち早くオーストラリアへ赴任し、G5創設のために働いたチャーリーは、一足先んじて中尉に昇進し、得意満面であった。

やがてクラーク大佐と、国務省のシャーマンが姿を現わし、すぐミーティングに入った。

「この間、レイテのドラッグからブラウエンに至る縦深陣地に落した宣伝ビラだが、あまり効果がなかったようだな」

クラーク大佐が口火を切った。

「飛行機からの撒《ま》き方が悪かったんじゃないでしょうか、このところレイテは雨期で、雨が激しく、地形も入りくんでいるから日本軍がたて籠っている陣地に届かなかったたん

ですよ、もしちゃんと投下していたら、確実に効果が上るはずです」

チャーリー田宮は、自分が発案した宣伝ビラの効果を信じるように云った。

「だが、チャーリー、あのあたりの日本兵士は、飛行場こそ占拠されたものの、死を賭《と》して米軍のマニラ攻撃を阻止する構えでいるから、いかに兵隊が拾いやすいように工夫したこのビラでも、無理だと思うがね」

ポール横田は、底意地の悪い云い方をし、机の上のビラを指した。表は富士山と桜を二色刷りにし、裏に、

犬死《いぬじに》は止《や》めたまへ　生《い》きて今後《こんご》
の日本《にっぽん》につくしたまへ
夜《よ》るひるの別《べつ》なく此紙《このかみ》をふり、
一人《ひとり》づつ来《き》たまへ　連合軍《れんがふぐん》は
優遇《いうぐう》する

漢字にはふりがな入りで、毛筆風に書き、さらにその下に、

THIS MAN SURRENDER　TAKE HIM TO YOUR
NEAREST COMMISSIONED OFFICER　By Direction of the
Commander in Chief

と記して、前線の米兵には、この投降勧告ビラを持参した投降者は、近くの将校のところへ連れて行くよう指示していた。

「ケーン、君はどう思う」

チャーリーは、ビラを賢治へ渡して、意見を求めた。

「うん、なかなか行き届いていると思う、この桜と富士山は日本兵の望郷の念をそそるに充分だ」

「そうだろう？　この図柄はソロモン島の捕虜の中に画家がいたので、そいつに書かせたんだ、彼自身、涙を流して書いたんだから」

「だが、文章の方が――」

「文章のどこが、悪いんだ」

チャーリーはむっとして云った。

「将校ならともかく、一兵卒にはアピールしにくいだろうな」

「だから、ふりがなをつけてあるじゃないか」

チャーリーは、クラーク大佐やシャーマンを意識し、声高に云い返した。

「ま、そう大きな声を出すなよ、忌憚《きたん》なく云うと、これは日本人からみると、変な日本語だ、しかも一人で出て来いというのも不安だし、下の英文も読めないから、ほんとうは何が書いてあるのか疑うだろう」

賢治が云うと、クラーク大佐が、

「なるほど、アモウらしい意見だな、この英文にも日本語

訳が必要とは、私も気付かなかったな」

と苦笑し、

「さて、次回の宣伝ビラは、レイテ島の山下防衛ライン全域に大量に投下することに決定した、レイテの表玄関のタクロバンは予想以上に早く陥《お》ちたが、その奥地から裏玄関にあたるオルモックにかけて、強固な山下防衛ラインが敷かれ、各方面から五万人以上の兵力が増強されつつあるという情報が入っている」

と話した。

「ということは、日本の大本営は、フィリピン以北はあくまでレイテ決戦で防衛という方針を変えていないというわけですね」

チャーリーが、心得顔に頷いた。

「その通りだ、連日連夜の猛反撃に米軍の犠牲も相当数に上っており、〝紙の弾丸〟である宣伝ビラの威力が今こそ求められている」

クラーク大佐が強調した。シャーマンは、

「このビラが実際に投下される頃は、いかに強固な山下防衛ラインといえども、要所要所の補給路を断たれ、食糧、弾薬の不足で士気が落ちているはずだ、しかも長い戦闘で日本の兵卒は疲弊《ひへい》しきっている、ビラはそこをついたものであらねばならない、その一つは軍閥批判、もう一つは財閥批判だ」

と云うと、ポール横田は、

「それよりもっとストレートに、パンチが効くのは皇室、天皇批判ですよ、天皇陛下バンザイ！　のあの特攻精神を粉砕しなければ、日本の兵隊はこの先、どんな挙に出るかわからない」

と主張した。ポールは、ワイオミング州のハートマウンテンの強制収容所を出る時、他の青年たちがアメリカに忠誠を示すために陸軍に志願したのに対し、日本の天皇制打倒のために志願すると公言した共産党員であった。ポールと犬猿の仲のチャーリーは、ふんと鼻先で嗤《わら》うようにそっぽを向いた。

「皇室批判、天皇制打倒は、よくない」

シャーマンが、遮った。

「どうしてですか、日本の諸悪の根源は天皇制です、天皇制があるから軍閥も財閥ものさばり、一般民衆が苦しむのです」

ポールが演説口調でぶち上げかけると、

「そんな話は聞きあきたよ、われわれは共産党の宣伝ビラを作るんじゃない！」

チャーリーが、我慢ならぬようにぴしゃっと云った。ポールは青白い顔で気色ばんだ。

「君のような白人コンプレックスの男に何がわかる！　搾《さく》取《しゅ》されることに疑問も持たず、天皇陛下バンザイと死んで行く一兵卒の心根《こころね》が哀れだと思わないのか、米軍にとって最も脅威なのは戦艦大和でも、武蔵でもない、生れた時か

ら天皇制に洗脳されている兵隊だぞ」

シャーマンは、賢治の方を向いた。

「ケーン、君は天皇制批判をどう思うかね」

「いい、悪いは別にして、天皇は日本人にとって現人神《あらひとがみ》という言葉があるように、一種の信仰に近い存在です、もし一行でも天皇批判をし、侮辱を与えるビラであれば、かえって日本兵の反感を買う結果になると思います」

「国務省のトップの指示でも、天皇批判はタブーだ、日本兵に対し、天皇制批判をぶっつけることは、カソリック教徒に向って神を批判するようなものだから、絶対さけなければならない」

ポール横田の主張に、ブレーキをかけるように云った。

チャーリーは、

「では、これからのプロパガンダは、軍閥批判をテーマとした内容にすればいいわけですね」

阿《おもね》るように発言したが、賢治は、

「軍閥批判といっても、要は素朴な一兵卒の心にアピールすることだと思う、具体的に云うと、例えば将校批判です、捕虜の話によると、将校の中には飢餓にあえいでいる兵隊を尻目に、将校用白米《はくまい》や牛肉の缶詰を食べ、危険が迫ると、部隊を置き去りにして安全地帯へ逃げるのがいるそうだ、私はそのことを書きたい」

許しがたい口調で云った。

「よし、アモウ、君がそれを書いてみろ」

クラーク大佐が、命じた。

ミーティングがすむと、賢治は自分のデスクに戻り、日本軍隊に対するビラを書きはじめた。

日本軍の兵士たちにお伝えします。

諸君は今日まで実に勇敢に戦いました。飢え、悪疫、あらゆる困苦欠乏に耐え、よくここまで戦ったと敬意を表します。

しかし、アジアの制空権、制海権はすでに連合軍に陥ち、戦況は日本軍に一分の利もなくなりました。日本の大本営はその事実を知りながら、面子《メンツ》と責任逃れのために諸君らに幻《まぼろし》の勝利を説《と》き、無益な死に駈《か》りたてているのです。

『生きて虜囚の辱《はずかしめ》を受くるなかれ』という戦陣訓の教えを受けた諸君は、捕虜となることを潔しとしないと思いますが、補給を断たれた部隊の将校がいち早く逃げ、残された諸君が自殺に近い戦闘を続けることは、果して日本の武士道でしょうか。美しい祖国日本、故郷の父母、愛する妻子を戦火から守るために、生きる道を考えて下さい。連合軍は諸君を最後まで勇敢に戦った戦士として、手厚く保護します。

賢治はそこまで書き、ペンを置いた。ヨーロッパ戦線で末弟の勇が戦死し、たった一人の弟となった忠は、今、ど

こにいるのだろうか。オーストラリアのマッカーサー司令部にいてなお、忠の消息は摑めなかった。

夕刻、賢治はチャーリーとともに連合軍のWAC《ワック》(陸軍婦人部隊)のドライバーの運転するおんぼろのフォードで宿舎に帰った。

宿舎は、高級住宅街のハミルトンにある銀行家の持家《もちいえ》で、テニスコート付きの広々とした邸宅であった。賢治たちのほか、二人の白人将校が住んでいたが、彼らは週の半分以上、空けることが多かった。

玄関の車寄せで車をおりると、チャーリーは、

「コニー、ありがとう、明日の空港行きは朝が早いけど、よろしく頼むよ」

オーストラリア人のコニーに、ウィンクした。定められた勤務時間外や、午前十時、午後三時のティー・タイムは一切、働かないオーストラリアのWACには、いつも手こずるが、チャーリーはあの手、この手でタイピストからドライバーまで手馴《てな》ずけていた。

「仕方ないわ、メルボルン行きの飛行機は七時半だったわね、六時半に迎えに来るから、それまでに必ずここにたってて下さいな、チャーリー中尉殿」

コニーは、根《ね》はオーストラリア人のおおらかさで請《う》け合い、エンジンをがたがたふかして、走り去って行った。

シャワーを浴びると、賢治とチャーリーはTシャツとショートパンツに着替え、テラスへ出た。亜熱帯のせいか、家の造りは高床式で、庭にはジャカランダやポインセチアの花が咲き、鳥に似たクッカバードが餌をついばんでいる。賢治は教え子の語学兵たちが前線のテントや壕《ごう》内で過し、父母がツールレークのバラックに、妻子がミネアポリスの質素な官舎に住んでいることを思い、ふと、うしろめたさを覚えた。

「今日はいやに蒸すな、一杯、やるかい」

チャーリーは冷えたビールと、大きなグラスのスクーナーを籐《とう》のテーブルにおき、賢治にも注いだ。地場《じば》のビールのFOREX《フォーレックス》は、メルボルンやシドニー産と比べ、甘口《あまくち》なのが欠点だった。

「明日は、久しぶりにまともなビールが飲めるぞ」

チャーリーは瞬く間にあけ、分厚い唇の端の泡を、手の甲でぐいと拭った。

「メルボルンへ、君は何をしに行くんだい」

賢治が聞くと、

「何でもいいじゃないか、それよりもう始まっている時間だ」

チャーリーは、傍に持って来たラジオのスイッチを入れ、周波数を合せた。夕方から必ず流れて来る日本の謀略放送を聴くためであった。ディスク・ジョッキー・スタイルの話し手が、女性であるから、米軍の兵隊たちはその放送を

『東京ローズ』と呼んで、楽しんでいた。

いつものように一九三〇年代からヒットしたジャズが流れ、やがて東京ローズの声が聞えて来た。

「太平洋の孤島で缶詰ばかり食べている可哀そうなGIさんたち、あなた方はレイテ海戦で、アメリカ海軍が大敗したことを知っている？　航空母艦八隻、巡洋艦三隻、駆逐艦二隻、輸送船三隻が撃沈されたわ、あなた方は太平洋の孤児になったのよ、船が全滅したら、あなた方はアメリカへ帰れなくなるのよ、本国ではあなたを待ちきれなくなった奥さんや恋人が、他の男に心変りするかもしれないわ、こんな馬鹿げた戦争なんかやめて、早くハニーのもとへお帰りなさいよ」

囁くように話しかけては、ノスタルジーをかきたてるような歌や、享楽的なダンスミュージックをかけた。チャーリーは、

「またまた大嘘をついている、レイテ沖海戦では、日本海軍こそ再起不能なほどの損害を蒙っているのに、どこをおしたらこんな大ボラが吹けるんだろう、嘘もここまで来るとかえって面白いじゃないか」

と云いながら、ジャズに合せてステップを踏みはじめた。

「おい、静かにしろよ」

賢治は、グラスを置き、濃い眉を顰《しか》めた。

「チャーリー、この放送は誰がしていると思う？」

「大本営の第八課とかいう情報部にきまっているじゃないか、発信地は東京の愛宕《あたご》の放送局だ」

「そんなことを云ってるんじゃない、こうして謀略放送に使われている女性たちのことだ」

米兵たちは〝東京ローズ〟と呼んでいるが、声からして四、五人の複数のようだった。

「それがどうしたと云うんだ」

「彼女らの英語は、完全なアメリカ英語で、しかも西部海岸のアクセントの者もいる、どうも東京ローズの中に、ロサンゼルスやサンフランシスコ出身の日系二世の女性がいるようだな」

その途端、チャーリーは、はっと表情を変え、賢治の前に坐り直した。

「ケーン、君はまさか」

と云い、あとは口を噤《つぐ》んだ。薄暮《はくぼ》の中で、クッカバードが、耳ざわりな啼《な》き声をたて、広い庭の木々の間を騒がしく飛び廻っていた。鳥が笑うような奇妙な声で啼くから、二世たちは笑い鳥と呼んでいた。

グァハッハッー、グァカーカー……、テラスの籐椅子で黙然としている二人を嘲笑するような啼き声は、ますます騒々しくなる。

「ナギコは対米謀略放送のような馬鹿げた仕事はしないはずだ、な、そうだろう」

チャーリーは、沈黙に耐えかね、同意を求めるように、云った。

「もちろん、僕もそう思うよ」

賢治はそう応えながらも、戦時交換船で日本へ帰国した井本虎造のものの考え方や、戦時下の日本における周囲の余儀ない状況で、椰子がどんな風に追いつめられて行くかを気遣った。

歯切れの悪い答えに、チャーリーは苛だち、

「この間、捕虜に聞いた話では、日本は〝欲しがりません勝つまでは〟というスローガンで、非常な耐乏生活を強いられているそうだ、その上、ナギコは二世で教養があるから、悪名高い特高警察にひどい厭《いや》がらせを受けたり、親戚の家で肩身の狭い思いをしているのじゃないだろうか」

離婚した椰子の身の上を、あれこれと按じた。電波の加減でか、一時、途切れていた日本からの謀略放送が再び流れ、〝東京ローズ〟の声が聞えた。

「太平洋の孤独なGIさん、夕食は今日もまたドライ・フーズ？　オクラホマやケンタッキーのあなたたちのスイートホームでは、フレッシュなサラダに、血の滴《したた》るようなステーキ、それにおいしいアイスクリームのディナーがはじまりかけているわよ、でも、あなたのベビーはダディ、ダディと泣きじゃくっているし、病気のママは神に召される前に一目、可愛い息子に会いたいと、枕を濡らしているのをご存知ないの？　罪つくりなお馬鹿さん、そんなジャングルの泥沼の中に、いつまでも隠れていないで、早くスイートホームへ帰りなさいな」

GIのホームシックをかきたてるように話し、哀愁を帯びた「ダニー・ボーイ」の歌を流した。

東京ローズと呼ばれる四、五名の女性たちの中に、椰子が混っているとは考えられなかったが、絶対あり得ないとは断言出来ない。〝東京ローズ〟には、澄んだきれいな声もあれば、ハスキーな蠱惑《こわく》的な声もあるが、いずれも謀略放送用の装った声だった。

「なあ、ケーン、君は日本にいた時、特高にいじめられたかい」

「大ありだ、大学予科生の時が一番ひどく、一カ月に一度は必ず特高警察に出頭して、居住証明を申告しなければならないし、向うからも下宿へ来て、英文のものは本でも、手紙でもうるさく詮索されたよ」

「ほう、小学校の頃から日本へ帰っている君にしてねぇ、……だとすると、今頃、ナギコは――」

「そんなに心配するのなら、どうしてあんなふうに唐突に別れたりしたんだ」

賢治は、詰《なじ》った。庭はすっかり暗くなり、クッカバードの啼き声もやんだ。暗がりの中にジャカランダの紫の花も沈んでいたが、小さな花びらが、時折、舞い落ちて来る。

チャーリーは、気の抜けたビールをぐいと飲み干し、

「一言でいえば、売り言葉に買い言葉だったんだ、まさかと思っていたんだが、俺がオーストラリアへ発つ前日、離婚届けの書類を持って来て、サインしてくれと云うので、

引くに引けず、さっとしてしまったんだよ、今から思うと、彼女のようにチャーミングな女はざらにはいない、馬鹿なことをしたもんだよ」

未練たっぷりに呟いた。

「今さら、どうこう云ってもはじまらないが、君は少し無責任だったよ」

賢治は素っ気なく云いながら、梛子が第二次交換船に乗るために、ミネアポリスの駅からニューヨークへ出発する日、動き出した列車の窓から、「さようなら、戦争が終ったら、また会えるわね」と涙を滲《にじ》ませて去って行ったことを思い出した。妻のエミーをはじめ、多くの見送り人のいる中で、賢治は「体を大切に、気をつけて」というありきたりな言葉しか云えなかったが、戦争が終ったら再会出来るという思いが、今もって賢治の胸の中に残っている。

＊

井本梛子は、広島市の大手町にある海軍監督官事務所で、事務員として働いていた。

海軍関係の各工場で生産される軍需品が規格通りに出来ているか、どうかを検査、監督する事務所で、所長をはじめ数名の幹部は佐官、もしくは尉官であるが、あとは民間徴用の事務官たち三十数名で構成されていた。梛子はそこで一般事務と、機械関係の英語のタイプを打っていた。ブラウスとモンペ姿の梛子は、ミネアポリスのＷＲＡオフィスで働いていた時とは別人のように窶《やつ》れ、生気を失っていた。

午前中のタイプを打ち終り、さつま芋の昼食をひろげかけると、

「井本君、ちょっと――」

国民服を着た総務課長に呼ばれた。

「この間からの話、決心したかね」

梛子は、固い表情で黙した。

この間からの話というのは、定期的に二世の思想調査をする特高警察外事課からの、東京の放送局で対米放送に従事しないかという勧めであった。給料は今の三倍近い高額で、特別の物資手当も出るということである。市内に下宿し、五日市《いつかいち》の両親に送金している梛子にとって咽喉から手の出るような話であったが、アメリカに生れアメリカに育った梛子には到底、引き受けられる仕事ではなかった。

「何度、お勧め戴いても、私には放送の仕事は向きません」

再度、断ると、

「外事課では、アメリカで新聞社へ勤めていたことがある君なら、適役だとおっしゃってるのだがねぇ、私も君のためを思えばこそ、特高の矢の催促から庇《かば》って来たが、そこまではっきり突《つ》っ撥《ぱ》ねられると、正直云って立つ瀬がないねぇ、仕事だって、安心して任せられないし」

陰に籠った云い方をし、椰子の回答如何では、馘《くび》にもしかねない素振りをした。

その夜、椰子は下宿で一人、考え込んだ。雑貨屋の二階で、アメリカ生活とは比ぶべくもない六畳一間の北向きの暗い部屋であった。一カ月四十五円の給料の働き口を失えば、両親を抱え、路頭に迷うかもしれない。

チャーリーと離婚したことに悔いはなかったが、日本での日々は、あまりにもみじめであった。

去年の九月一日、両親をはじめ千三百名の日系人と共に第二次交換船のグリップスホルム号で、インドのゴア港に着き、日本からの交換船、帝亜丸に乗りかえた時から、椰子は暗いものを予感した。航海中の給水、食事、船室の待遇が極度に悪く、台湾近海で日本軍の輸送船が二隻、米潜水艦の魚雷で沈められたのを目撃したからだった。その暗い予感は、船が横浜へ着いた日から現実のものとなった。

郷里の広島の五日市は、開戦の二年前に訪れ、歓待された時とは様変《さまがわ》りしていた。虎造に代って家を継ぎ、僅かの田畑を耕していた叔父夫婦と、戦地へ出ている従弟《いとこ》たちの嫁は、虎造一家の突然の帰国にあからさまな迷惑顔をした。それでも、母のせきが父とともに畑仕事が出来る時はまだしも、アメリカから持ち帰ったミシンや革靴も売り尽した後、せきが神経痛で畑仕事が出来なくなると、嫁たちは食事さえ出し惜しんだ。せんべい蒲団の中で、せきは「こんなことなら、帰って来なければよかった、アメリカに残った広子の方が賢かった」と涙ぐみ、アメリカの生活を懐しがった。椰子はいたたまれず、村の助役のつてで、広島市内の海軍監督官事務所に雇ってもらい、英文タイプが打てる事務員として、やっと収入の道を得たのだった。

椰子は、机の引出しから一通の葉書を取り出した。『内容検閲済』のゴム印がべたりと捺《お》され、差出人は満洲国興安北分省海拉爾《ハイラル》軍事郵便局気付、満洲第五五八部隊、天羽忠《ただし》と記されている。賢治の弟であった。


拝啓、お手紙を郷里の叔母に戴き、有難うございました。ご一家が広島へ帰られたとは、全く夢のようです。小生の家族が揃って健在な由、これにすぐる喜びはありません。特に兄の消息を報《しら》せて下さり、感無量であります。

満洲の寒さには、南国育ちの小生、閉口しています。近いうちに移動があるかもしれませんが、どこにあってもお国のために立派に戦います。

お父上様によろしくお伝え下さい。敬具

忠の文面には、アメリカのアも気取《けど》られないよう神経を使い、感情をおし殺して書いている様子が窺《うかが》えた。椰子は同じ二世として、忠の気苦労がよく解った。

「井本さん、お客さんですよ」

階下から雑貨屋の主婦の声がした。いやな予感がし、急

いで葉書をしまって階段を降りて行くと、この間からやって来ている特高の刑事であった。背の低い貧相な体つきだが、眼だけはガラス玉のように光っている。

「こんな時間に、どうしてです？　お話があるなら、明日、勤務先の方でお願い出来ませんでしょうか」

「急ぐからこんな時間に来たんだ、まあ、中へ入って、じっくりあんたの考えを聞かせて貰おうじゃないか」

有無を云わせず、二階の部屋へ上り込んだ。

刑事は、女の一人住いの部屋を露骨に眺め廻し、本箱に眼を止めた。帰国して、五日市の田舎で叔父から、戦時下、横文字の本など並べられては迷惑だと窘《たしな》められ、以来、納屋の木箱に入れたままで、下宿にも辞書程度しか持ってきていない。それでも刑事はそれが習慣のように、古本屋で買い求めた日本文学全集に手をのばし、本の頁をぱらぱらと繰《く》った。問題になるような紙片が挟まれていないのを確めると、机の上に飾られている井本一家のカラー写真を、もの珍しげに手に取った。

「ふん、色写真とは珍しいな、たしか、お父つぁんは植木屋だったな、アメリカでは植木屋でも、日本の偉いさんが着るような背広に帽子をかぶり、おかみさんまで洋装とはな、ところであんたのこの横にいるのが、アメリカに一人で残っている妹というわけかい？」

写真をいじくり廻した。

「そうです」

「名前は、何て云ったかねぇ」

「ヒロコ、広島の広ですわ」

「その妹さんは何だってまた、向うの大学にいるんだい、あんたにしろ、妹さんにしろ、女のくせにえらく学問好きのようだが、一体、何を勉強しているんだね」

猜疑《さいぎ》心を募《つの》らせるように、聞いた。

「看護学です」

「ほう、たかが看護婦になるのに、大学へ行くとは解《げ》せんな、そこがどうもひっかかる」

「アメリカの教育システムに疑問がおありなら、文部省にお問合せ下されば解《わか》ります」

「まあ、そう、気色ばみなさんな、で、あんたの結婚式の写真はないのかね」

「ありません、離婚しましたから」

「僅か半年たらずで、離婚したようだねぇ、原因は何だったんだね、え？」

ねっちり聞いた。

「お答えする必要は、ないと思います」

「いや、その男がアメリカにいる以上、職務上、聞いておかねばならん」

重ねて聞いた。

「性格の不一致です」

椰子は、素《そ》っ気なく応えた。

「で、その男は、今、どこで何をしているのだ」

チャーリーが、アメリカ陸軍情報部の日本語学校教官であったことは、当初から伏せていた。どんなことがあっても、それはおし隠すつもりであった。

「強制収容所にいるのでしょう、それ以外は存じません、それより今日のご用件を早くすませて下さい」

と促すと、刑事は俄かに胡座《あぐら》をかき、

「日本の女なら、茶の一つぐらい出すもんだ」

横柄に云った。椰子は黙って湯を沸し、番茶を出した。ごぼりと咽喉を鳴らして呑み、

「例の対米放送の件だが、今晩中に承諾して貰いたいんだ、対米放送は四、五人でしているが、番組を拡充する矢先に、中心の女性アナが病気で入院し、急遽《きゆうきよ》、穴埋めする必要が生じ、ついては君のように向うの新聞社に勤めていた女性なら、呑み込みも早いだろうと、東京から矢の催促なんだ、条件は一日二、三時間の放送で百二十円、その上、米、肉などの物資手当がつく、結構過ぎるような話じゃないか」

両親に仕送りしなければならない立場に、つけ込むように話したが、椰子は黙っていた。刑事は残りの茶を啜《すす》り、

「大の男が一日中、働きづめで貰える給料が八十円だというのに、英語で甘い声で、何やらアメ公どもに囁きかけるだけで百二十円とは、女は得だねぇ」

「得も、損もありません、私には放送の仕事は向かないから、お断りしているのです」

向うが今晩中の返事というのなら、これ以上、つきまとわれないためにも、椰子ははっきり断った。刑事のガラス玉のような眼が光った。

「優しく出れば、つけ上るな！　そんなにまで断るというからには、お前の忠誠心はアメリカにあって、日本にはないということだな」

高飛車に、怒鳴り上げた。

「そうではありません、アメリカは私が生れ育った国であり、日本は父祖の国です、そう思えばこそ、両親とともに帰って来て、日本国民として海軍監督官事務所で働いているんです、ただ、いかにお勧めとはいえ、自分が生れ、育ったアメリカに反逆する行為だけは出来ません、反逆、裏切り行為は、人間として恥ずべきことだと思います」

そう云った途端、椰子の頬に平手打ちが飛んだ。

「ちょいとお頭《つむ》と面《つら》がいいと思って、生意気ぬかすな！　アメリカに妹と元亭主がいるお前など、俺がその気になれば要注意の二世のブラックリストにのせて、どうにでも料理出来るんだ、対米放送が何としても承諾できないなら、海軍監督官事務所も即刻、馘だ、もう一晩だけ、時間をやるから、頭を冷やして考えておけ！」

捨てぜりふを残して、荒々しく階段を下りて行った。

一人になると、椰子は口惜し涙を拭った。たまたま二世の女性というだけで、特高刑事の下卑た暴言に耐えねばならないのが、みじめであった。戦争が終れば、再びアメリカへ帰り、加州新報を再開する、という夢を持っている椰

子には、対米謀略放送など、到底、引き受けられないことであった。

＊

オーストラリアのブリスベーンから南西二十キロの田舎町のはずれ、インドロピリーに、マッカーサー司令部所属の巨大な対日戦略情報基地が設けられていた。

ユーカリの樹が茂る森の中にあるこの基地は、ATIS《アティス》（ALLIED TRANSLATORS AND INTERPRETERS SECTION連合軍翻訳通訳部）と呼ばれ、日系二世の語学兵を中心としたアメリカ軍の他《ほか》に、イギリス、オーストラリア、オランダ、インド、中国の連合軍の情報連絡将校も含め、約千名が常駐し、太平洋戦線から送られて来た膨大な日本軍の捕獲文書を翻訳、分析する作業にあたっている。こうしたATIS《アティス》の存在は、まだ日本軍には知られていなかったが、連合国間では、〃マッカーサーの耳〃と云われるほど、対日情報戦で大きな力になっていた。

賢治は、ブリスベーンの司令部からジープを走らせ、ユーカリの木立の間をトランスレーション・セクション（翻訳部）に向っていた。対日宣伝ビラを書くための資料探しに、週に一、二度、ATIS《アティス》へ来るのも、賢治の仕事であった。

MPに守られた軍用トラックが、走りぬけて行った。多分、戦場で捕獲した文書を空港から運んで来たに違いない。

ATIS《アティス》は、捕獲文書を翻訳するトランスレーション・セクションの他に、前線から送られて来た捕虜を尋問するインテロゲーション・セクションと、日本軍の戦闘序列や将校名簿を専門に扱うオーダー・オブ・バトル・セクションの三部門から成っているが、主たる部門は、捕獲文書を翻訳するトランスレーション・セクションであった。

賢治は、オフィスの前でジープを停《と》めた。そこには先ほどの軍用トラックが停っており、日本の郵便袋のような大きな麻袋を荷台から、ぼんぼん降ろしている。麻袋の他に、軍用行李《こうり》や機密書類でも入っているのか、茶櫃《ちゃびつ》のような箱も幾つか降ろされた。何日か、海上を漂流していたらしく、近付くと、湿った箱から潮の匂いがした。

部屋の中では、運び込まれた麻袋のチェックや開封で、数十人の若い語学兵が、埃まみれで忙しくたち働いている。日本語堪能のホワイト・ロシア系アメリカ人であるシモノフ翻訳課長と、そのアシスタントのデビッド加藤も、麻袋や茶櫃の開封にたち合っていた。

「やあ、ケーン」

デビッド加藤が、賢治に気付くと、シモノフ翻訳課長も、穏やかな微笑を見せた。日系語学兵がどんなに大きな戦力になっていても、ここでもヘッドはあくまで白人将校であった。

「これは、どこの戦場から送られて来たものなんです？」

「ニューギニアの北西部と、モロタイ島、ハルマヘラ島で捕獲したものだ、麻袋の中でマラリア蚊がまだ生きているかもしれないから、ご用心だよ」

シモノフは、横浜育ちの流暢な日本語で云った。

麻袋の中からは、泥や熱帯植物の葉がついた連隊日誌、作戦命令書、地図、軍票、個人の日記、手紙、軍事郵便、貯金通帳などが、次々に出て来、種別ごとに分けられて、ボックス型の棚の中へ入れられて行く。

その時、一通の軍事郵便貯金通帳が、賢治の眼についた。表紙に『下関《しものせき》貯金支局』と印刷され、その下の所属部隊が解る野戦番号と氏名のところは、血痕らしい黒ずんだ汚点《しみ》がべっとりとついて判読出来ない。通帳を開くと、受入高の欄に、毎月九円六十銭也《なり》の給金がきちんと入金され、昭和十八年十一月でぷつりと終っている。思うに、内地か満洲あたりから、南方戦線へ廻され、輸送船が途絶えて、給金は貰えずじまいになったようだ。給金の額から推して、一等兵か、二等兵らしかったが、おそらく貧しい農家に生れ、戦地で貰う給金すらも、一銭も手をつけずに貯金し、生還の暁には家族のために持ち帰ろうとした一人の日本兵の姿が、賢治の瞼にうかび、胸を搏った。

「ケーン、今日は何を探しに来たんだい」

デビッド加藤が、聞いた。

「戦地の日本兵に、家族から来た心搏つような手紙があればと思って来たんだ、捕虜になるぐらいなら自決しようとしている日本兵には、僕らが書く投降勧告ビラより、家族からの手紙の一部分を載せた方が、説得力があるからね」

「だけど、日本の軍隊の検閲は厳しいから、家族からの手紙も、なかなか、ほんとうの胸のうちは書いてないよ、スキャナー（精査係）のケネス阿川あたりに聞いてみたらどうだい」

捕獲文書は、作戦命令書、地図、日誌、手紙などに分類されたあと、重要で急ぐものか、否かを選別するために、スキャナーへ廻される。したがってスキャナーは、語学兵の中でも、日本語と軍事情勢に通じたトップレベルの人物があたることになっていた。スキャナーには、マッカーサー司令部のG2（情報）、あるいは本国のワシントンの陸軍省から、予《あらかじ》めこの時点で、どのような情報を収集すべきかというEEI（ESSENTIAL ELEMENT INFORMATION 資料収集目標）が通達され、その線にそって、スキャニングが行われるのだった。

賢治は、六十数名のスタッフがチームを組み、ずらりと机を並べている体育館《ジム》のような部屋へ入り、教え子のケネス阿川に声をかけると、まだ湿ってインクが滲んでいる文書を広げて、首をひねっていた阿川は、

「あ、アモウ先生、ちょうどよかった、グアム島の海軍が捕獲した機密文書の一部を急いで翻訳するように命じられたんですが、解読が出来ず、困っているところなんです」

インクの滲んだ文書をさし示した。どうやら、航行中の

輸送船団に対する作戦命令書のようであった。インクが滲んでとても読み取れそうになかったが、窓際にたって、陽にすかしてみると、ところどころが、かすかに読み取れる。

「重要な作戦命令書らしいが、これじゃあ、判《はん》じもののようなものだな」

賢治は、あれこれ想像をめぐらせて判読していくうちに、一つ気になる文字にぶつかった。

「もしや、これは旭という字では……」

と呟き、はっとした。もしこれが第二十三師団、旭兵団に対する命令書であれば、弟の忠と関連したものになる。二十三師団、旭兵団は、熊本、大分、宮崎、鹿児島、沖縄の五県の出身者によって編成されているからであった。

つい一週間前、日本軍が全滅したブーゲンビルにも鹿児島県の部隊がいることが解ったが、戦闘序列部《オーダー・オブ・バトル・セクション》に問い合わせると、鹿児島県でも加治木町からの召集兵は入っていないといわれ、ほっと安堵はしたものの、それならば、忠の部隊はどこにいるかと、そのことがいつも賢治の頭の隅にこびりついているのだった。

「アモウ、こっちへ——」

さっきのシモノフが、入口のところで合図した。シモノフに随《つ》いて誰もいない部屋へ入ると、

「アモウ、これはグアムの米海軍から、特別便の飛行機で送られて来た文書だが、この内容によっては、直ちに連合軍の連絡情報将校のミーティングにかけ、G2のウィロビー少将にも報告しなくてはならないから、眼を通して貰いたい」

一綴りの文書を手渡した。ケネス阿川のところで見た文書同様、水に濡れ、判読しにくかったが、千切れそうになりながらも表紙がついていた。

はがれないように慎重に頁を繰《く》った。

『旭兵団編成表』と、どうにか解《よ》み取れる頁に、二十三師団の部隊名、編成地、部隊通称名、部隊長名を記した一覧表があった。

師団司令部（熊本）　旭一　　三部隊　西山　太郎中将
歩　第六十四聯　（本）　一一　一　　春　一中
歩兵第七十一聯隊（鹿児島）旭一一二五部　二木栄蔵大佐
捜索第二

二木栄蔵——、それは郷里、鹿児島の加治木中学校時代の友の叔父に当る人であり、叔父を尊敬するその友が同期で唯一人、陸軍士官学校にパスしたことから、今もってその名を記憶していたのだった。その二木栄蔵大佐が、鹿児島が編成地の歩兵第七十一連隊の連隊長であるなら、そこに弟の忠がいる可能性が強い。

シモノフは、直ちに連合国情報将校のミーティングを行うからと、文書を抱えて出て行った。

賢治も出席しなければならない会議だった。複雑な思い

で、ユーカリの林の奥の建物へ足を運び、会議室へ入ると、既にATIS《アティス》のヘッドのナッシュ大佐をはじめイギリス、オーストラリア、オランダ、中国の将校たちが顔を揃えており、新たに運び込まれた捕獲文書も積み上げられている。

「ケーン、説明してくれ」

口髭《くちひげ》をたくわえたナッシュ大佐が促した。賢治はさっきの編成表を前にし、

「これは二十三師団の編成表です、師団長はじめ各連隊の通称号、連隊長名などが記され、これで部隊編成は、ほぼ解明出来ます」

「そうか！　凄《すご》い情報だ」

僅《わず》かに日本語を解するナッシュ大佐は興奮した面持《おももち》で見入ると、イギリス、オーストラリア、オランダ、中国の将校たちも体をのり出した。

「ですが、この編成表はいつの時点のものかが、問題です、肝腎《かんじん》のその部分が千切《ちぎ》れて解《わか》りません」

賢治が云うと、ナッシュ大佐は、

「じゃあ、すぐ戦闘序列部《オーダー・オブ・バトル・セクション》に問い合せてみよう」

直ちに電話のダイヤルを廻した。戦闘序列部《オーダー・オブ・バトル・セクション》は、翻訳《トランスレーション》セクションから吸い上げた資料をもとに、ワシントンの国防省と常時、連絡を取りながら、日本軍の戦闘配置を研究しているセクションであった。

「こちらナッシュ大佐だ、日本の二十三師団、通称旭兵団は、今、「どの位置にいるか、至急、調べてほしい」

数分して、戦闘序列部から回答の電話がかかって来た。

「ほう、二十三師団は満洲ハイラル駐屯《ちゆうとん》の関東軍所属部隊——、その編成表の日付は？　一九四四年九月十日——、師団長名は？　え？　よく解らん、こちらの書類と照合するから待ってくれ」

ナッシュ大佐は云い、

「アモウ少尉、この編成表の師団長は、誰《だれ》だと書いてある？」

「ニシヤマ・フクタロウ中将です」

賢治が、アルファベットの綴《つづ》りを伝えると、ナッシュ大佐は受話器に向って、

「そっちの編成表も同じか、その他、二十三師団に関するデータは？　ほう兵員数は約二万五千——、相当大きいな、サンキュー」

受話器を置いた。各国の情報将校は、二十三師団が関東軍所属部隊と聞き、目の色を変えた。

「関東軍といえば、満洲で戦歴を誇る精鋭部隊だ、それが海上で米海軍の攻撃を受けたということは、南方戦線へ転戦して来る途中だったのではないか」

英海軍将校が考えをめぐらすように云うと、中国軍将校も眼を光らせ、

「私もそう思う、二十三師団の行先は、日本の大本営が最後の決戦場として兵員増強を計っているルソン島ではないか、アモウ少尉、この捕獲文書の中から二十三師団の行先

を示す情報はないか」

と促《うなが》した。賢治が、ずたずたに裂けた書類をあれこれつなぎ合せていると、シモノフが、

「おや、これは何だろう」

先の尖《とが》った楕円《だえん》形の符号のようなものが縦に三列、ならんだ図を示した。

「もしかして、船団の編成図じゃないだろうか、その前後の頁が見つかるといいのだが」

賢治も、そのあたりの書類を注意深く一枚、一枚、はがして行くと、

第一梯団ヒ八一船団航行隊形

はっきり文字が読み取れ、秋津丸、吉備《きび》津丸、神州丸、摩耶《まや》山《さん》丸といった総計十二隻の船名が記され、別の頁には船団の内訳、トン数、最大ノット数などが記述されていた。連合軍にとっては咽喉《のど》から手が出るほど貴重な情報であった。

英海軍将校が、

「そうか、MT船と呼ばれている十七ノットの特殊高速輸送船が、日本軍にまだ残っていたとは意外だ」

驚きの声を上げた。

「だが、それらは米潜水艦の攻撃で全滅したのだろう、だからこういう文書が入手出来たのだ」

オランダ軍将校が楽観的な意見を述べると、ナッシュ大佐は首を振り、

「それは断言出来ない、というより第一梯団とある以上、第二、第三、あるいは第四の輸送船団が南に向って航行しているはずだ、二万五千人の兵員とその兵器、物資を輸送するには、十二隻だけでは到底、不可能だ、しかも関東軍の精鋭部隊を輸送するこの船団は、日本の最後の〝トラの子〟の高速特殊船団に違いない、一刻も早く、この船団の行先を探し出さねばならない」

逸《はや》る口調で、急《せ》きたてた。

ナッシュのその言葉が終らないうちに、賢治は、動悸《どうき》が高鳴るような書類を手にしていた。

大陸《たいりく》命第千百……号

大陸命は、天皇の裁可を得た奉勅命令であった。

命　令

一、二十三師団ヲ……第十四方面軍戦闘序列ニ編入ス

二、関東軍総司令官ハ第二十三師団ヲ比島ニ派遣シ南方軍総司令官ノ隷下ニ入ラシ……

あとは解読不能であったが、北満ハイラルにあった二十三師団が一路、南下しつつあることは、もはや紛《まぎ》れもない

事実であった。賢治は無言で英訳し、ナッシュ大佐に渡した。

「ケーン、よくやった！」

ナッシュは頬《ほお》を紅潮させ、一同に大陸命を示し、

「日本軍二十三師団が、ソ連国境の守備を離れて、フィリピンに向うとは、よくよくのことだ、直ちに司令部のG2(情報)、G3(作戦)に連絡し、残存の高速輸送船団がフィリピンへ辿《たど》り着く前に叩《たた》きつぶさねばならない」

と云うなり、ブリスベーンのマッカーサー司令部へ報告するためにたち上り、各国情報将校たちも慌しくメモを握《にぎ》って、席をたった。

いつしか賢治一人が取り残されていた。

曾てワシントンの国防省で、郷土の先輩島木文彌がドイツの大使館から東京の外務省へかけた鹿児島弁の隠語電話を解読し、今また弟の生死が関わっているかもしれない大本営の機密文書を解読してしまったとは――。

賢治の瞼に弟が乗っているかもしれない輸送船が撃沈される光景がうかび、今となっては生きのびてくれと、祈るほかはなかった。


(以下、中巻)

二《ふた》つの祖国《そこく》(上)

昭和五十八年七月二十日 発行
昭和五十八年十月十五日 七刷

定価 一二〇〇円

著者 山《やま》崎《さき》豊《とよ》子《こ》

発行者 佐藤亮一
発行所 株式会社 新潮社
〒一六二 東京都新宿区矢来町七一
電話(業務部)〇三―二六六―五一一一
(編集部)〇三―二六六―五四一一
振替 東京四―八〇八番
印刷 大日本印刷株式会社
製本 加藤製本株式会社

ISBN4-10-322810-5 C0093

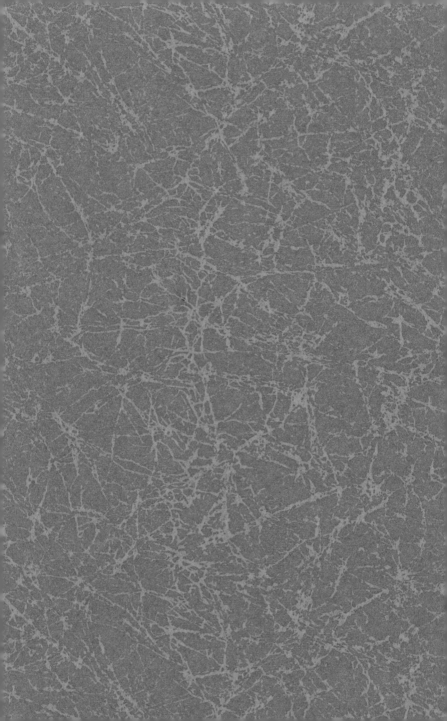